O CAMINHO DE CASA

CB063934

O CAMINHO DE CASA

Yaa Gyasi

Tradução: Waldéa Barcellos

Título original
HOMEGOING

Copyright © 2016 by YNG Books, Inc.

Todos os direitos reservados. Publicado nos Estados Unidos por Alfred A. Knopf, uma divisão da Penguin Random House LLC, Nova York, e no Canadá pela Random House of Canada, uma divisão of Penguin Random House Limited, Toronto

Todos os direitos reservados.
Nenhuma parte desta obra pode ser reproduzida, ou transmitida por qualquer forma ou meio eletrônico ou mecânico, inclusive fotocópia, gravação ou sistema de armazenagem e recuperação de informação, sem a permissão escrita do editor.

Esta é uma obra de ficção. Nomes, personagens, lugares e incidentes são produtos da imaginação da autora ou foram usados de forma ficcional. Qualquer semelhança com pessoas reais, vivas ou não, acontecimentos ou locais é mera coincidência.

Agradecimento é feito a seguir a Alfred Music e Hal Leonard Corporation pela autorização de reproduzir os excertos da letra "I Loves You, Porgy" (de *Porgy and Bess*). Letra e música de George Gershwin, DuBose e Dorothy Heyward, e Ira Gershwin. Copyright © 1935, renovado por Ira Gershwin Music, DuBose e Dorothy Heyward Memorial Fund Publishing, George Gershwin Music, Nokawi Music e Frankie G. Songs. Todos os direitos em nome de Ira Gershwin Music administrados por WB Music Corp. Todos os direitos para Nokawi Music administrados por Imagem Sounds. Todos os direitos para Frankie G. Songs e DuBose e Dorothy Heyward Memorial Fund Publishing administrados por Songs Music Publishing. Todos os direitos reservados. Reproduzido com autorização de Alfred Music e Hal Leonard Corporation.

Direitos para a língua portuguesa reservados
com exclusividade para o Brasil à
EDITORA ROCCO LTDA.
Rua Evaristo da Veiga, 65 – 11ª andar
Passeio Corporate – Torre 1
20031-040 – Rio de Janeiro, RJ
Tel.: (21) 3525-2000 – Fax: (21) 3525-2001
rocco@rocco.com.br
www.rocco.com.br

Printed in Brazil/Impresso no Brasil

Preparação de originais
MAIRA PARULA

CIP-Brasil. Catalogação na fonte.
Sindicato Nacional dos Editores de Livros, RJ.

G999c Gyasi, Yaa
O caminho de casa / Yaa Gyasi; tradução de Waldéa Barcellos. – 1ª ed. – Rio de Janeiro: Rocco, 2017.

Tradução de: Homegoing
ISBN: 978-85-325-3059-2 (brochura)
ISBN: 978-85-812-2684-2 (e-book)

1. Romance americano. 2. História – Escravidão – Migração. I. Barcellos, Waldéa. II. Título.

17-38894   CDD–813
                                                                            CDU–821.111(73)-3

O texto deste livro obedece às normas do
Acordo Ortográfico da Língua Portuguesa.

Para meus pais e para meus irmãos

Abusua te sɛ kwaɛ: sɛ wo wɔ akyire a wo hunu sɛ ɛbom; sɛ wo bɛn ho a na wo hunu sɛ nnua no bia sisi ne baabi nko.

A família é como a floresta. Se você estiver do lado de fora, ela é fechada; se estiver dentro, verá que cada árvore tem sua própria posição.

— PROVÉRBIO AKAN

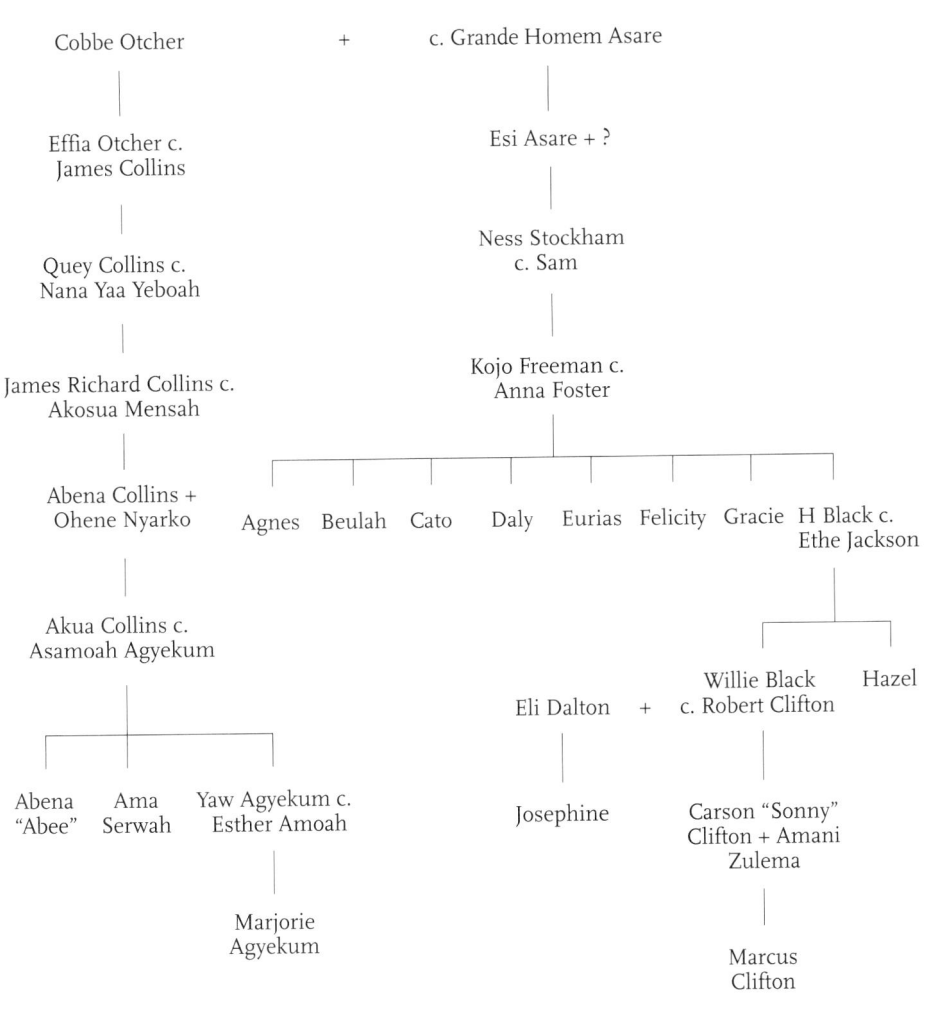

Primeira Parte

Effia

NA NOITE EM QUE Effia Otcher nasceu, no calor almiscarado da terra dos fantis, um incêndio varria a floresta bem na frente do *compound* de seu pai. O fogo avançava rápido, abrindo caminho por dias a fio. Alimentava-se do ar. Dormia em cavernas e se escondia em árvores. Ele queimava, lançando chamas para o alto e para todos os lados, alheio à devastação que deixava para trás, até que chegou a uma aldeia axânti. Lá, ele sumiu, unindo-se à noite.

O pai de Effia, Cobbe Otcher, deixou o bebê recém-nascido com sua primeira esposa, Baaba, para poder ir examinar as perdas nos seus inhames, uma planta das mais preciosas, conhecida por sustentar famílias por toda parte. Cobbe tinha perdido sete lavouras de inhame e sentiu cada perda como um golpe contra sua própria família. Naquele momento, ele soube que a lembrança do fogo que queimou e depois fugiu atormentaria a ele, aos seus filhos e aos filhos dos seus filhos por todo o tempo que sua linhagem perdurasse. Quando voltou para a cabana de Baaba e encontrou Effia, a filha do fogo da noite, aos berros, ele olhou para a mulher e disse: "Nunca mais vamos falar sobre o que aconteceu hoje."

Os habitantes da aldeia começaram a dizer que a criança tinha nascido do fogo, que era por esse motivo que Baaba não tinha leite. Effia foi amamentada pela segunda esposa de Cobbe, que dera à luz um menino três meses antes. Effia não conseguia abocanhar o peito, e quando o fazia, suas gengivas afiadas rasgavam a carne em torno dos mamilos da mulher até ela ficar com medo de amamentar o bebê. Por isso, Effia foi ficando muito magra, pele e ossos pequenos como os de um passarinho; sua boca, um grande buraco negro lançando gritos esfaimados que podiam ser ouvidos por toda a aldeia, mesmo nos dias em que Baaba fazia de tudo para sufocá-los, cobrindo os lábios do bebê com a palma áspera da mão esquerda.

"Ame a menina", ordenava Cobbe, como se o amor fosse um ato tão simples quanto levantar a comida de um prato de ferro e trazê-la à boca. À noite, Baaba sonhava em deixar a criancinha na floresta escura para que o deus Nyame fizesse com ela o que bem entendesse.

Effia cresceu. No verão depois de completar três anos, Baaba teve seu primeiro filho. Deram ao menino o nome de Fiifi, e ele era tão gordo que às vezes, quando Baaba não estava olhando, Effia o rolava pelo chão como uma bola. No primeiro dia que Baaba permitiu que Effia o pegasse no colo, Effia, sem querer, o deixou cair. O menino quicou no traseiro, foi parar de bruços e olhou para todos os que estavam ali, confuso, sem saber se deveria chorar ou não. Decidiu não chorar, mas Baaba pegou a grande colher de pau com que estava mexendo o *banku* e começou a espancar as costas nuas de Effia. Cada vez que a colher era levantada do corpo da menina, ela deixava

Effia

para trás pedaços quentes e grudentos de *banku*, que penetravam na sua carne, queimando. Quando Baaba terminou, Effia estava coberta de ferimentos, chorando e berrando. Do chão, rolando para lá e para cá sobre a barriga, Fiifi olhava para Effia com os olhos muito arregalados, mas não emitia um som.

Quando voltou para casa, Cobbe encontrou suas outras esposas cuidando dos ferimentos de Effia e entendeu de imediato o que tinha acontecido. Ele e Baaba brigaram até tarde da noite. Effia podia ouvi-los através das paredes finas da cabana, onde ela estava deitada no chão, num sono febril e intermitente. No sonho de Effia, Cobbe era um leão e Baaba, uma árvore. O leão arrancava a árvore da terra onde estava e a jogava no chão com violência. A árvore reagia estendendo os galhos, e o leão os arrancava um por um. A árvore, na horizontal, começava a chorar formigas vermelhas que iam descendo pelas rachaduras finas da sua casca. As formigas se juntavam todas na terra fofa em volta do topo do tronco da árvore.

Foi assim que o ciclo começou. Baaba espancava Effia. Cobbe espancava Baaba. Quando completou dez anos de idade, Effia podia desfiar a história das cicatrizes no seu corpo. O verão de 1764, quando Baaba quebrou inhames nas suas costas. A primavera de 1767, quando Baaba esmagou o pé esquerdo de Effia com uma pedra, quebrando seu dedão, de modo que ele agora estava sempre virado na direção contrária à dos outros dedos. Para cada cicatriz no corpo de Effia, havia uma cicatriz correspondente no corpo de Baaba, mas isso não impedia a mãe de espancar a filha, nem o pai de espancar a mãe.

Tudo só ficou pior com o desabrochar da beleza de Effia. Quando ela estava com doze anos, seus seios despontaram, duas almofadas que se projetavam do seu peito, macias como a polpa de mangas. Os homens da aldeia sabiam que logo se seguiria o primeiro sangramento, e ficaram aguardando a oportunidade de pedir a mão de Effia a Baaba e Cobbe. Começaram a chegar presentes. Um homem extraía o vinho de palma melhor do que qualquer outra pessoa na aldeia, mas as redes de pescar de outro nunca estavam vazias. A família de Cobbe se banqueteava com a transformação de Effia em mulher. As barrigas e mãos nunca estavam vazias.

Em 1775, Adwoa Aidoo tornou-se a primeira jovem da aldeia a receber uma proposta de casamento de um soldado britânico. Adwoa tinha a pele clara e a língua afiada. De manhã, depois de se banhar, ela esfregava manteiga de karité no corpo inteiro, por baixo dos seios e entre as pernas. Effia não a conhecia direito, mas a tinha visto nua um dia, quando Baaba mandou que ela levasse óleo de palma à cabana da moça. A pele de Adwoa era lisa e brilhante, seu cabelo, majestoso.

Na primeira vez em que o homem branco veio, a mãe de Adwoa pediu aos pais de Effia que dessem uma volta na aldeia com ele, enquanto Adwoa se arrumava.

— Posso ir junto? — perguntou Effia, correndo atrás dos pais, enquanto eles andavam. Ela ouviu o "não" de Baaba por um ouvido e o "sim" de Cobbe pelo outro. O ouvido do lado do pai saiu ganhando, e logo Effia estava parada diante do primeiro homem branco que tinha visto na vida.

— Ele está feliz em conhecer vocês — disse o intérprete, enquanto o homem estendia a mão para Effia. Ela não a aceitou. Em vez disso, foi se esconder atrás da perna do pai e ficou observando o homem.

Effia

Ele usava um casaco que tinha no centro botões dourados e brilhantes, de alto a baixo. O casaco apertava a sua pança. O rosto do homem era vermelho, como se seu pescoço fosse um toco pegando fogo. Ele era todo gordo, e gotas enormes de suor brotavam na sua testa e acima da sua boca. Effia começou a pensar nele como uma nuvem de chuva: amarelado, encharcado e disforme.

— Por favor, ele gostaria de ver a aldeia — disse o intérprete, e todos começaram a andar.

Pararam primeiro no *compound* da própria Effia.

— É aqui que nós moramos — disse Effia ao homem branco, e ele sorriu para ela, apatetado, os olhos verdes encobertos por uma névoa.

Ele não estava entendendo. Mesmo depois que o intérprete lhe explicou, ele não entendeu.

Cobbe segurou a mão de Effia, enquanto ele e Baaba guiavam o homem branco pelo *compound*.

— Aqui nesta aldeia — disse Cobbe —, cada esposa tem sua própria cabana. Esta é a cabana que ela divide com seus filhos. Quando é a noite de o marido passar com uma esposa, ele vai procurá-la na cabana dela.

Os olhos do homem branco se desanuviaram, à medida que ele ouvia a tradução. E de repente Effia percebeu que ele estava vendo tudo de uma outra perspectiva. O barro das paredes da cabana, a palha no telhado, ele finalmente os enxergava.

Eles continuaram a percorrer a aldeia, mostrando ao homem branco a praça, as pequenas canoas de pesca, feitas a partir de troncos escavados de árvores, que os homens carregavam quando caminhavam os poucos quilômetros de descida até o litoral. Effia se esforçou para ver as coisas com outros olhos, também. Ela sentiu o cheiro do vento salgado do mar quando ele tocou nos pelos do seu nariz; sentiu a casca de uma palmeira, cortante como um arranhão; viu o vermelho muito escuro do barro que estava em toda a volta.

— Baaba — perguntou Effia, num momento em que os homens iam andando mais adiante —, por que Adwoa vai se casar com esse homem?

— Porque a mãe dela mandou.

Algumas semanas mais tarde, o homem branco voltou para uma visita de cortesia à mãe de Adwoa. Effia e todos os outros habitantes da aldeia se reuniram para ver o que ele ofereceria. Havia o preço da noiva, quinze libras. Havia mercadorias que ele tinha trazido do castelo, carregadas nas costas de axântis. Cobbe fez Effia ficar atrás dele enquanto observavam os serviçais chegando com tecidos, painço, ouro e ferro.

Quando iam andando de volta para o seu *compound*, Cobbe puxou Effia para um lado, deixando que suas esposas e outros filhos fossem na frente.

— Você entendeu o que acabou de acontecer? — perguntou ele à filha. Ao longe, Baaba deu a mão a Fiifi. O irmão de Effia tinha acabado de completar onze anos, mas já conseguia escalar o tronco de uma palmeira sem usar nada para apoio além das próprias mãos e dos pés.

— O homem branco veio para levar Adwoa embora — disse Effia.

O pai fez que sim.

— Os homens brancos moram no Castelo de Cape Coast. Lá, eles trocam mercadorias com nosso povo.

— Como ferro e painço?

Effia

O pai pôs a mão no ombro da filha e lhe deu um beijo no alto da testa, mas, quando se afastou, seu olhar estava perturbado e distante.

— É, nós conseguimos ferro e painço, mas precisamos dar coisas em troca. Aquele homem veio de Cape Coast para se casar com Adwoa, e haverá outros como ele, que virão para levar embora nossas filhas. Mas para você, minha querida, tenho planos maiores do que o de viver como mulher de um homem branco. Você vai se casar com um homem da nossa aldeia.

Baaba olhou para trás bem nessa hora, e seus olhos encontraram os de Effia. Baaba amarrou a cara. Effia olhou para o pai para ver se ele tinha percebido, mas Cobbe não disse palavra.

Effia sabia quem ela escolheria para ser seu marido e torcia para que seus pais escolhessem o mesmo homem. Abeeku Badu era o próximo na sucessão para ser o chefe da aldeia. Ele era alto, tinha a pele da cor do caroço de abacate e mãos grandes, com dedos finos e longos, que ele agitava para lá e para cá como relâmpagos, sempre que falava. Ele tinha visitado o *compound* deles quatro vezes no último mês, e, mais tarde naquela semana, ele e Effia deveriam fazer uma refeição juntos.

Abeeku trouxe uma cabra. Seus servos carregavam inhames, peixe e vinho de palma. Baaba e as outras esposas alimentaram seus fogões e aqueceram o óleo. O ar tinha um aroma delicioso.

Naquela manhã, Baaba tinha trançado o cabelo de Effia. Duas tranças compridas de cada lado do repartido no meio. Elas faziam com que Effia parecesse um carneiro, forte, voluntarioso. Effia tinha passado óleo no corpo nu e posto ouro nas orelhas. Ela ficou sentada diante de Abeeku enquanto eles comiam, satisfeita com os olhares de admiração que ele lhe lançava.

— Você foi à cerimônia de Adwoa? — perguntou Baaba quando todos os homens tinham sido servidos, e as mulheres, por fim, começaram a comer.

— Fui. Eu estive lá mas só por pouco tempo. É uma pena que Adwoa saia da aldeia. Ela teria sido uma boa esposa.

— Você vai trabalhar para os ingleses quando for chefe? — perguntou Effia. Cobbe e Baaba olharam para ela com ar de censura, e ela baixou a cabeça; mas, quando a levantou, descobriu que Abeeku estava sorrindo.

— Nós trabalhamos *com* os ingleses, Effia, não para eles. Esse é o significado do comércio. Quando eu for chefe, vamos continuar como fizemos até agora, promovendo o comércio com os axântis e os ingleses.

Effia fez que sim. Ela não tinha certeza exata do que isso queria dizer, mas podia ver, pelos olhares dos pais, que era melhor ficar calada. Abeeku Badu era o primeiro homem que traziam para conhecê-la. Effia estava louca para que ele a quisesse, mas ainda não sabia que tipo de homem ele era, que tipo de esposa ele procurava. Na sua cabana, Effia podia perguntar ao pai e a Fiifi qualquer coisa que quisesse. Era Baaba que praticava o silêncio e preferia que Effia agisse da mesma forma. Era Baaba quem tinha lhe dado um tapa por perguntar por que ela não a levara para ser abençoada, como todas as mães faziam com suas filhas. Era só quando Effia não falava nem perguntava nada, quando se fazia pequena, que ela podia sentir o amor de Baaba, ou algo parecido. Talvez fosse isso o que Abeeku queria também.

Effia

Abeeku terminou a refeição. Ele apertou a mão de todos da família e parou junto da mãe de Effia.

— Por favor, me informe quando ela estiver pronta — disse ele.

Baaba levou o punho fechado ao peito e assentiu em silêncio. Cobbe e os outros homens acompanharam Abeeku até a saída, enquanto o resto da família acenava.

Naquela noite, Baaba acordou Effia, que estava dormindo no chão da cabana. Effia sentiu o calor da respiração da mãe na sua orelha, enquanto ela falava.

— Quando seu sangue chegar, Effia, você precisa esconder. Você deve contar para mim e para mais ninguém — disse ela. — Está entendendo? — Ela entregou a Effia folhas de palmeira que tinha transformado em rolos de tecido macio. — Ponha isso dentro de você e olhe todos os dias. Quando ficar vermelho, você tem de me avisar.

Effia olhou para as folhas de palmeira nas mãos estendidas de Baaba. A princípio, não as pegou, mas, quando olhou de novo, viu uma espécie de desespero nos olhos da mãe. E como a expressão tinha de algum modo abrandado o rosto de Baaba, e como Effia também sabia o que era o desespero, aquele fruto do anseio, ela obedeceu. Todos os dias, Effia verificava para ver se estava vermelho, mas as folhas de palmeira saíam de um branco-esverdeado, como sempre. Na primavera, o chefe da aldeia adoeceu e todos observavam Abeeku com atenção para ver se ele estava pronto para a tarefa. Naqueles meses, ele se casou com duas mulheres, Arekua, a Sábia, e Millicent, a filha mestiça de uma mulher fanti e um soldado britânico. O soldado tinha morrido de uma febre, deixando para a mulher e dois filhos muito dinheiro para fazerem o que quisessem.

Effia rezava pedindo pelo dia em que todos os habitantes da aldeia a chamariam de Effia, a Bela, como Abeeku a chamava nas raras ocasiões em que tinha permissão para falar com ela. O marido branco dera um nome novo à mãe de Millicent. Ela era uma mulher gorducha, roliça, com dentes cintilantes que contrastavam com a noite escura de sua pele. Quando o marido morreu, ela decidiu sair do castelo e voltar para a aldeia. Como os brancos não podiam deixar dinheiro em testamento para mulheres e filhos fantis, eles o deixavam para outros soldados e amigos, e estes amigos entregavam os valores às viúvas. A mãe de Millicent tinha recebido dinheiro suficiente para comprar um pouco de terra e recomeçar. Ela e Millicent costumavam visitar Effia e Baaba porque, como ela dizia, logo elas pertenceriam à mesma família.

Millicent era a mulher de pele mais clara que Effia já tinha visto. Seus cabelos pretos iam até o meio das costas e seus olhos tinham um tom esverdeado. Ela raramente sorria. E falava com uma voz rouca e um estranho sotaque fanti.

— Como era no castelo? — Baaba perguntou à mãe de Millicent um dia, quando as quatro estavam sentadas fazendo um lanche de amendoins e bananas.

— Era bom, bom mesmo. Ah, eles sabem cuidar da gente, aqueles homens! É como se nunca tivessem tido uma mulher antes. Não sei o que as esposas inglesas faziam. Mas posso garantir uma coisa: meu marido olhava para mim como se eu fosse água e ele fosse fogo. E todas as noites era preciso apagar o fogo.

As mulheres riram. Millicent deu um sorrisinho para Effia, e Effia teve vontade de perguntar como era com Abeeku, mas não se atreveu.

Effia

Baaba chegou mais perto da mãe de Millicent, mas, mesmo assim, deu para Effia ouvir o que ela disse.

— E eles pagam um bom preço pela noiva, não é?

— É, sim. Meu marido pagou à minha mãe dez libras, e isso foi há quinze anos! É claro, minha irmã, que o dinheiro é bom, mas, por mim, estou feliz por minha filha ter se casado com um fanti. Mesmo que um soldado oferecesse vinte libras, ela não seria esposa de um chefe. E o pior é que ela teria de morar no castelo, longe de mim. Não, não, para suas filhas poderem ficar perto de você, é melhor que se casem com um homem da aldeia.

Baaba concordou em silêncio e se voltou para Effia, que desviou depressa o olhar.

Naquela noite, só dois dias depois do seu aniversário de quinze anos, o sangue veio. Não foi com a poderosa precipitação das ondas do mar, como Effia esperava, mas como um simples filete, uma chuva que cai gota a gota do mesmo ponto do telhado de uma cabana. Ela se limpou e esperou que o pai deixasse Baaba para poder contar à mãe.

— Baaba — disse ela, mostrando-lhe as folhas de palmeira tingidas de vermelho. — Meu sangue chegou.

Baaba cobriu com a mão a boca de Effia.

— Quem mais sabe?

— Ninguém — disse Effia.

— Que continue assim. Está me entendendo? Quando alguém perguntar se você já é mulher, você vai responder que não.

Effia fez que sim. Voltou-se para sair, mas uma pergunta queimava como carvão em brasa na boca do seu estômago.

— Por quê? — perguntou ela, por fim.

Baaba enfiou a mão na boca de Effia, puxando a língua para fora, e beliscou a ponta com suas unhas afiadas.
— Quem é você para achar que pode me contrariar, hem? Se não me obedecer, vou dar um jeito de você nunca mais conseguir falar. — Ela soltou a língua de Effia e, pelo resto da noite, Effia sentiu o gosto do próprio sangue.

Na semana seguinte, o velho chefe morreu. Anúncios sobre o funeral foram enviados a todas as aldeias próximas. O ritual duraria um mês e se encerraria com a cerimônia em que Abeeku se tornaria chefe. As mulheres da aldeia preparavam comida do amanhecer até o pôr do sol. Tambores foram fabricados da melhor madeira. E os melhores cantores foram convocados para soltar a voz. Os participantes do funeral começaram a dançar no quarto dia da estação das chuvas e só deram descanso aos pés quando o chão estava totalmente seco.

No final da primeira noite seca, Abeeku foi coroado *omanhene*, chefe da aldeia fanti. Ele estava vestido em tecidos suntuosos, com as duas esposas, uma de cada lado. Effia e Baaba estavam paradas, juntas, assistindo, e Cobbe andava de um lado para outro. De vez em quando, Effia o ouvia resmungar que ela, sua filha, a mulher mais bela da aldeia, deveria estar lá em cima também.

Como novo chefe, Abeeku quis fazer alguma coisa importante, algo que atraísse a atenção para sua aldeia e fizesse deles uma força a ser respeitada. Depois de apenas três dias no posto, ele chamou todos os homens do povoado para o seu *compound*. Deu-lhes comida por dois dias seguidos, embebe-

Effia

dou-os com vinho de palma até que se podia ouvir em cada cabana seus risos fanfarrões e gritos empolgados.

— O que eles vão fazer? — perguntou Effia.

— Isso não é da sua conta — disse Baaba.

Nos dois meses desde que Effia tinha começado a sangrar, Baaba tinha parado de espancá-la. Um pagamento pelo seu silêncio. Alguns dias, quando estavam preparando refeições para os homens, ou quando Effia trazia a água que fora buscar e via Baaba mergulhar nela as mãos em concha, Effia pensava que finalmente elas estavam se comportando como mães e filhas supostamente deveriam se comportar. Mas aí, em outros dias, a carranca voltava à fisionomia de Baaba, e Effia via que a nova calma da sua mãe era só passageira, que sua ira era uma fera selvagem que tinha sido domada só por um tempo.

Cobbe voltou da reunião com um machete comprido. O cabo era de ouro com entalhes de letras que ninguém entendia. Ele estava tão bêbado que todas as suas esposas e seus filhos fizeram um círculo em volta dele se afastando enquanto ele se movia de um lado para outro, brandindo a esmo o instrumento afiado. "Vamos fazer essa aldeia ficar rica com sangue!", gritou ele. Investiu contra Fiifi, que tinha entrado distraído na roda, e o garoto, mais magro e mais rápido do que tinha sido nos seus tempos de bebê gordo, girou os quadris, desviando-se da ponta do machete por apenas poucos centímetros.

Fiifi tinha sido o mais jovem na reunião. Todos sabiam que ele seria um bom guerreiro. Dava para ver no seu jeito de escalar as palmeiras. No jeito com que usava seu silêncio como uma coroa dourada.

Depois que o pai saiu, e Effia teve certeza de que a mãe tinha adormecido, ela foi engatinhando até onde Fiifi estava.

— Acorda — disse ela, baixinho, e ele lhe deu um empurrão. Mesmo meio dormindo, ele era mais forte do que ela. Ela caiu para trás, mas, com a elegância de um felino, voltou a ficar em pé de um salto. — Acorda — repetiu ela.

Os olhos de Fiifi se abriram de repente.

— Não me perturbe, irmã.

— O que vai acontecer? — perguntou ela.

— É assunto de homens — respondeu Fiifi.

— Você ainda não é homem — disse Effia.

— E você ainda não é mulher — retrucou Fiifi de pronto.

— Se fosse, estaria lá com Abeeku nesta noite mesmo, como esposa dele.

Os lábios de Effia começaram a tremer. Ela se virou para voltar para seu lado da cabana, mas Fiifi a segurou pelo braço.

— Nós vamos ajudar os ingleses e os axântis com o comércio.

— Ah — disse Effia. Era a mesma história que tinha ouvido do pai e de Abeeku apenas alguns meses antes. — Você quer dizer que vamos dar ouro para os axântis e tecido para os homens brancos?

Fiifi apertou mais seu braço.

— Não seja idiota. Abeeku fez uma aliança com uma das aldeias axântis mais poderosas. Nós vamos ajudá-los a vender seus escravos para os ingleses.

E assim o homem branco veio à aldeia deles. Gordos e magros, vermelhos e bronzeados. Eles vinham de uniforme, com espadas ao lado, os olhos sempre de esguelha, sempre com a maior cautela. Vinham dar aprovação às mercadorias que Abeeku lhes prometera.

Effia

Nos dias que se seguiram à cerimônia do chefe, Cobbe tinha ficado nervoso com a frustração de Effia não ter se tornado mulher, temeroso de que Abeeku se esquecesse dela e preferisse alguma outra mulher da aldeia. Ele sempre tinha dito que queria que sua filha fosse a primeira esposa, a mais importante, mas agora até mesmo ser a terceira parecia uma esperança remota.

Todos os dias, ele perguntava a Baaba o que estava acontecendo com Effia, e, todos os dias, Baaba respondia que ela não estava pronta. Em desespero, ele resolveu permitir que a filha fosse ao *compound* de Abeeku uma vez por semana, para que o homem a visse e se lembrasse de como um dia tinha amado seu rosto e sua silhueta.

Arekua, a Sábia, a primeira das esposas de Abeeku, veio recebê-las quando elas chegaram numa noite.

— Por favor, Mama — disse ela a Baaba. — Nós não estávamos esperando vocês hoje. Os homens brancos estão aqui.

— Nós podemos voltar para casa — disse Effia, mas Baaba agarrou seu braço.

— Se não for problema, nós gostaríamos de ficar — disse Baaba. Arekua olhou para ela com estranheza. — Meu marido vai se zangar se voltarmos cedo demais — disse Baaba, como se essa explicação bastasse. Effia sabia que ela estava mentindo. Cobbe não as tinha mandado ir lá naquela noite. Foi Baaba que soube que os homens brancos estariam lá e insistiu em fazer uma visita de cortesia. Arekua sentiu pena e foi perguntar a Abeeku se elas duas podiam ficar.

— Vocês vão comer com as mulheres e, se os homens entrarem, vocês não falam nada — disse ela, ao voltar. Ela as levou mais para os fundos do *compound*. Effia ficou olhando cada cabana pela qual passava, até elas entrarem naquela em que as esposas tinham se reunido para comer. Ela se sentou ao lado de Millicent, cuja barriga de grávida tinha começado a aparecer ainda bem baixa, não maior do que um coco. Arekua tinha feito peixe ensopado no óleo de palma, e elas comeram à vontade até seus dedos ficarem manchados da cor de laranja.

Logo, uma criada que Effia nunca tinha visto entrou ali. Era uma menina muito pequena, não mais que uma criança, que nunca tirava os olhos do chão.

— Por favor, Mama — disse ela para Arekua. — Os homens brancos gostariam de conhecer nossa casa. O chefe Abeeku diz para a senhora tratar de estar apresentável para eles.

— Vá buscar água para nós, depressa — disse Millicent. E quando a criada voltou com um balde cheio de água, todas elas lavaram as mãos e a boca. Effia arrumou o cabelo, lambendo a palma das mãos e esfregando os dedos ao longo dos cachinhos crespos em torno do rosto. Quando ela terminou, Baaba fez com que se postasse entre Millicent e Arekua, na frente das outras mulheres, e Effia se esforçou para parecer menor e não atrair atenção para si.

Os homens não demoraram a chegar. Abeeku tinha a aparência que um chefe deveria ter, pensou Effia, forte e poderoso, como se conseguisse levantar dez mulheres acima da cabeça na direção do sol. Dois homens brancos entraram atrás dele. Effia achou que um deles devia ser o chefe dos brancos por causa do jeito com que o outro olhava de relance para ele antes de se mexer ou falar. Esse chefe branco usava as mesmas roupas que os outros, mas havia mais botões dourados brilhando na frente e nos ombros do seu casaco. Parecia mais velho que Abeeku, com o cabelo castanho-escuro salpicado

Effia

de branco, mas se mantinha empertigado, com a postura de um líder.

— Essas são as mulheres. Minhas esposas e filhos, as mães e filhas — disse Abeeku. O homem branco menor e mais tímido ficou olhando com atenção, enquanto ele dizia isso, e então se voltou para o chefe branco e falou naquela sua língua estranha. O chefe branco assentiu e sorriu para todas elas, olhando atento para cada mulher e dizendo "olá" com seu fanti capenga.

Quando seu "olá" chegou a Effia, ela não conseguiu reprimir um risinho. As outras mulheres a silenciaram com um psiu, e o embaraço, como um calor, começou a surgir no seu rosto.

— Ainda estou aprendendo — disse o chefe branco, com os olhos pousados em Effia; seu fanti, um som desagradável aos ouvidos dela. Ele a encarou pelo que pareceram minutos, e Effia sentiu sua pele ficar ainda mais quente à medida que a expressão no olhar dele se transformava em algo mais malicioso. Os círculos castanho-escuros das suas íris pareciam caldeirões em que bebês poderiam se afogar, e ele olhava para Effia desse jeito mesmo, como se quisesse mantê-la ali, na voragem dos seus olhos. A cor rapidamente invadiu o rosto dele também. Ele se voltou para o outro homem branco e falou.

— Não, ela não é minha esposa — disse Abeeku, sem se dar ao trabalho de disfarçar sua irritação, depois que o homem tinha traduzido para ele. Effia baixou a cabeça, embaraçada por ter feito alguma coisa que tivesse causado vergonha a Abeeku, embaraçada por ele não poder chamá-la de esposa. Embaraçada, também, por ele não a ter chamado pelo nome: Effia, a Bela. Naquele instante, ela sentiu a vontade desesperada de desrespeitar a promessa que tinha feito a Baaba e se anunciar como a mulher que era, mas, antes que pudesse falar, os homens saíram e sua coragem sumiu quando o chefe branco olhou para trás e lhe deu um sorriso.

Ele se chamava James Collins, e era o governador recém-nomeado para o Castelo de Cape Coast. No prazo de uma semana, ele tinha voltado à aldeia para pedir a mão de Effia em casamento. A ira de Cobbe com o pedido encheu cada aposento como um vapor quente.

— Mas ela está praticamente prometida a Abeeku! — disse ele a Baaba aos berros, quando Baaba lhe contou que estava estudando a oferta.

— É, mas Abeeku não pode casar com ela enquanto o sangue dela não chegar, e nós estamos esperando há anos. Eu te digo, marido, acho que ela foi amaldiçoada pelo fogo naquele incêndio. É um demônio que nunca se tornará mulher. Pense bem. Que criatura é tão bela assim mas não pode ser tocada? Todos os sinais da mulher estão ali e, mesmo assim, nada. O homem branco vai se casar com ela, de qualquer modo. Ele não sabe o que ela é.

Effia tinha ouvido o homem branco conversando com sua mãe mais cedo naquele dia. Ele pagaria a Baaba 30 libras de entrada e 25 xelins por mês em mercadorias comercializáveis, como um presente para a família da noiva. Mais do que até mesmo Abeeku poderia oferecer, mais do que tinha sido oferecido por qualquer mulher fanti naquela aldeia ou em outra.

Effia ouviu o pai andando de um lado para outro a noite inteira. Até no dia seguinte, ela acordou com aquele mesmo som, o ritmo compassado dos pés dele no chão de terra batida.

Effia

— Precisamos fazer Abeeku acreditar que a ideia foi dele — disse ele por fim.

E assim o chefe foi convidado a vir ao *compound*. Ele se sentou ao lado de Cobbe, enquanto Baaba lhe contava sua teoria de que o incêndio que tinha destruído tanto do patrimônio da sua família também tinha destruído a criança.

— Ela tem o corpo de uma mulher, mas alguma coisa maligna está oculta no seu espírito — disse Baaba, cuspindo no chão para maior ênfase. — Se você se casar com ela, ela nunca te dará filhos. Se o homem branco se casar com ela, ele terá consideração por esta aldeia, e seu comércio há de prosperar com isso.

Abeeku cofiava a barba tranquilamente, enquanto pensava no assunto.

— Tragam a Bela aqui — ele acabou dizendo. A segunda esposa de Cobbe trouxe Effia para a sala. Effia tremia e sentia uma dor de barriga tão forte que achou que ia evacuar bem ali na frente de todos.

Abeeku levantou-se para ficar de frente para ela. Ele passou os dedos por toda a paisagem do seu rosto, os montes das faces, as grutas das narinas.

— Nunca nasceu mulher mais bela — disse ele, por fim. E se voltou para Baaba. — Mas vejo que você está com a razão. Se o homem branco a quer, pode ficar com ela. Vai ser melhor para nossos negócios com eles. Vai ser melhor para a aldeia.

Apesar de ser grande e forte, Cobbe começou a chorar abertamente, mas Baaba se manteve firme. Ela se aproximou de Effia depois que Abeeku tinha saído e lhe entregou um pingente de uma pedra negra que cintilava como se tivesse sido revestida com ouro em pó.

Ela o enfiou nas mãos de Effia e se inclinou bem perto até seus lábios tocarem na orelha dela.

— Leve isso quando você for — disse Baaba. — Pertenceu a sua mãe.

E quando Baaba finalmente se afastou, Effia pôde ver alguma coisa parecida com alívio dançando por trás do seu sorriso.

Effia só havia passado uma vez pelo Castelo de Cape Coast, quando ela e Baaba se arriscaram a sair da aldeia e entrar na cidade, mas nunca tinha entrado nele até o dia do seu casamento. Havia uma capela no térreo, e ela e James Collins foram casados por um sacerdote que pedira que Effia repetisse palavras cujo significado ela não sabia numa língua que não entendia. Não houve dança, nem banquete, nem cores vivas, cabelos untados, nem velhas com os seios nus e enrugados jogando moedas e agitando lenços. Nem mesmo a família de Effia compareceu, porque Baaba convencera a todos de que a garota era de mau agouro e ninguém mais quis ter qualquer contato com ela. Na manhã em que ela partiu para o castelo, Cobbe lhe deu um beijo no alto da cabeça e acenou em despedida, sabendo que o presságio da dissolução e destruição da linhagem familiar, o presságio que ele tivera na noite do incêndio, começava ali, com sua filha e o homem branco.

Por seu lado, James tinha feito tudo o que podia para dar conforto a Effia. Ela podia ver como ele se esforçava. Ele tinha feito seu intérprete lhe ensinar mais palavras em fanti para ele poder lhe dizer como ela era linda, como ele cuidaria dela da melhor forma possível. Ele a tinha chamado como Abeeku a chamava: Effia, a Bela.

Effia

Depois que se casaram, James levou Effia para conhecer o castelo. No térreo, junto da muralha norte, havia apartamentos e depósitos. O centro continha a praça de armas, os alojamentos dos soldados e a sala da guarda. Havia um curral, um lago, um hospital. Uma carpintaria, uma oficina de ferreiro e uma cozinha. O castelo era em si uma aldeia. Effia caminhava por ali com James em total assombro, passando as mãos pela mobília elegante feita com madeira da cor da pele do seu pai, com cortinas de seda tão delicadas que pareciam um beijo.

Pela respiração, Effia absorvia tudo, até que foi parar na plataforma de tiro, onde havia canhões negros enormes voltados para o mar. Ela queria descansar antes que James a conduzisse lá para cima por sua escadaria particular, por isso encostou a cabeça num daqueles canhões por um segundo. Foi quando sentiu uma brisa nos seus pés vinda de pequenos buracos no chão.

— O que fica aí embaixo? — perguntou ela a James, e a palavra mal pronunciada em fanti que voltou para ela foi "carga".

Então, subindo com a brisa, veio o som fraco de um choro. Tão fraco que Effia achou que era sua imaginação, até ela se abaixar e encostar o ouvido na grade.

— James, tem gente aí embaixo? — perguntou ela.

James veio depressa até ela. Ele a arrancou do chão e agarrou seus ombros, olhando diretamente nos seus olhos.

— Sim — disse ele, sem esforço. Era uma palavra em fanti que ele tinha aprendido direito.

Effia afastou-se dele. Ela encarava os olhos penetrantes do marido.

— Mas como você deixa essa gente aí chorando, hem? — disse ela. — Vocês, brancos. Meu pai me avisou dos costumes de vocês. Me leva para casa. Me leva para casa agora!

Ela só percebeu que estava aos berros quando sentiu a mão de James tapando sua boca, empurrando seus lábios como se pudesse forçar as palavras a voltarem para dentro. Ele a segurou desse jeito muito tempo, até ela se acalmar. Ela não sabia se ele tinha entendido o que ela dissera, mas soube naquele instante, só pela leve pressão dos dedos dele na sua boca, que ele era um homem capaz de ferir, que devia ficar feliz por estar de um lado da maldade dele e não do outro.

— Você quer ir para casa? — perguntou James. Seu fanti, firme, apesar de mal pronunciado. — Sua casa não é melhor do que aqui.

Effia tirou a mão dele de cima da sua boca com um puxão e ficou olhando para ele por mais um tempo. Ela se lembrou da alegria da mãe ao vê-la partir e soube que James tinha razão. Ela não podia voltar para casa. Fez que sim, com um gesto quase imperceptível.

Ele a fez subir a escada às pressas. No último andar, ficavam os aposentos de James. Da janela, Effia tinha uma vista para o mar. Como ciscos pretos no olho de água azul do Atlântico, navios cargueiros pareciam estar tão longe que era difícil dizer a que distância do castelo eles de fato estavam. Alguns estavam a três dias dali, outros, a apenas uma hora.

Quando ela e James finalmente chegaram ao quarto dele, Effia ficou olhando uma embarcação exatamente assim. O bruxulear de uma luz amarela anunciava sua presença na água e, com aquela luz, Effia mal conseguia distinguir a silhueta do navio, longa e curva, como a casca vazia de um coco. Teve vontade de perguntar a James o que o navio estava transportando e se ele estava indo ou voltando, mas estava cansada de tentar decifrar o fanti dele.

Effia

James disse alguma coisa para ela. Ele sorria enquanto falava, uma oferta de paz. Os cantos da sua boca tremiam ligeiramente. Ela fez que não, tentando lhe dizer que não entendia, e finalmente ele fez um gesto na direção da cama no canto esquerdo do quarto. Ela se sentou. Antes que saísse para o castelo naquela manhã, Baaba tinha explicado o que seria esperado dela na noite de núpcias, mas parecia que ninguém tinha explicado a James. Quando ele se aproximou dela, as mãos dele tremiam, e ela pôde ver a transpiração se acumulando na sua testa. Foi ela quem se deitou. Foi ela quem levantou a saia.

Eles seguiram assim por semanas, até que, com o tempo, o consolo da rotina começou a amenizar a dor que a saudade da família lhe deixara. Effia não sabia o que James tinha que a acalmava. Talvez fosse o jeito dele de sempre responder a suas perguntas, ou o afeto que demonstrava por ela. Talvez fosse o fato de James não ter outras esposas ali a quem dar atenção, então cada uma das suas noites pertencia a ela. Effia tinha chorado na primeira vez que ele lhe trouxe um presente. Ele tinha apanhado o pingente de pedra negra que Baaba lhe dera e mandou pô-lo numa corrente para ela poder usá-lo no pescoço. Tocar aquela pedra sempre dava a Effia uma forte sensação de bem-estar.

Effia sabia que não deveria gostar de James e não parava de ouvir as palavras do pai ecoando no seu pensamento, como ele dissera que queria que ela não fosse a mulher fanti de um homem branco. Ela também se lembrava de como tinha estado perto de realmente *ser* alguém. Durante a vida inteira, Baaba a tinha espancado e feito com que ela se sentisse inferior, e Effia revidara com sua beleza, uma arma silenciosa, mas poderosa, que a levara aos pés de um chefe. Mas, no final, sua mãe acabou vencendo, expulsando-a não só de casa, mas da aldeia inteira, então agora os únicos fantis que ela via com regularidade eram as mulheres dos outros soldados.

Ela ouvira os ingleses chamá-las de "raparigas", não de esposas. "Esposa" era uma palavra reservada às mulheres brancas que moravam no ultramar. "Rapariga" era uma coisa totalmente diferente, uma palavra que os soldados usavam para manter as mãos limpas e não se encrenar com seu deus, um ser que ele próprio era feito de três, mas que permitia que os homens desposassem somente uma.

— Como ela é? — Effia perguntou a James um dia. Eles vinham se ensinando um ao outro a própria língua. De manhã cedo, antes de sair para supervisionar o trabalho do castelo, James ensinava inglês para ela. E à noite, quando estavam na cama, ela lhe ensinava fanti. Nessa noite, ele estava acompanhando com o dedo a curva da sua clavícula enquanto ela lhe cantava uma canção que Baaba costumava cantar para Fiifi à noite, com Effia deitada num canto, fingindo que estava dormindo, fingindo não se importar por nunca ser incluída. Aos poucos, James tinha começado a significar para ela mais do que um marido deveria significar para uma mulher. A primeira palavra que ele quis aprender foi "amor", e ele a dizia todos os dias.

— Ela se chama Anne — disse ele, passando o dedo da clavícula de Effia para os lábios. — Faz tanto tempo que eu não a vejo. Nós nos casamos há dez anos, mas passei fora a maior parte desse tempo. Eu quase não a conheço.

Effia sabia que James tinha também dois filhos na Inglaterra. Emily e Jimmy. Eles tinham cinco e nove anos, concebidos nos poucos dias em que ele esteve de licença e pôde

Effia

ver a mulher. O pai de Effia tinha vinte filhos. O velho chefe teve quase cem. Que um homem ficasse satisfeito com tão poucos era algo que ela não conseguia compreender. Effia se perguntava como as crianças eram. Também se perguntava o que Anne escrevia a James naquelas cartas dela. As cartas chegavam a intervalos imprevisíveis, ora de quatro meses, ora de um mês. James as lia à escrivaninha de noite, enquanto Effia fingia estar dormindo. Ela não sabia o que as cartas diziam, mas sempre que James lia uma, ele voltava para a cama e se deitava o mais longe possível dela.

Agora, sem a força de uma carta para mantê-lo afastado, James estava com a cabeça pousada no seu seio esquerdo. Quando ele falou, sua respiração estava quente, um vento que soprou por cima do ventre de Effia e desceu entre suas pernas.

— Quero ter filhos com você — disse James, e Effia se encolheu, preocupada com a possibilidade de não conseguir realizar esse desejo; preocupada, também, com a possibilidade de não vir a ser uma boa mãe, por ter tido uma mãe ruim.

Ela já tinha contado a James a tramoia de Baaba, como Effia fora forçada a manter em segredo que já era mulher, para parecer inadequada aos olhos dos homens da aldeia, mas James tinha expulsado a tristeza da mulher com uma risada. "Sorte minha", disse ele.

E, no entanto, Effia tinha começado a acreditar que talvez Baaba estivesse certa. Ela tinha perdido a virgindade na noite do casamento, mas meses tinham se passado sem uma gravidez. A maldição podia ter brotado de uma mentira, mas talvez tivesse gerado o fruto da verdade. Os anciãos de sua aldeia contavam a história de uma mulher que todos diziam ter sido amaldiçoada. Ela morava à sombra de uma palmeira no lado noroeste, e ninguém nunca a chamava pelo nome. Sua mãe tinha morrido para ela poder viver e, no dia do seu aniversário de dez anos, ela estava carregando um caldeirão de óleo fervente de uma cabana para outra. Seu pai estava cochilando no chão, e ela, achando que poderia passar por cima dele, em vez de dar a volta, tropeçou e derramou o óleo quente no rosto dele, deixando-o desfigurado para o resto da vida, que durou só mais vinte e cinco dias. Ela foi expulsa de casa e ficou vagando pela Costa do Ouro anos a fio, até voltar aos dezessete anos de idade, com uma beleza rara e estranha. Achando que talvez ela já não atraísse a morte aonde quer que fosse, um rapaz que a conhecera quando menina se ofereceu para se casar com ela assim mesmo, sem nada de seu e sem família. Ela concebeu um mês depois, mas, quando a criança nasceu, era mestiça. De olhos azuis e pele clara, morrendo quatro dias depois. Ela deixou a casa do marido na noite da morte da criança e foi morar à sombra da palmeira, castigando-se pelo resto da vida.

    Effia sabia que os anciãos da aldeia só contavam essa história para avisar as crianças para terem cuidado quando estivessem perto de óleo quente, mas ela se perguntava sobre o fim da história, a criança mestiça. Como essa criança, tanto branca como negra, era um mal com poder suficiente para forçar a mulher a se exilar no palmeiral.

    Quando Adwoa se casou com o soldado branco, e quando Millicent e sua mãe voltaram para a aldeia, Cobbe torceu o nariz. Ele sempre tinha dito que a união de um homem e uma mulher também era a união de duas famílias. Antepassados, histórias inteiras, vinham com o casamento, mas junto também vinham pecados e maldições. Os filhos eram a encarna-

Effia

ção daquela união e aguentavam o rojão daquilo tudo. Que pecados o homem branco trazia consigo? Baaba tinha dito que a maldição de Effia estava no fracasso em ser mulher, mas foi Cobbe que profetizara uma linhagem contaminada. Effia não conseguia deixar de pensar que estava lutando contra seu próprio ventre, lutando contra os filhos do fogo.

— Se você não der filhos a esse homem logo, ele vai levar você de volta — disse Adwoa. Ela e Effia não eram amigas quando moravam na aldeia, mas ali elas se viam sempre que possível, cada uma feliz de estar perto de alguém que a entenda, de ouvir os sons reconfortantes da sua língua regional. Desde que saiu da aldeia, Adwoa já tinha tido dois filhos. Seu marido, Todd Phillips, só tinha engordado mais, desde que Effia o vira pela última vez, vermelho e suarento na velha cabana de Adwoa.

— Vou te contar, o Todd não sai de cima de mim desde que cheguei aqui. É provável que eu já esteja grávida neste momento.

Effia estremeceu.

— Mas a barriga dele é enorme! — disse ela, e Adwoa riu até se engasgar com os amendoins que estava comendo.

— É, mas a barriga não é a parte que se usa para fazer o bebê — disse ela. — Vou te dar umas raízes do mato. Ponha as raízes debaixo da cama quando for se deitar com ele. Nesta noite, você precisa ser como um animal, quando ele entrar no quarto. Uma leoa. Ela cruza com o leão, e ele acha que o momento gira em torno dele, quando de fato gira em torno dela, dos filhos *dela*, da posteridade *dela*. O segredo dela é fazê-lo pensar que ele é o rei da selva, mas que importância tem um rei? No fundo, ela é o rei, a rainha e tudo o mais que houver entre um e outro. Hoje nós vamos fazer você estar à altura do seu título, Bela.

E assim Adwoa tinha vindo trazer as raízes. Não eram raízes comuns. Eram grandes e espiraladas; e, quando se puxava um fio, outro aparecia para ocupar o lugar. Effia as colocou debaixo da cama, e elas só pareciam se multiplicar, lançando pernas e mais pernas até ela ter a impressão de que a raiz ia levantar a cama do lugar e levá-la embora nas costas, uma aranha nova e estranha.

— Seu marido não deve ver nada dela — disse Adwoa, e as duas se esforçaram para empurrar de volta os fios da raiz que insistiam em dar uma espiada cá fora. Tanto empurraram e puxaram que finalmente conseguiram conter a raiz.

Então Adwoa ajudou Effia a se preparar para James. Ela trançou e alisou o cabelo da amiga, untou sua pele com óleo e passou barro vermelho nas maçãs do rosto e na curva dos lábios. Effia cuidou para que, quando James chegasse naquela noite, o quarto estivesse com um cheiro viçoso, terroso, como se ali alguma coisa pudesse gerar frutos.

— Que história é essa? — perguntou James. Ele ainda estava de uniforme, e Effia podia ver que ele tivera um dia cansativo só pelo jeito com que sua lapela estava frouxa. Ela o ajudou a tirar o casaco e a camisa e grudou o corpo no dele, como Adwoa a ensinara. Antes que ele pudesse registrar a surpresa, ela agarrou seus braços e o empurrou para a cama. Desde sua primeira noite juntos, ele nunca tinha ficado tão tímido, receoso daquele corpo desconhecido, a carne vigorosa, tão diferente de como ele tinha descrito a esposa. Agora excitado, ele a penetrou, e ela fechou os olhos tanto quanto pôde, passando a língua pelos lábios. Ele empurrou mais, com a respiração pesada, esforçada. Ela lhe arranhou as costas e ele deu um grito. Ela lhe mordeu a orelha e puxou o cabelo. Ele a invadia como se estivesse tentando passar através dela. E quando ela abriu os olhos para olhar para ele, viu algo como uma dor gravada no seu rosto. E a feiura do ato, o suor, o sangue, os fluidos que eles produziram, tudo se tornou iluminado; e ela soube que, se ela era um animal naquela noite, ele também era.

Quando terminaram, Effia ficou deitada com a cabeça no ombro de James.

— O que é isso? — perguntou ele, virando a cabeça. Eles tinham tirado a cama do lugar e agora três fiapos da raiz estavam expostos.

— Nada — disse Effia.

James levantou-se de um salto e espiou debaixo da cama.

— O que é, Effia? — perguntou ele de novo, sua voz mais forte do que ela jamais tinha ouvido.

— Não é nada. Uma raiz que Adwoa me deu. Para a fertilidade.

Ele crispou os lábios.

— Bem, Effia, não quero nenhum vodu nem magia negra nesta casa. Meus homens não podem ouvir dizer que eu deixei minha rapariga colocar raízes estranhas debaixo da cama. Não é cristão.

Effia já o tinha ouvido dizer isso. Cristão. Foi por esse motivo que eles foram casados na capela pelo homem severo, vestido de preto, que balançava a cabeça cada vez que olhava para ela. Ele também já tinha falado do "vodu", do qual achava que todos os africanos participavam. Ela não podia contar para ele as fábulas de Anansi, a aranha, ou histórias que os velhos da sua aldeia costumavam contar para ela, sem que ele ficasse desconfiado. Desde que tinha se mudado para o castelo, ela descobrira que só os homens brancos falavam de "magia negra". Como se a magia tivesse uma cor. Effia tinha visto uma bruxa nômade que levava uma cobra em volta dos ombros e do pescoço. Essa mulher tinha tido um filho. Ela cantava canções de ninar para ele de noite, segurava suas mãos e o alimentava, como qualquer outra mãe. Não havia nada de sinistro nela.

A necessidade de chamar uma coisa de "boa" e outra coisa de "má", essa de "branco" e essa de "preto", era um impulso que Effia não entendia. Na sua aldeia, tudo era tudo. Tudo aguentava o peso de tudo o mais.

No dia seguinte, Effia disse a Adwoa que James tinha visto a raiz.

— Isso não é bom — disse Adwoa. — Ele disse que ela era do mal? — Effia assentiu e Adwoa estalou a língua três vezes. — Todd teria dito a mesma coisa. Esses homens não conseguiriam distinguir o bem do mal nem que fossem o próprio Nyame. Agora estou achando que não vai funcionar, Effia. Sinto muito. — Mas Effia não lamentou. Se ela era estéril, tudo bem.

Logo, até mesmo James estava ocupado demais para se preocupar com filhos. O castelo estava aguardando uma visita de autoridades holandesas, e tudo precisava funcionar da melhor forma possível. James acordava muito antes de Effia para ajudar os homens com as mercadorias importadas armazenadas e para cuidar dos navios. Effia passava cada vez mais tempo passeando pelas aldeias mais próximas do castelo, perambulando pelas florestas e conversando com Adwoa.

Na tarde da chegada dos holandeses, Effia foi se encontrar com Adwoa e algumas das outras raparigas na frente do castelo. Elas pararam à sombra de um arvoredo para comer

Effia

inhames com ensopado de óleo de palma. Adwoa estava lá, com Sarah, a rapariga mestiça de Sam York. Também estava lá a nova rapariga, Eccoah. Ela era alta e magra; e andava como se seus membros fossem feitos de gravetos finos, como se o vento pudesse quebrá-la e derrubá-la.

Nesse dia, Eccoah estava deitada na sombra estreita de uma palmeira. Effia tinha ajudado a enrolar seu cabelo no dia anterior, e, ao sol, ele parecia um milhão de cobrinhas minúsculas crescendo a partir da cabeça.

— Meu marido não consegue pronunciar meu nome direito. Ele quer me chamar de Emily — disse Eccoah.

— Se ele quer te chamar de Emily, deixa — disse Adwoa. Delas quatro, ela era rapariga havia mais tempo e sempre dava suas opiniões com liberdade e em voz alta. Todo mundo sabia que seu marido praticamente a idolatrava. — Melhor isso que ouvi-lo assassinar sua língua materna o tempo todo.

Sarah fincou os cotovelos na terra.

— Meu pai era soldado também. Quando ele morreu, Mama fez com que nos mudássemos de volta para a aldeia. Acabei me casando com Sam, mas ele não teve de se preocupar com meu nome. Sabiam que ele conheceu meu pai? Os dois eram soldados aqui no castelo quando eu era pequena.

Effia abanou a cabeça. Estava deitada de bruços. Adorava dias como este, em que podia falar fanti à velocidade que quisesse. Ninguém pedindo para falar mais devagar, ninguém mandando que falasse inglês.

— Meu marido sobe dos calabouços fedendo como um bicho morto — disse Eccoah, baixinho.

Todas desviaram o olhar. Ninguém jamais mencionava os calabouços.

— Ele chega cheirando a fezes e podridão, e olha para mim como se tivesse visto um milhão de fantasmas e não soubesse dizer se eu sou um deles ou não. Eu digo a ele que precisa se lavar antes de tocar em mim, e às vezes ele faz isso. Mas às vezes ele me empurra para o chão e me penetra como se estivesse possuído.

Effia sentou-se no chão e descansou a mão na barriga. James tinha recebido mais uma carta da mulher um dia depois de ter encontrado a raiz embaixo da cama. Eles não tinham dormido juntos desde então.

O vento ganhou força. As cobrinhas do cabelo de Eccoah se agitavam para lá e para cá, seus braços fininhos se ergueram.

— Tem gente lá embaixo, vocês sabiam? — disse ela. — Mulheres lá embaixo que são parecidas conosco. E nossos maridos precisam aprender a diferença.

Todas se calaram. Eccoah recostou-se na palmeira, e Effia ficou olhando uma fila de formigas passar por uma mecha do seu cabelo, como se para elas aquilo fosse apenas mais uma parte do mundo natural.

Depois daquele primeiro dia no castelo, James nunca falou com Effia sobre os escravos mantidos nos calabouços, mas ele costumava falar sobre animais. Era isso o que os axântis mais negociavam ali. Animais. Macacos e chimpanzés, até mesmo alguns leopardos. Aves como as poupas e os papagaios que ela e Fiifi costumavam tentar apanhar quando eram pequenos e perambulavam pelas florestas em busca daquela ave sem par, a que tivesse penas tão belas que parecesse se destacar das demais. Eles passavam horas a fio procurando exatamente por uma ave dessas e, na maior parte das vezes, não encontravam nenhuma.

Effia

Ela se perguntava qual seria o valor de uma ave daquelas, porque no castelo todos os bichos eram avaliados. Ela tinha visto James olhar para uma poupa trazida por um dos mercadores axântis e declarar que ela valia quatro libras. E o bicho humano? Quanto ele valeria? É claro que Effia sabia que havia gente nos calabouços. Gente que falava um dialeto diferente do dela, gente que tinha sido capturada em guerras tribais, até mesmo gente que tinha sido sequestrada, mas ela nunca tinha pensado em para onde essas pessoas iam a partir dali. Nunca tinha lhe ocorrido o que James devia pensar cada vez que via essas pessoas. Se ele entrava nos calabouços e via mulheres que faziam com que se lembrasse dela, que se pareciam com ela e tinham o cheiro como o dela. Se ele voltava para ela atormentado pelo que via por lá.

Effia logo percebeu que estava grávida. Era primavera e as mangas tinham começado a cair das mangueiras do lado de fora do castelo. Sua barriga começava a crescer, macia e carnuda, com seu próprio tipo de fruto. Quando ela lhe contou, James ficou tão feliz que a pegou no colo e saiu dançando pelos seus aposentos. Ela lhe deu um tapinha nas costas e mandou que a pusesse no chão, para não despedaçar o bebê de tanto sacudi-lo, e James tinha obedecido, antes de se curvar e dar um beijo na barriga quase sem nenhum volume.

Mas a alegria deles logo foi sufocada por uma notícia que veio da aldeia. Cobbe tinha adoecido. Estava tão doente que não se podia dizer se ainda estaria vivo quando Effia conseguisse voltar lá para vê-lo.

Effia não sabia ao certo quem tinha mandado a carta de lá da aldeia, porque ela estava endereçada ao marido e escrita num inglês ruim. Fazia dois anos que saíra da aldeia e desde então nunca tinha recebido notícias de ninguém da família. Ela sabia que a mão de Baaba estava envolvida nisso, e na realidade ficou surpresa por alguém ter chegado a pensar em avisá-la da doença do pai.

A viagem de volta à aldeia levou cerca de três dias. James não quis que ela fizesse a viagem sozinha na condição em que estava, mas não podia acompanhá-la. Por isso, mandou uma criada junto. Quando elas chegaram, tudo na aldeia parecia diferente. As cores da copa das árvores pareciam estar embotadas: seus marrons e verdes vibrantes, agora abafados. Os sons também pareciam diferentes. Tudo que no passado farfalhava agora estava em silêncio. Abeeku tinha tornado a aldeia tão próspera que eles ficariam conhecidos para sempre como um dos principais mercados de escravos em toda a Costa do Ouro. Ele não tinha tempo para ver Effia, mas mandou presentes de ouro e o doce vinho de palma para recebê-la quando ela chegou ao *compound* do pai.

Baaba estava parada à entrada. Parecia ter envelhecido cem anos nos dois anos que Effia tinha passado fora. Sua cara amarrada estava presa no lugar pelas centenas de rugas minúsculas que repuxavam sua pele, e suas unhas tinham crescido tanto que se enrolavam como garras. Ela não disse nada. Só conduziu Effia ao quarto onde seu pai jazia, à morte.

Ninguém sabia que doença tinha atingido Cobbe. Boticários, curandeiros, até mesmo o ministro cristão do castelo, tinham sido chamados para dar sua opinião e fazer suas rezas, mas nenhuma quantidade de remédios ou de pensamentos de cura conseguiu arrancá-lo da boca da morte.

Effia

Fiifi estava em pé, ao lado do pai, enxugando com cuidado o suor da sua testa. De repente, Effia estava chorando e tremendo. Ela estendeu a mão para a do pai e começou a acariciar a pele descorada.

— Ele não consegue falar — sussurrou Fiifi, olhando de relance para a barriga protuberante de Effia. — Está fraco demais.

Ela fez que sim e continuou a chorar.

Fiifi largou o pano encharcado e pegou a mão de Effia.

— Minha irmã, fui eu que escrevi a carta. Mama não queria que você viesse, mas eu achei que você devia ver nosso pai antes de ele entrar em Asamando.

Cobbe fechou os olhos e um murmúrio baixo escapou dos seus lábios, assim Effia pôde ver que a Terra dos Espíritos estava de fato o chamando.

— Obrigada — disse ela a Fiifi, e ele assentiu.

Ele começou a sair do quarto, mas, antes de chegar à porta da cabana, virou-se.

— Ela não é sua mãe, sabia? Baaba. Nosso pai teve você com uma criada que fugiu correndo para o meio do fogo na noite em que você nasceu. Foi ela quem te deixou a pedra que você usa no pescoço.

Fiifi saiu. E logo Cobbe morreu, com Effia ainda segurando sua mão. Os habitantes da aldeia diriam que Cobbe estava esperando que Effia voltasse para poder morrer, mas Effia sabia que era mais complicado que isso. A inquietação dele o tinha mantido vivo, e agora aquela inquietação pertencia a Effia. Ela alimentaria sua vida e a vida do seu bebê.

Depois que enxugou as lágrimas, Effia saiu do *compound* para o sol. Baaba estava sentada no toco de uma árvore derrubada, com os ombros firmes, de mãos dadas com Fiifi, que estava em pé ao seu lado, agora em silêncio total. Effia queria dizer alguma coisa a Baaba, pedir desculpas talvez pelo fardo que seu pai tinha forçado Baaba a carregar todos aqueles anos. Mas, antes que pudesse falar, Baaba limpou a garganta e cuspiu diante dos pés de Effia.

— Você não é nada, de lugar nenhum. Sem mãe e agora sem pai. — Ela olhou para a barriga de Effia e sorriu. — O que pode crescer do nada?

Esi

O CHEIRO ERA INSUPORTÁVEL. No canto, uma mulher chorava tanto que parecia que seus ossos iam se quebrar com as convulsões. Era isso o que eles queriam. O bebê tinha se sujado, e Afua, sua mãe, não tinha leite. Ela estava nua, a não ser pelo trapinho que os mercadores lhe deram para limpar os mamilos quando vazassem; mas eles tinham se equivocado. Se não havia comida para a mãe, não haveria alimento para o bebê. O bebê logo começaria a chorar, mas o som seria absorvido pelas paredes de barro, incorporado aos gritos das centenas de mulheres que o cercavam.

Esi estava no calabouço das mulheres no Castelo de Cape Coast havia duas semanas. Passou ali o seu aniversário de quinze anos. No seu aniversário de catorze anos, ela estava no coração da terra axânti, no *compound* do seu pai, o Grande Homem. Ele era o melhor guerreiro da aldeia, então todos faziam visitas de cortesia à filha que ficava mais bonita a cada dia que passava. Kwasi Nnuro levou para eles sessenta inhames. Mais do que qualquer outro pretendente já tinha levado. Esi teria se casado com ele no verão, quando o sol brilhava alto por muito tempo, quando era possível extrair a seiva das palmeiras para o vinho, quando as crianças mais ágeis podiam escalá-las, com os braços segurando o tronco num abraço à medida que suas pernas as empurravam para o alto para colher os frutos que esperavam por lá.

Quando ela queria se esquecer do castelo, pensava nessas coisas, mas sem esperar sentir alegria. O Inferno era um lugar de recordações: cada momento de beleza passava pelos olhos da mente até cair no chão como uma manga podre, perfeitamente inútil, inutilmente perfeita.

Um soldado entrou no calabouço e começou a falar. Ele precisou tapar o nariz para não vomitar. As mulheres não o entendiam. A voz dele não parecia zangada, mas elas tinham aprendido a recuar ao avistarem aquele uniforme, aquela pele da cor da polpa de coco.

O soldado repetiu o que tinha dito, dessa vez mais alto, como se o volume fosse forçar o entendimento. Irritado, ele se arriscou a entrar mais no calabouço. Pisou em fezes e praguejou. Ele arrancou o bebê do colo de Afua, e Afua começou a chorar. Ele a esbofeteou, e ela parou, um reflexo condicionado.

Tansi estava sentada ao lado de Esi. As duas tinham feito a viagem para o castelo juntas. Agora que não estavam andando o tempo todo, nem falando baixinho, Esi teve tempo para conhecer a amiga de viagem. Tansi era uma mulher feia e vigorosa, que mal tinha completado dezesseis anos. Ela era atarracada, com o corpo construído sobre alicerces sólidos. Esi tinha esperança, e não se atrevia a ter essa esperança, de que lhes fosse permitido ficar juntas mais um tempo.

Esi

— Para onde estão levando o bebê? — perguntou Esi. Tansi cuspiu no chão de terra e girou o cuspe com o dedo, criando um unguento.

— Vão matá-lo, tenho certeza — disse ela. O bebê tinha sido concebido antes da cerimônia de casamento de Afua. Como castigo, o chefe da aldeia a tinha vendido aos mercadores. Afua tinha contado a história a Esi assim que chegou ao calabouço, quando ainda achava que tinham cometido um erro, que seus pais viriam buscá-la.

Agora, ao ouvir as palavras de Tansi, Afua voltou a chorar, mas era como se ninguém ouvisse. Essas lágrimas eram uma questão de rotina. Algo que acontecia a todas as mulheres. Elas escorriam até o barro debaixo delas se transformar em lama. De noite, Esi sonhou que, se todas elas chorassem ao mesmo tempo, a lama se transformaria num rio e as águas as carregariam para o Atlântico.

— Tansi, por favor, me conta uma história — implorou Esi. Mas, nesse instante, houve mais uma interrupção. Os soldados chegaram com o mesmo mingau ralo com que elas tinham sido alimentadas na aldeia fanti onde Esi ficou presa. Esi tinha aprendido a engolir o mingau sem engulhar. Era o único alimento que elas chegavam a receber, e passavam mais dias com o estômago vazio do que cheio. Parecia que o mingau entrava por um lado e saía direto pelo outro. O chão estava coalhado com os excrementos delas, o cheiro intolerável.

— Ah! Você está crescida demais para ouvir histórias, minha irmã — disse Tansi, assim que os soldados se foram, mas Esi sabia que ela cederia logo. Tansi gostava de ouvir o som da própria voz. Ela puxou a cabeça de Esi para seu colo e começou a mexer no cabelo da amiga, puxando os fios que estavam recobertos de poeira, tão frágeis que poderiam ser quebrados, cada um partido como um graveto seco.

— Você conhece a história do pano *kente*? — perguntou Tansi. Esi já a tinha ouvido inúmeras vezes; duas, contada pela própria Tansi, mas fez que não. Perguntar se a história já tinha sido ouvida fazia parte da própria história. Tansi começou o relato.

— Um dia, dois homens axântis saíram da aldeia para a floresta. Eles eram tecelões por profissão e tinham saído a caçar em busca de carne. Quando chegaram à floresta para recolher suas armadilhas, quem os recebeu foi Anansi, a aranha travessa. Ela estava tecendo uma teia magnífica. Os homens ficaram olhando, examinando, e logo perceberam que a teia de uma aranha é uma coisa singular e belíssima, e que a técnica da aranha é impecável. Eles voltaram para casa e decidiram fazer um tecido do mesmo jeito com que Anansi tece sua teia. Disso nasceu o *kente*.

— Você sabe contar bem uma história — disse Esi. Tansi riu e passou o unguento que tinha fabricado nos joelhos e cotovelos para amaciar a pele rachada. A última história que tinha contado a Esi era de como tinha sido capturada pelos nortistas, arrancada da sua cama de casada enquanto seu marido estava fora, combatendo numa guerra. Tinha sido levada junto com mais garotas, mas as outras não tinham sobrevivido.

De manhã, Afua já tinha morrido. Sua pele estava azul e roxa, e Esi soube que ela tinha prendido a respiração até Nyame levá-la. Todas elas seriam castigadas por isso. Os soldados entraram, apesar de Esi já não poder dizer a que horas. As paredes de barro do calabouço deixavam todas as horas iguais. Não havia sol. Havia escuridão de dia, de noite e em todos os momentos. Às vezes, eram tantos os corpos acumulados no calabouço das mulheres que todas elas precisavam ficar deitadas, de bruços, para que mais mulheres fossem empilhadas por cima. E esse era um desses dias. Esi foi chutada para o chão por um dos soldados, que pôs o pé na base do seu pescoço para ela não poder se virar para respirar nada que não fosse a poeira e a sujeira do chão. As mulheres novas foram trazidas para ali, e algumas se lamuriavam tanto que os soldados as golpeavam até elas caírem, inconscientes. Elas foram empilhadas por cima das outras: cada corpo, um peso morto. Quando as espancadas voltavam a si, já não havia lágrimas. Esi pôde sentir que a mulher por cima dela urinava. A urina desceu por entre as pernas das duas.

Esi aprendeu a dividir sua vida em Antes do Castelo e Agora. Antes do Castelo, ela era a filha do Grande Homem e de sua terceira esposa, Maame. Agora ela era pó. Antes do Castelo, ela era a moça mais bonita da aldeia. Agora ela era nada mais que ar.

Esi nasceu numa pequena aldeia no coração da nação axânti. Grande Homem deu uma festa de acolhimento da menina ao mundo, durou quatro noites. Cinco cabritos foram abatidos e fervidos até seu couro duro ficar macio. Dizia-se que Maame não parou de chorar nem de louvar Nyame durante toda a cerimônia. Ela também não largou a bebê Esi nem por um instante. "Nunca se sabe o que pode acontecer", ela não parava de repetir.

Naquela época, Grande Homem era conhecido apenas como Kwame Asare. O pai de Esi não era um chefe, mas ele despertava o mesmo tipo de respeito, pois era o melhor guerreiro que a nação axânti tinha visto e, aos vinte e cinco anos de idade, já tinha cinco esposas e dez filhos. Todos na aldeia sabiam que sua semente era forte. Seus filhos, ainda aprendendo a andar e mais crescidinhos, já eram lutadores ferrenhos, e as filhas eram lindas.

Esi cresceu em total felicidade. Os habitantes da aldeia a chamavam de manga madura porque ela ficava quase no limite de ser uma criança estragada por ser mimada. Ainda era um amor de criança. Não havia nada que seus pais lhe negassem. Sabia-se que até mesmo seu pai, um forte guerreiro, a carregava pela aldeia durante a noite quando ela não conseguia dormir. Esi segurava a ponta do dedo dele, para ela grossa como um galho de árvore, enquanto passava, ainda aprendendo a andar, pelas cabanas que constituíam cada *compound*. A aldeia era pequena, mas seu crescimento era constante. No primeiro ano das suas caminhadas, eles levavam só vinte minutos para chegar à margem da floresta que os separava do resto da terra dos axântis, mas essa floresta foi sendo empurrada cada vez para mais longe até que, antes do quinto ano, o passeio até lá levava quase uma hora. Esi adorava ir até a floresta com o pai. Ela escutava, enlevada, quando ele lhe dizia que a floresta era tão densa que era como um escudo, impenetrável para seus inimigos. Ele lhe contava que ele e os outros guerreiros conheciam a floresta melhor do que as linhas das palmas das próprias mãos. E isso era bom. Seguir as linhas das palmas das mãos não levaria a parte alguma, mas a floresta levava os guerreiros a outras aldeias que eles podiam conquistar para acumular mais força.

"Quando você tiver a idade certa, Esi, vai aprender a escalar essas palmeiras sem nenhuma ajuda, só com suas próprias mãos", disse ele um dia, quando voltavam para a aldeia.

Esi

Esi olhou para o alto. O topo das palmeiras dava a impressão de estar roçando no céu. E ela se perguntou por que as folhas eram verdes, em vez de azuis.

Quando Esi estava com sete anos, seu pai venceu a batalha que lhe valeria o apelido de Grande Homem. Houvera rumores de que, numa aldeia logo ao norte da deles, guerreiros tinham voltado de uma incursão trazendo um esplêndido saque de ouro e mulheres. Eles chegaram a fazer um ataque surpresa ao depósito dos ingleses, conseguindo com isso pólvora e mosquetes. O chefe Nnuro, líder da aldeia de Esi, convocou para uma reunião todos os homens fisicamente capazes.

— Vocês já sabem da notícia? — ele lhes perguntou. E eles resmungaram, bateram com os cajados na terra dura e gritaram. — Os porcos da aldeia do norte estão andando por aí como reis. Por toda parte, os axântis vão dizer: foram os do norte que roubaram armas dos ingleses. Os do norte são os guerreiros mais poderosos de toda a Costa do Ouro. — Os homens bateram com os pés no chão e fizeram que não. — Nós vamos permitir isso? — perguntou o chefe.

— Não! — eles gritaram.

Kwaku Agyei, o mais sensato entre eles, fez com que calassem para poder falar.

— Prestem atenção! Nós podemos ir lutar com os do norte, mas o que nós temos? Nem armas, nem pólvora. E o que vamos ganhar? Quer dizer que muitas pessoas vão louvar nossos inimigos do norte, mas elas não continuarão a nos louvar também? Nós somos a aldeia mais forte há décadas. Ninguém conseguiu atravessar a floresta para nos desafiar.

— Então você prefere que esperemos até que a cobra do norte venha rastejando aos nossos campos e roube nossas mulheres? — perguntou o pai de Esi. Os dois homens estavam cada um de um lado, e todos os outros homens estavam em pé entre eles, virando a cabeça para lá e para cá para ver que dom sairia vencedor: a sabedoria ou a força.

— Só estou dizendo para não nos precipitarmos. Para que não pareçamos fracos.

— Mas quem é fraco? — perguntou o pai de Esi. Ele apontou para Nana Addae, para Kojo Nyarko e depois para Kwabena Gyimah. — Entre nós, quem é fraco? Você? Ou quem sabe, você?

Um por um, os homens fizeram que não, e logo todos estavam sacudindo o corpo inteiro num grito de recuperação de ânimo que pôde ser ouvido na aldeia inteira. Em casa, onde Esi estava ajudando a mãe a fritar bananas-da-terra, ela os ouviu e deixou cair duas fatias de banana tão rápido que o óleo saltou e respingou na perna da mãe.

— Aiii! — gritou a mãe, limpando o óleo com as mãos e soprando na queimadura. — Menina burra! Quando você vai aprender a ter cuidado perto do fogo? — perguntou Maame. Esi tinha ouvido a mãe dizer isso ou coisa parecida muitas vezes. Maame tinha pavor do fogo. "Tenha cuidado com o fogo. Saiba quando deve usá-lo e quando é melhor sentir frio", ela costumava dizer.

— Foi um acidente — retrucou Esi. Ela queria estar lá fora, tentando ouvir melhor a conversa dos guerreiros. A mãe estendeu a mão e puxou sua orelha.

— Quem é você para falar desse jeito? — perguntou ela, chiando a voz. — Pense antes de agir. Pense antes de falar.

Esi pediu desculpas à mãe, e Maame, que nunca tinha conseguido ficar com raiva de Esi por mais do que alguns segundos, deu-lhe um beijo no alto da cabeça, enquanto os gritos dos homens ficavam cada vez mais fortes.

Todos na aldeia conheciam a história. Esi fez com que o pai a contasse para ela todas as noites por um mês inteiro. Ela se deitava com a cabeça no colo dele, escutando enquanto ele falava sobre como os homens saíram de mansinho na direção da aldeia ao norte, na noite do grito de guerra. Seu plano era fraco: dominar o lugarejo e roubar o que tivesse sido roubado. O pai de Esi contava como ele liderou o grupo na travessia da floresta até que se depararam com uma roda de guerreiros que protegia as mercadorias recém-obtidas. O pai e seus guerreiros se esconderam nas árvores. Seus pés se movimentavam com a leveza de folhas no chão da floresta. Quando eles toparam com os guerreiros da aldeia do norte, lutaram com bravura, mas de nada adiantou. O pai de Esi e muitos outros foram capturados e enfiados em cabanas que tinham sido convertidas numa prisão.

Kwaku Agyei e seus poucos seguidores foram precavidos e ficaram na floresta até depois que os guerreiros afoitos tivessem feito sua investida apressada. Eles encontraram as armas que o pessoal do norte estava escondendo e as carregaram depressa e em silêncio, antes de se apresentarem onde seus companheiros estavam sendo mantidos cativos. Embora fossem poucos, Kwaku Agyei e seus homens conseguiram controlar os guerreiros contando histórias dos muitos homens de que dispunham e que estavam esperando na retaguarda. Kwaku Agyei disse que, se sua missão fracassasse, haveria um ataque todas as noites até o final dos tempos. "Se não vier do oeste, virá dos brancos", argumentou ele, com a escuridão espiando através do espaço entre seus dentes da frente.

O pessoal do norte achou que não tinha escolha a não ser ceder. Eles soltaram o pai de Esi e os outros, que se desfizeram de cinco das armas roubadas. Os homens retornaram para a aldeia em silêncio, com o pai de Esi dominado pela vergonha. Quando chegaram perto de sua aldeia, ele fez Kwaku Agyei parar, ajoelhou-se no chão e abaixou a cabeça diante dele.

— Estou arrependido, meu irmão. Nunca mais vou me precipitar num combate quando for possível argumentar.

— É preciso ser um grande homem para admitir sua insensatez — disse Kwaku Agyei, e todos prosseguiram, entrando na aldeia, tendo à frente Grande Homem, contrito e recém-batizado.

Esse foi o Grande Homem que voltou para Esi, o que ela conheceu à medida que ia crescendo. Racional, difícil de se alterar, e ainda assim o guerreiro mais forte e mais valente de todos eles. Quando Esi completou doze anos, sua pequena aldeia já tinha vencido mais de cinquenta e cinco guerras sob a liderança de Grande Homem. Os despojos dessas guerras podiam ser vistos quando os guerreiros os traziam para casa, ouro reluzente e tecidos coloridos em grandes sacos pardos, escravos em jaulas de ferro.

Eram os escravos que deixavam Esi mais fascinada, porque, depois de cada captura, eles eram expostos no centro da praça da aldeia. Qualquer um podia passar e olhar para eles, em sua maioria jovens guerreiros viris, mas, às vezes, mulheres e seus filhos. Alguns desses prisioneiros eram tomados pelos habitantes da aldeia como escravos, criados e criadas, para cozinhar e se encarregar da limpeza; mas logo eles eram numerosos demais para ser mantidos e era preciso lidar com o excesso.

Esi

— Mama, o que acontece com todos os prisioneiros depois que saem daqui? — Esi perguntou a Maame quando passavam pela praça numa tarde, com um cabrito, seu jantar, vindo atrás delas preso a uma corda.

— Isso é conversa de menino, Esi. Você não precisa pensar nisso — respondeu a mãe, desviando os olhos.

Desde as primeiras lembranças de Esi, e talvez até antes delas, Maame tinha se recusado a escolher seu próprio criado ou criada entre os prisioneiros que desfilavam pela aldeia a cada mês. Mas, como agora havia tantos prisioneiros, Grande Homem tinha começado a insistir.

— Uma criada podia ajudar na cozinha — disse ele.

— Esi me ajuda na cozinha.

— Mas Esi é minha filha, não uma garota qualquer para receber ordens.

Esi sorriu. Ela amava a mãe, mas sabia como Maame era sortuda por ter um marido como Grande Homem, quando ela não tinha família, nem antecedentes, nem nada. Grande Homem tinha salvado Maame de alguma desgraça que Esi desconhecia. Ela só sabia que a mãe faria quase qualquer coisa pelo pai.

— Está bem — disse ela. — Esi e eu vamos escolher uma menina amanhã.

E assim elas escolheram uma menina e resolveram chamá-la de Abronoma, Pequena Pomba. A menina tinha a pele mais escura que Esi já tinha visto. Mantinha os olhos baixos e, embora seu twi fosse razoável, ela raramente o falava. Ela não sabia a própria idade, mas Esi supôs que Abronoma não fosse muito mais velha que ela mesma. De início, Abronoma era péssima no serviço doméstico. Ela derramava óleo, não varria debaixo das coisas, não sabia boas histórias para contar às crianças.

— Ela é inútil — disse Maame ao Grande Homem. — Precisamos devolvê-la.

Eles estavam todos lá fora, aproveitando o calor do sol do meio-dia. Grande Homem inclinou a cabeça para trás e deu uma risada que retumbou como trovões na estação das chuvas.

— Levá-la de volta para onde? *Odo*, só existe um jeito de treinar um escravo. — Ele se voltou para Esi, que estava tentando escalar uma palmeira como tinha visto as outras crianças fazerem, mas seus braços eram pequenos demais para dar a volta. — Esi, vá buscar minha chibata.

A chibata era feita de dois juncos trançados. Ela era mais velha do que o avô paterno de Esi, tendo sido passada de uma geração para outra. Grande Homem nunca tinha batido em Esi com ela, mas ela já o vira açoitar os filhos homens. Tinha ouvido o jeito como ela assoviava no movimento de volta, quando se descolava da carne. Esi começou a entrar no *compound*, mas Maame a impediu.

— Não! — disse ela.

Grande Homem levantou a mão para a mulher, a raiva chispando em seus olhos como o vapor de uma água fria que bate numa panela quente.

— Não?

Maame respondeu gaguejando.

— Eu... eu só acho que eu é que devia fazer isso.

Grande Homem baixou a mão. Ficou olhando atento para ela mais um pouco, e Esi tentou entender o olhar que os dois trocaram.

Esi

— Está bem — disse Grande Homem. — Mas amanhã vou trazê-la aqui fora. Ela vai carregar água deste pátio até aquela árvore lá. E, se uma gota chegar a derramar, *eu* vou me encarregar do assunto. Está me ouvindo?

Maame concordou em silêncio, e Grande Homem balançou a cabeça. Ele sempre dizia a qualquer um que quisesse ouvir que ele havia mimado demais sua terceira esposa, seduzido pelo seu belo rosto e desarmado pelos seus olhos tristes.

Maame e Esi entraram na cabana e encontraram Abronoma enrodilhada num catre de bambu, fazendo jus a seu nome de passarinho. Maame a acordou e a fez ficar em pé à sua frente. Ela sacou uma chibata que Grande Homem lhe dera e que ela nunca tinha usado. Olhou então para Esi, com lágrimas nos olhos.

— Por favor, deixe-nos sozinhas.

Esi saiu da cabana e, por alguns minutos, pôde ouvir o som da chibata e a harmonia do tom de dois gritos separados.

No dia seguinte, Grande Homem chamou todos do seu *compound* para ver se Abronoma conseguia carregar um balde de água na cabeça, do pátio até a árvore, sem derramar uma gota. Esi e a família inteira, suas quatro madrastas e nove meios-irmãos, se espalharam pelo espaçoso pátio, esperando que a garota buscasse a água no riacho e a trouxesse num grande balde preto. A partir dali, Grande Homem fez com que ela se postasse diante de todos e fizesse uma reverência antes de começar sua caminhada até a árvore. Ele iria ao lado dela para ter certeza de que não houvesse engano.

Esi pôde ver Pequena Pomba tremendo quando levantou o balde até a cabeça. Maame segurava Esi contra o peito e sorriu para a menina quando ela fez reverência diante delas, mas o olhar que Abronoma devolveu foi temeroso e depois distante. Quando o balde tocou na sua cabeça, a família começou a debochar.

— Ela não vai conseguir nunca! — disse Amma, a primeira esposa de Grande Homem.

— Fiquem olhando, ela vai derramar tudo e ainda se afogar — disse Kojo, o primogênito.

Pequena Pomba deu o primeiro passo e Esi soltou a respiração que estava prendendo. Ela própria nunca tinha conseguido carregar nem mesmo uma tábua na cabeça, mas tinha visto a mãe carregar um coco perfeitamente redondo sem que ele rolasse, firme como uma segunda cabeça.

— Onde a senhora aprendeu a fazer isso? — perguntara Esi a Maame.

— A gente pode aprender qualquer coisa — respondeu-lhe a mãe — quando é preciso. Você poderia aprender a voar se isso significasse que viveria mais um dia.

Abronoma firmou as pernas e continuou andando, sempre olhando para a frente. Grande Homem ia ao seu lado, sussurrando insultos no seu ouvido. Ela chegou à árvore na margem da floresta e girou, voltando na direção da plateia que a aguardava. Quando estava perto o suficiente para Esi distinguir suas feições de novo, o suor gotejava da ponta do seu nariz e seus olhos estavam marejados. Até mesmo o balde na sua cabeça parecia estar chorando, com a condensação escorrendo pela parte externa. Quando ergueu o balde da cabeça, ela começou a dar um sorriso vitorioso. Talvez tenha sido um sopro de vento, talvez um inseto querendo banhar-se, ou talvez a mão da Pomba tenha escorregado, porque, antes que o balde chegasse ao chão, duas gotas respingaram dele.

Esi olhou para Maame, que tinha voltado para Grande Homem os olhos tristes, suplicantes, mas àquela altura o resto da família já estava aos gritos exigindo o castigo.
Kojo começou a puxar um coro:
A Pomba errou. Ai, o que fazer? Fazê-la sofrer bem, ou você erra também!
Grande Homem estendeu a mão para pegar a chibata, e logo o coro ganhou seu acompanhamento: a percussão do junco na carne, o sopro do junco no ar. Dessa vez, Abronoma não chorou.

— Se ele não a espancasse, todos achariam que ele é fraco — disse Esi. Depois do que aconteceu, Maame ficou inconsolável, gritando com Esi, alegando que Grande Homem não deveria ter surrado Pequena Pomba por um erro tão pequeno. Esi estava lambendo a sopa dos dedos, com os lábios manchados de laranja. Sua mãe tinha levado Abronoma para dentro da cabana e preparado um unguento para os ferimentos. Agora a menina estava dormindo, deitada num catre.
— Fraco, é? — disse Maame. E olhou para a filha com um rancor que Esi nunca tinha visto antes.
— É — sussurrou Esi.
— E eu fui viver para ouvir minha própria filha falar desse jeito. Você quer saber o que é fraqueza? Fraqueza é tratar alguém como se pertencesse a você. Força é saber que cada pessoa pertence a si mesma.
Esi ficou magoada. Ela só tinha dito o que qualquer outra pessoa na aldeia teria dito, e por isso Maame tinha gritado com ela. Esi teve vontade de chorar, de abraçar a mãe, fazer alguma

coisa, mas Maame saiu do quarto nesse instante para terminar as tarefas que Abronoma não poderia cumprir naquela noite. Assim que ela saiu, Pequena Pomba começou a se mexer. Esi apanhou água para ela e a ajudou a inclinar a cabeça para poder beber. Os ferimentos nas costas ainda estavam abertos, e o unguento que Maame fizera tinha o cheiro da floresta. Esi enxugou os cantos da boca de Abronoma com os dedos, mas a garota a rechaçou.

— Me deixa — disse ela.

— Sinto muito pelo que aconteceu. Ele é um bom homem.

Abronoma cuspiu no barro à sua frente.

— Seu pai é Grande Homem, não é? — perguntou ela, e Esi assentiu, orgulhosa apesar do que tinha acabado de ver o pai fazer. A Pomba soltou uma risada sem alegria. — Meu pai também é Grande Homem, e agora veja o que eu sou. Veja o que sua mãe era.

— O que minha mãe era?

Os olhos de Pequena Pomba chisparam na direção de Esi.

— Você não sabe?

Esi, que não tinha passado mais de uma hora longe da mãe em toda a sua vida, não conseguia imaginar nenhum segredo. Ela a conhecia pelo tato, pelo cheiro. Sabia quantas cores havia nas suas íris e conhecia cada dente torto. Esi olhou para Abronoma, mas Abronoma só fez que não e continuou a rir.

— Sua mãe foi escrava de uma família fanti. Ela foi estuprada pelo senhor porque ele também era um Grande Homem, e os grandes homens podem fazer o que bem entenderem, para que não pareçam "fracos", não é? — Esi desviou o olhar, e Abronoma prosseguiu, num sussurro: — Você não é a primeira filha que sua mãe teve. Ela teve outra antes de você.

E na minha aldeia nós temos um ditado sobre irmãs separadas. Elas são como uma mulher e a imagem do seu reflexo, condenadas a ficar cada uma de um lado do lago.

Esi queria ouvir mais, mas não teve tempo de perguntar nada à Pomba. Maame entrou de novo no quarto e viu as duas meninas sentadas, uma ao lado da outra.

— Esi, venha cá e deixe Abronoma dormir. Amanhã você vai acordar cedo e me ajudar com a limpeza.

Esi deixou Abronoma descansando. E olhou para a mãe. O jeito com que seus ombros pareciam sempre caídos, o jeito com que seus olhos estavam sempre se desviando. De repente, Esi se sentiu dominada por uma vergonha terrível. Ela se lembrou da primeira vez que tinha visto um ancião cuspir nos cativos na praça da aldeia. O homem tinha dito: "Esse povo do norte. Eles nem mesmo são gente. São a terra, que pede que cuspam nela." Esi tinha cinco anos naquela ocasião. As palavras do ancião tinham parecido uma lição; e, na vez seguinte que passou por ali, com timidez ela acumulou a saliva e a lançou sobre um menininho que estava em pé, agarrado à mãe. O menino tinha protestado, falando uma língua que Esi não compreendia, e Esi tinha se arrependido, não por ter cuspido, mas por saber como sua mãe teria ficado com raiva se a tivesse visto fazer aquilo.

Agora, tudo o que Esi conseguia imaginar era sua própria mãe por trás do metal baço das jaulas. Sua própria mãe, agarrada a uma irmã que ela nunca conheceria.

Nos meses que se seguiram, Esi tentou fazer amizade com Abronoma. Seu coração tinha começado a se compadecer do pequeno passarinho que agora havia aperfeiçoado seu papel como criada. Desde a surra, nenhuma migalha caía ao chão, nenhuma água era derramada. À noite, depois que o trabalho de Abronoma tinha terminado, Esi tentava extrair dela mais informações sobre o passado da mãe.

— Não sei mais nada — dizia Abronoma, pegando o amarrado de folhas de palmeira para varrer o chão, ou filtrando óleo usado através de folhas. — Não me atormente! — gritava ela quando chegava ao máximo da irritação.

Mesmo assim, Esi tentava compensar o mal já feito.

— O que eu posso fazer? — perguntava ela. — O que eu posso fazer?

Depois de semanas a perguntar, Esi acabou recebendo uma resposta.

— Mande uma mensagem avisando meu pai — disse Abronoma. — Diga a ele onde eu estou. Diga onde estou e não haverá rancor entre nós.

Naquela noite, Esi não conseguiu dormir. Ela queria fazer as pazes com Abronoma, mas, se seu pai soubesse o que lhe tinha sido pedido, sem dúvida haveria guerra na sua cabana. Ela podia ouvir o pai agora berrando com Maame, dizendo que ela estava criando Esi para ser uma mulherzinha, uma mulher fraca. No chão da cabana, Esi se virava para lá e para cá, até sua mãe finalmente mandar que ficasse quieta.

— Por favor — disse Maame. — Estou cansada.

E tudo o que Esi podia ver por trás dos olhos fechados era sua mãe como escrava de alguém.

Esi resolveu então que mandaria a mensagem. Bem cedo na manhã seguinte, ela foi procurar o mensageiro que morava na periferia da aldeia. Ele escutava as palavras dela e as palavras de outros antes de partir floresta adentro todas as semanas. Aquelas palavras seriam levadas de aldeia em aldeia, de um mensageiro para outro. Como saber se a mensagem de Esi um dia chegaria ao pai de Abronoma? A mensagem poderia ser abandonada ou esquecida, alterada ou perdida, mas pelo menos Esi poderia dizer que tinha cumprido o combinado.

Quando ela voltou, Abronoma era a única pessoa já de pé. Esi lhe contou o que tinha feito de manhã, e a menina bateu palmas antes de pegar Esi nos braços pequenos, apertando Esi até ela não conseguir respirar.

— Tudo está esquecido? — perguntou Esi, assim que a Pomba a soltou.

— Tudo está igualado — disse Abronoma, e o alívio percorreu o corpo de Esi como se fosse sangue. Ela achou que ia transbordar e sentiu que seus dedos tremiam. Esi também deu um abraço em Abronoma, e, quando o corpo da menina relaxou nos seus braços, Esi se permitiu imaginar que o corpo que estava abraçando era o da sua irmã.

Passaram-se meses e Pequena Pomba foi ficando agitada. À noite, era possível vê-la andando de um lado para outro antes de ir dormir, resmungando baixinho: "Meu pai. Meu pai está vindo."

Grande Homem ouviu seus murmúrios e disse a todos que tomassem cuidado com ela, pois podia ser uma feiticeira. Esi a observava atentamente, em busca de sinais, mas todos os dias era sempre a mesma coisa. "Meu pai está vindo. Eu sei. Ele está vindo." Por fim, Grande Homem ameaçou dar-lhe uns tapas se ela continuasse com aquilo. Ela parou e a família logo se esqueceu.

Tudo seguia como de costume. A aldeia de Esi nunca tinha sido atacada durante seu tempo de vida. Toda a luta se dava longe de casa. Grande Homem e os outros guerreiros invadiam aldeias próximas, devastando a terra, às vezes pondo fogo no capim, para que as pessoas de três aldeias adiante vissem a fumaça e soubessem que os guerreiros tinham vindo. Mas, dessa vez, as coisas foram diferentes.

Começou enquanto a família dormia. Era a noite de Grande Homem na cabana de Maame, e Esi teve de dormir no chão do canto. Quando ouviu os gemidos baixos, a respiração acelerada, ela se voltou para a parede da cabana. Uma vez, só uma vez, ela ficou olhando para onde eles estavam deitados, com a escuridão ajudando a encobrir sua curiosidade. Seu pai estava pairando acima do corpo da mãe, num movimento suave de início, e depois com mais força. Ela não conseguia ver muita coisa, mas eram os sons que tinham atraído seu interesse. Os sons que os pais faziam juntos, sons que se situavam no limite entre o prazer e a dor. Esi ao mesmo tempo queria e tinha medo de querer. Por isso, nunca mais olhou.

Naquela noite, quando todos na cabana tinham adormecido, veio o aviso. Todos na aldeia tinham crescido sabendo o que cada som significava: dois gemidos longos queriam dizer que o inimigo ainda estava distante dali; três gritos rápidos, que o inimigo já estava atacando. Ao ouvir os três, Grande Homem saltou da cama e agarrou o machete que guardava debaixo do catre de cada uma das esposas.

— Pegue Esi e fuja para a floresta! — gritou ele para Maame, antes de sair correndo da cabana com pouco tempo para cobrir sua nudez.

Esi

Esi fez o que seu pai tinha ensinado: pegou a faquinha com que sua mãe fatiava bananas-da-terra e a enfiou no pano da saia. Maame estava sentada na beira do catre.

— Vamos! — disse Esi, mas a mãe não se mexeu. Esi correu até a cama e a sacudiu, mas a mãe ainda assim não se mexeu.

— Não consigo fazer isso de novo — sussurrou ela.

— Fazer de novo o quê? — perguntou Esi, mas não estava realmente escutando. A adrenalina percorria o seu corpo com tanta urgência que suas mãos tremiam. Será que aquilo estava acontecendo por causa da mensagem que ela enviara?

— Não posso fazer isso de novo — sussurrou a mãe. — Chega de florestas. Chega de incêndio. — Ela oscilava para a frente e para trás, aninhando nos braços a prega gorda da sua barriga como se fosse uma criança.

Abronoma entrou, vinda dos alojamentos dos escravos, com o riso ecoando pela cabana.

— Meu pai está aqui! — disse ela, dançando para lá e para cá. — Eu disse que ele vinha me procurar, e ele veio!

A menina fugiu apressada e Esi não sabia o que aconteceria com ela. Lá fora, as pessoas gritavam e corriam. Crianças choravam.

A mãe de Esi agarrou a mão da filha e pôs alguma coisa nela. Era uma pedra negra, cintilando com ouro. Lisa, como se tivesse sido esfregada cuidadosamente por anos para conservar sua superfície perfeita.

— Guardei isso para você — disse Maame. — Eu queria te dar no dia do seu casamento. Eu... eu deixei uma parecida para sua irmã. Eu a deixei com Baaba depois que comecei o incêndio.

— Minha irmã? — perguntou Esi. Então, o que Abronoma disse era verdade.

Maame balbuciava palavras sem sentido, palavras que nunca tinha pronunciado antes. Irmã, Baaba, incêndio. Irmã, Baaba, incêndio. Esi queria fazer mais perguntas, mas o barulho lá fora estava ficando mais forte, e os olhos da mãe estavam ficando sem expressão, de algum modo se esvaziando de alguma coisa.

Esi olhou então espantada para a mãe e foi como se a estivesse vendo pela primeira vez. Maame não era uma mulher inteira. Grandes pedaços do seu espírito estavam faltando. E por mais que ela amasse Esi, e por mais que Esi a amasse, naquele momento, as duas souberam que o amor jamais devolveria o que Maame tinha perdido. E Esi soube também que sua mãe ia preferir morrer a mais uma vez fugir correndo para dentro da floresta; morrer a ser capturada; morrer, mesmo que isso significasse que, com sua morte, Esi herdaria aquela indescritível sensação de perda, descobriria o que era não ser inteira.

— Você vai — disse Maame, enquanto Esi a puxava pelos braços e tentava fazer com que ela mexesse as pernas. — Vai! — repetiu ela.

Esi parou e enfiou a pedra negra na bata. Abraçou a mãe, tirou a faca da saia, colocou-a na mão da mãe e saiu correndo.

Chegou depressa à floresta e encontrou uma palmeira que seus braços conseguiam abraçar. Ela vinha treinando, sem saber que era para isso. Envolveu o tronco com os braços e se segurou, enquanto usava as pernas para impulsionar-se para o alto, até onde pôde. A lua estava cheia, grande como a pedra de pavor que estava pesando no seu estômago. O que ela conhecia do pavor?

O tempo foi passando. Seus braços queimavam tanto que Esi tinha a impressão de que estava abraçando o fogo em vez da palmeira. As sombras escuras das folhas no chão tinham começado a parecer ameaçadoras. Logo, em toda a sua volta, ouvia-se o som de pessoas aos berros caindo das palmeiras como frutos arrancados. E, então, um guerreiro surgiu ao pé da sua palmeira. A língua que falava era desconhecida, mas ela bem sabia o que se seguiria. Ele atirou uma pedra, mais uma e mais uma. A quarta pedra acertou o lado do seu corpo, mas, mesmo assim, Esi continuou agarrada. A quinta atingiu o trançado dos seus dedos. Ela abriu os braços e caiu ao chão.

Ela foi amarrada a outros. Quantos, ela não sabia. Não viu ninguém do seu *compound*. Nem suas madrastas, nem seus meios-irmãos. Nem sua mãe. A corda em torno dos pulsos mantinha suas mãos com a palma para fora, em súplica. Esi examinou as linhas daquelas palmas. Elas não levavam a parte alguma. Nunca tinha se sentido tão desamparada na vida.

Todos andavam. Esi já andara léguas com o seu pai antes e achou que poderia aguentar. E, de fato, os primeiros dias não foram tão ruins, mas, no décimo dia, os calos nos seus pés já tinham estourado, e o sangue escorria, pintando as folhas que ela deixava para trás. À sua frente, as folhas sujas de sangue dos outros. Tantos choravam que era difícil ouvir quando os guerreiros falavam, mas ela não os teria entendido de qualquer maneira. Quando podia, ela verificava se a pedra que sua mãe lhe dera ainda estava a salvo, enfiada na bata. Ela não sabia por quanto tempo eles teriam permissão de se manterem vestidos. As folhas no chão da floresta estavam tão molhadas de sangue, suor e orvalho que uma criança à frente de Esi escorregou nelas. Um dos guerreiros segurou o menino e o ajudou a se levantar. E o menininho agradeceu.

— Por que agradecer? Eles vão comer todos nós — disse uma mulher atrás de Esi. Esi precisou se esforçar para ouvir, em meio à névoa de lágrimas e ao zumbido de insetos que os cercavam.

— Quem vai nos comer? — perguntou Esi.

— Os brancos. É o que minha irmã diz. Ela diz que os homens brancos nos compram desses soldados e depois nos cozinham como cabritos na sopa.

— Não! — gritou Esi, e um dos soldados veio correndo e espetou o lado do seu corpo com um pedaço de pau. Quando ele foi embora, Esi, com a carne latejando, imaginou os cabritos que andavam livres em torno da sua aldeia. Ela então se visualizou pegando um deles — como ela amarrava as pernas do cabrito com uma corda e o deitava no chão. Como cortava o pescoço dele. Era assim que os homens brancos a matariam? Ela estremeceu.

— Como você se chama? — perguntou Esi.

— Me chamam de Tansi.

— Me chamam de Esi.

E assim as duas ficaram amigas. Elas andaram o dia inteiro. Os ferimentos nos pés de Esi não tinham tempo para sarar, e logo estavam abertos de novo. Às vezes, os guerreiros os deixavam amarrados a árvores na floresta para poderem ir adiante e observar as pessoas de outras aldeias. Às vezes, mais gente dessas outras aldeias era capturada e vinha se somar ao resto deles. A corda em torno dos pulsos de Esi tinha começado a queimar. Uma queimadura estranha, que não se parecia

Esi

com nada que ela já tivesse sentido antes, como um fogo frio, o arranhão de um vento salgado.

E logo o cheiro daquele vento chegou ao nariz de Esi e ela soube, por histórias que tinha ouvido, que eles estavam se aproximando da terra dos fantis.

Os mercadores batiam nas pernas deles com paus, fazendo com que andassem mais depressa. Durante quase a metade daquela semana, eles andaram tanto de dia como de noite. Aqueles que não conseguiam acompanhar o ritmo eram espancados com varas até que, como que por mágica, de repente eles conseguiam.

Por fim, quando as pernas de Esi tinham começado a não aguentar mais, eles chegaram ao limite de alguma aldeia fanti. Todos foram enfiados num porão escuro e úmido, e Esi teve tempo de contar o grupo. Eram trinta e cinco. Trinta e cinco pessoas amarradas por uma corda.

Eles tiveram tempo para dormir e, quando acordaram, ganharam algum alimento. Um mingau estranho que Esi nunca tinha comido. Ela não gostou do sabor, mas pôde pressentir que não haveria mais nada por um bom tempo.

Logo, homens entraram no recinto. Alguns eram os guerreiros que Esi tinha visto antes, mas outros eram desconhecidos.

— Então esses são os escravos que vocês nos trazem? — disse um dos homens em fanti. Fazia muito tempo que Esi não ouvia ninguém falar aquele dialeto, mas ela pôde entendê-lo perfeitamente.

— Soltem-nos! — começaram a gritar os outros amarrados a Esi, agora que tinham um ouvido que podia entendê-los. Fanti e axânti, ambos da etnia akan. Dois povos, dois ramos que se separaram a partir da mesma árvore. — Soltem-nos!

— eles gritaram até sua voz ficar rouca. Não houve resposta a não ser o silêncio.

— Chefe Abeeku — disse outro homem. — Não devíamos fazer esse tipo de coisa. Nossos aliados axântis ficarão furiosos quando souberem que trabalhamos com seus inimigos.

Aquele que era chamado de chefe jogou as mãos para o alto.

— Hoje os inimigos deles pagam mais, Fiifi — disse ele.

— Amanhã, se eles pagarem mais, nós trabalharemos com eles também. É assim que se constrói uma aldeia. Está entendendo?

Esi observava aquele que chamavam de Fiifi. Ele era jovem para um guerreiro, mas ela já podia dizer que um dia ele seria um Grande Homem também. Fiifi abanou a cabeça, mas não voltou a falar. Saiu do porão e trouxe de volta outros homens.

Esses eram brancos, os primeiros que Esi via. Ela não conseguia comparar a pele deles com nenhuma árvore, castanha, lama ou barro que já tivesse visto.

— Essa gente não é da natureza — disse ela.

— Eu te disse. Eles vieram para nos comer — respondeu Tansi.

Os brancos se aproximaram.

— Levantem-se! — gritou o chefe, e todos se levantaram. O chefe voltou-se para um dos homens brancos. — Está vendo, governador James — disse ele num fanti rápido, tão rápido que Esi quase não entendia e se perguntava como esse homem branco conseguia entender —, os axântis são muito fortes. Podem verificar, vocês mesmos.

Os homens começaram a despir os que ainda estavam vestidos, inspecionando-os. Para quê? Esi não sabia. Ela se lem-

Esi

brou da pedra escondida na bata de pano. E quando aquele chamado Fiifi aproximou-se dela para desfazer o nó que ela fizera no peito, ela lhe deu uma longa cusparada na cara.

Ele não chorou, como o menino cativo em que ela cuspira na praça da sua própria aldeia. Ele não gemeu, não se encolheu, nem procurou se consolar. Ele simplesmente limpou o rosto, sem tirar os olhos de cima dela.

O chefe veio se postar ao lado dele.

— O que você vai fazer a respeito disso, Fiifi? Vai deixar sem castigo? — perguntou o chefe. Ele falou baixo, para que somente Esi e Fiifi ouvissem.

Veio então o som da bofetada. Tão alto que Esi levou um instante para determinar se a dor que sentia era na sua orelha ou dentro dela. Ela se encolheu e caiu ao chão, cobrindo o rosto e chorando. O golpe tinha feito saltar a pedra de sua bata, e ela a encontrou ali perto no chão. Chorou ainda mais forte, agora tentando distraí-los. Então encostou a cabeça na pedra negra e lisa. O frescor da pedra abrandou sua dor. E quando os homens por fim lhe deram as costas e a deixaram ali, esquecendo-se por um momento de tirar a sua roupa, Esi pegou a pedra que estava encostada na sua face e a engoliu.

Agora a sujeira no chão do calabouço chegava à altura dos tornozelos de Esi. Nunca tinha havido tantas mulheres ali. Esi mal conseguia respirar, mas movimentava os ombros para a frente e para trás até criar algum espaço. A diarreia da mulher ao seu lado não tinha parado desde a última vez que os soldados as alimentaram. Esi lembrava seu primeiro dia no calabouço, quando o mesmo tinha acontecido com ela. Naquele dia, ela encontrara a pedra da sua mãe no rio de merda. Ela então a enterrara, marcando o local na parede para poder se lembrar quando chegasse a hora.

— Psiu, psiu — fazia Esi, baixinho, para a mulher. — Psiu, psiu. — Ela já tinha aprendido a parar de dizer que tudo ia dar certo.

Pouco tempo depois, a porta do calabouço se abriu e uma réstia de luz espiou por ali. Dois soldados entraram. Havia alguma coisa errada com eles. Menos ordem nos movimentos, menos estrutura. Ela já tinha visto homens embriagados com vinho de palma, como o rosto deles ficava vermelho e seus gestos mais descontrolados. Tinha visto suas mãos se moverem como se estivessem prontas para recolher até o próprio ar ao redor deles.

Os soldados olhavam em volta, e as mulheres no calabouço começaram a murmurar. Um deles agarrou uma mulher na outra ponta e a empurrou contra a parede. Suas mãos procuraram os seios dela e começaram a descer pelo corpo, cada vez mais baixo, até que o som que lhe escapou da boca foi um berro.

As mulheres empilhadas começaram a chiar. Um som que dizia: "Cala a boca, idiota, ou todas nós vamos ser espancadas!" O som era alto e agudo, o grito coletivo de cento e cinquenta mulheres, cheias de raiva e medo. O soldado que estava com as mãos na mulher começou a suar. Ele gritou com todas elas.

As vozes tornaram-se um zumbido, mas não pararam. O murmúrio vibrava tão baixo que Esi tinha a impressão de que ele vinha da sua própria barriga.

— O que eles estão fazendo! — elas sibilaram. — O que estão fazendo! — Os murmúrios ficaram mais fortes, e logo os homens estavam gritando com elas.

Esi

O outro soldado ainda estava circulando, olhando com cuidado para cada mulher. Quando se deparou com Esi, ele sorriu. E, por um segundo, ela chegou a confundir o sorriso com uma expressão de bondade, porque fazia muito tempo que ela não via ninguém sorrir.

Ele disse alguma coisa, e então suas mãos agarraram o braço dela.

Ela tentou resistir, mas a falta de alimento e as feridas dos espancamentos a tinham deixado fraca demais até mesmo para juntar a saliva e cuspir nele. Ele riu da tentativa dela e a arrastou dali pelo cotovelo. Quando saíram para a luz, Esi olhou para a cena atrás dela. Todas aquelas mulheres murmurando e chorando.

Ele a levou para seu alojamento acima do lugar onde ela e as outras escravas eram mantidas. Esi estava tão desacostumada com a luz que ficou ofuscada. Não conseguia ver aonde estava sendo levada. Quando chegaram ao alojamento dele, ele fez um gesto na direção de um copo d'água, mas Esi ficou imóvel.

Ele então mostrou o açoite que estava sobre a mesa. Ela fez que sim, tomou um gole e percebeu como a água escorria pelos seus lábios dormentes.

Ele a pôs sobre um encerado dobrado, abriu-lhe as pernas e a penetrou. Ela deu um grito, mas ele lhe tapou os lábios com a mão. Depois, enfiou os dedos na sua boca. Mordê-los parecia que lhe dava prazer, e ela parou. Fechou os olhos, forçando-se a escutar, em vez de ver, fingindo que ainda era a menininha na cabana da mãe, numa noite em que o pai tinha vindo, que ela ainda estava olhando para as paredes de barro, querendo lhes dar privacidade, querendo se separar. Querendo entender o que impedia o prazer de se transformar em dor.

Quando ele terminou, pareceu horrorizado, com nojo dela. Como se fosse dele que alguma coisa tivesse sido tirada. Como se fosse ele que tivesse sido violado. De repente, Esi soube que o soldado tinha feito alguma coisa que até mesmo os outros soldados condenariam. Ele olhava para ela como se o corpo dela fosse uma vergonha para ele.

Quando anoiteceu e a luz recuou, deixando somente a escuridão que Esi tinha chegado a conhecer tão bem, o soldado a tirou sorrateiramente do seu alojamento. Ela já tinha parado de chorar, mas ele ainda fez um gesto para que não fizesse ruído. Ele não olhava para ela, só a forçava a seguir em frente, descendo sempre, de volta ao calabouço.

Quando ela chegou lá, o murmúrio tinha acabado. As mulheres já não estavam chorando. Quando o soldado a devolveu ao seu lugar, só havia o silêncio.

Os dias se passavam. O ciclo se repetia. Comida, depois nenhuma comida. Esi não podia fazer nada além de repassar seu tempo no lugar com luz. Desde aquela noite, ela não tinha parado de sangrar. Um fino filete vermelho escorria pela sua perna, e Esi só ficava olhando. Ela já não queria conversar com Tansi. Já não queria ouvir histórias.

Tinha se enganado quando viu os pais naquela noite enquanto se movimentavam juntos na cabana da mãe. Não havia prazer.

A porta do calabouço se abriu. Dois soldados entraram, e Esi reconheceu um deles, do porão na terra dos fantis. Ele era alto, com o cabelo da cor de casca de árvore depois da chuva, mas a cor estava começando a ficar cinza. Havia muitos botões dourados na frente do seu casaco e sobre os ombros. Ela pensou e pensou, tentou afastar as teias de aranha que tinham se formado no seu cérebro, para se lembrar de como o chefe tinha chamado o homem.

Governador James. Ele atravessou o recinto, com suas botas pisando em mãos, coxas, cabelos, e os dedos fechando as narinas. Atrás dele vinha um soldado mais jovem. O grande homem branco apontou para vinte mulheres e então para Esi. O soldado gritou alguma coisa, mas elas não entenderam. Ele as agarrou pelos pulsos e as arrastou de cima ou de debaixo do corpo de outras mulheres até que todas elas estavam em pé. Ele as dispôs, uma ao lado da outra, numa fileira, e o governador as inspecionou. Ele passou as mãos pelos seus seios e entre suas coxas. A primeira garota que ele verificou começou a chorar e ele lhe deu de imediato uma bofetada, derrubando-a de volta no chão.

Por fim, o governador James chegou a Esi. Ele olhou atentamente para ela, piscou os olhos e balançou a cabeça. Olhou de novo para ela e começou a inspecionar seu corpo, como tinha feito com as outras. Quando passou a mão entre as pernas dela, seus dedos saíram vermelhos.

Ele lhe lançou um olhar de piedade, como se entendesse, mas Esi se perguntava se ele poderia entender. Ele fez um gesto, e, antes que ela pudesse pensar, o outro soldado já as estava encaminhando para sair do calabouço.

— Não, minha pedra! — gritou Esi, lembrando-se da pedra negra e dourada que a mãe lhe dera. Ela se atirou ao chão e começou a cavar, cavar e cavar, mas então o soldado ergueu seu corpo, e logo, em vez da terra, tudo o que ela conseguia sentir com suas mãos que não paravam de se mexer era ar e mais ar.

Eles as levaram para a claridade. O cheiro da água do mar entrou pelo seu nariz. O sabor do sal grudou-se na sua garganta. Os soldados fizeram com que descessem até uma porta aberta, que dava para a areia e a água. E todas começaram a sair por ela.

Antes de Esi sair, aquele chamado governador olhou para ela e sorriu. Era um sorriso simpático, compadecido, porém verdadeiro. Mas, pelo resto da sua vida, Esi veria um sorriso no rosto de um branco e se lembraria do sorriso que o soldado lhe deu antes de levá-la para seu alojamento; de como o sorriso de homens brancos significava simplesmente que mais maldade viria com a próxima onda.

Quey

Quey tinha recebido uma mensagem do seu velho amigo Cudjo e não sabia como responder. Naquela noite, fingiu que o calor não o deixava dormir, uma mentira fácil, já que estava encharcado de suor. Mas, na realidade, quando é que ele não estava suando? Era tão quente e úmido na mata que ele tinha a impressão de estar sendo assado em fogo lento para o jantar. Ele sentia falta do castelo, da brisa da praia. Ali, na aldeia de sua mãe, Effia, o suor se acumulava nas suas orelhas, no seu umbigo. Sua pele coçava e ele imaginava mosquitos subindo por seus pés, pelas pernas até a barriga, para descansar no bebedouro do seu umbigo. Os mosquitos bebiam suor ou só sugavam sangue?

Sangue. Ele visualizou os prisioneiros sendo trazidos para os porões em grupos de dez e de vinte, com mãos e pés amarrados, sangrando. Ele não fora feito para isso. Supostamente deveria ter uma vida mais fácil, longe das engrenagens da escravidão. Foi criado entre os brancos de Cape Coast, estudou na Inglaterra. Ainda deveria estar no seu escritório no castelo, trabalhando como escriturário, o posto inicial que seu pai, James

Collins, tinha garantido para ele antes de morrer, registrando números que ele podia fingir que não representavam pessoas sendo compradas e vendidas. Em vez disso, o novo governador do castelo o tinha convocado e despachado para ali, para o mato.

— Como você já sabe, Quey, há muito tempo temos uma boa relação de trabalho com Abeeku Badu e os outros negros de sua aldeia, mas ultimamente ouvimos falar que eles começaram a negociar com outras empresas. Gostaríamos de instalar um posto avançado na aldeia, que servisse como residência para alguns dos nossos funcionários, como uma forma de, digamos, lembrar sutilmente aos nossos amigos que eles têm certas obrigações comerciais com nossa companhia. Houve um pedido especial de que você ocupe essa posição. E, considerando os antecedentes dos seus pais na aldeia e sua facilidade e familiaridade com a língua e os costumes locais, achamos que sua presença lá seria valiosa para nossa companhia.

Quey tinha concordado em silêncio e aceitado o posto, porque... que outra coisa poderia fazer? Mas, por dentro, ele resistia. Sua facilidade e familiaridade com os costumes locais? Os antecedentes dos seus pais na aldeia? Quey ainda estava no ventre de Effia na última vez em que ele ou a mãe estiveram lá, tamanho era o pavor que ela sentia de Baaba. Isso tinha sido em 1779, havia quase vinte anos. Nesse período, Baaba tinha morrido, mas, mesmo assim, eles se mantiveram distantes. Quey acreditava que sua nova função era algum tipo de punição, e ele já não fora punido o suficiente?

Finalmente amanheceu e Quey foi ver o seu tio Fiifi. Quando se conheceram, só um mês antes, Quey mal conseguia acreditar que um homem como Fiifi fosse seu parente. Não por ele ser bonito. Effia tinha sido chamada de a Bela a vida inteira, e Quey estava acostumado com a beleza. Era que Fiifi parecia poderoso, seu corpo, uma aliança harmoniosa de músculos. Quey tinha saído ao pai, magro e alto, mas não particularmente forte. James era poderoso, mas seu poder provinha da linhagem, os Collins de Liverpool, que amealharam sua fortuna construindo navios negreiros. O poder da sua mãe vinha da sua beleza, mas o de Fiifi era do seu corpo, do fato de ele dar a impressão de que podia conseguir qualquer coisa que quisesse. Quey só tinha conhecido uma outra pessoa desse tipo.

— Ah, meu filho. Seja bem-vindo — disse Fiifi, quando viu Quey se aproximar. — Sente-se. Coma!

A criada foi chamada e veio trazendo duas cumbucas. Ela começou a dispor uma diante de Fiifi, mas ele a interrompeu com um olhar apenas.

— Você deve servir primeiro o meu filho.

— Desculpe — murmurou ela, pondo a cumbuca diante de Quey.

Quey agradeceu e olhou para o mingau.

— Tio, estamos aqui já há um mês e, mesmo assim, ainda não conversamos sobre nossos acordos comerciais. A companhia tem dinheiro para comprar mais. Muito mais. Mas o senhor precisa nos deixar fazer isso. Precisa parar de negociar com qualquer outra empresa.

Quey já tinha feito esse mesmo discurso ou outro parecido muitas vezes, mas seu tio Fiifi nunca fez caso dele. Na primeira noite em que passou na aldeia, Quey quis conversar com Badu sobre os acordos comerciais logo de uma vez. Ele achava que, quanto mais cedo conseguisse que o chefe concordasse, mais cedo poderia ir embora. Naquela noite, Badu convidara todos os homens para beber no seu *compound*. Ele lhes ofereceu vinho e *akpethesie* em quantidade suficiente para eles se afogarem. Timothy Hightower, um funcionário ansioso para impressionar o chefe, bebeu meia barrica do destilado caseiro antes de desmaiar aos pés de uma palmeira, tremendo, vomitando e alegando que via espíritos. Logo, os outros homens estavam espalhados pela floresta do pátio da frente de Badu, vomitando, dormindo ou procurando uma mulher local com quem se deitar. Quey esperava por uma oportunidade de falar com Badu, tomando golinhos da sua bebida o tempo todo.

Ele tinha tomado só dois copos de vinho quando Fiifi se aproximou.

— Cuidado, Quey — disse Fiifi, apontando para a cena de homens à sua frente. — Homens mais fortes que esses já foram derrubados por beberem demais.

Quey ergueu as sobrancelhas, olhando para o copo na mão de Fiifi.

— Água — disse Fiifi. — Um de nós precisa estar pronto para qualquer coisa. — Ele fez um gesto na direção de Badu, que tinha adormecido no tamborete dourado com o queixo aninhado na protuberância redonda da barriga.

Quey riu, e Fiifi abriu um sorriso, o primeiro que Quey via desde que o conhecera.

Quey não chegou a falar com Badu naquela noite; mas, à medida que as semanas foram passando, ele descobriu que não era a Badu que ele precisava agradar. Embora Abeeku Badu fosse a figura de proa, o *omanhene* que recebia presentes dos líderes políticos de Londres e também da Holanda por seu

Quey

papel no tráfico, Fiifi era a autoridade. Quando Fiifi fazia que não com um gesto de cabeça, a aldeia inteira parava.

Agora Fiifi estava calado, como em todas as outras vezes em que Quey tinha mencionado o assunto do comércio com os ingleses. Ele olhou lá para fora, para a floresta diante deles, e Quey acompanhou seu olhar. Nas árvores, dois pássaros vibrantes cantavam alto uma melodia dissonante.

— Tio, o acordo que Badu fez com meu pai...
— Você está ouvindo isso? — Fiifi perguntou, indicando os pássaros.

Frustrado, Quey assentiu.

— Quando um pássaro para, o outro começa. Cada vez seu canto vem mais alto, mais estridente. Por que você acha que isso acontece?

— Tio, o comércio é o único motivo de estarmos aqui. Se você quiser os ingleses fora da sua aldeia, vai ter...

— O que você não está ouvindo, Quey, é o terceiro pássaro. Ela está calada, quietinha, escutando os machos cantarem cada vez mais alto, e mais alto ainda. E quando eles estiverem sem voz, nesse momento e só nesse momento, ela vai se pronunciar. Só nesse momento, ela vai escolher o macho cujo canto ela mais apreciou. Por ora, ela fica imóvel e deixa que eles discutam: quem será o melhor parceiro, quem lhe dará a melhor prole, quem lutará por ela quando os tempos ficarem difíceis.

"Quey, esta aldeia deve conduzir seus negócios como essa fêmea. Vocês querem pagar mais pelos escravos, paguem mais, mas saibam que os holandeses também se disporão a pagar mais, e os portugueses, e até mesmo os piratas também pagarão mais. E, enquanto vocês todos estão gritando dizendo como cada um é melhor que os outros, eu fico aqui quieto, na minha cabana, comendo meu *fufu* e esperando pelo preço que considero justo. Agora, não vamos mais falar de negócios."

Quey suspirou. Quer dizer que ele ia ficar ali para sempre. Os pássaros tinham parado a cantoria. Talvez sentissem sua exasperação. Ele olhou para eles, para os azuis, amarelos e laranja das asas, para os bicos recurvados.

— Não havia pássaros assim em Londres — disse Quey, baixinho. — Não havia cores. Tudo era cinza. O céu, os prédios, até mesmo as pessoas pareciam cinzentas.

Fiifi abanou a cabeça.

— Não sei por que Effia deixou James mandar você para aquele país absurdo.

Quey assentiu, distraído, e voltou a atenção para o mingau na cumbuca.

Quey foi uma criança solitária. Quando nasceu, seu pai construiu uma cabana perto do castelo para que ele, Effia e Quey pudessem viver com mais conforto. Naquele tempo, o tráfico prosperava. Quey nunca viu os calabouços, e só tinha uma vaga ideia do que acontecia nos níveis inferiores do castelo, mas sabia que os negócios iam bem, porque raramente via o pai.

Todos os dias eram para ele e para Effia. Ela era a mãe mais paciente de Cape Coast, de toda a Costa do Ouro. Falava com voz mansa, mas com firmeza. Nunca bateu nele, nem mesmo quando as outras mães a provocavam, dizendo que ela o estava mimando e que ele nunca iria aprender.

— Aprender o quê? — respondia Effia. — O que eu cheguei a aprender com Baaba?

Quey

E, no entanto, Quey de fato aprendeu. Ele ficava sentado no colo de Effia enquanto ela o ensinava a falar, repetindo uma palavra em fanti e em inglês, até Quey conseguir ouvir numa língua e responder na outra. Ela mesma só tinha aprendido a ler e escrever no primeiro ano de vida de Quey, mas ensinava o filho com vigor, segurando o pequeno punho gorducho na sua mão enquanto eles juntos traçavam linhas e mais linhas.

— Como você é sabido! — ela exclamou quando Quey aprendeu a escrever o nome sem sua ajuda.

Em 1784, no aniversário de cinco anos de Quey, Effia começou a lhe contar sua própria infância na aldeia de Badu. Ele aprendeu todos os nomes — Cobbe, Baaba, Fiifi. Soube que havia outra mãe, cujo nome eles nunca saberiam, que a pedra negra e cintilante que Effia sempre usava no pescoço pertencera a essa mulher, sua verdadeira avó. Ao contar essa parte, a expressão de Effia se sombreava, mas a tempestade passava quando Quey estendia a mão para cima e tocava seu rosto.

— Você é meu filho de verdade — dizia ela. — Meu.

E ela era dele. Quando ele era pequeno, isso bastava, mas, à medida que foi crescendo, ele começou a lamentar o fato de sua família ser tão pequena, diferente de todas as outras famílias da Costa do Ouro, onde irmãos se empilhavam sobre irmãos no fluxo constante de casamentos que cada homem poderoso consumava. Ele desejava poder conhecer os outros filhos do pai, aqueles Collins brancos que moravam no além--mar, mas sabia que isso nunca aconteceria. Quey só tinha a si mesmo, seus livros, a praia, o castelo e sua mãe.

— Fico preocupada por ele não ter amigos — disse Effia um dia a James. — Ele não brinca com as outras crianças do castelo.

Quey estava quase entrando pela porta depois de passar o dia construindo com areia réplicas do Castelo de Cape Coast, quando ouviu Effia mencionar seu nome. Por isso, parou e ficou do lado de fora para escutar.

— E o que podemos fazer a respeito? Você o mimou, Effia. Ele precisa aprender a fazer as coisas sozinho.

— Ele devia brincar com outras crianças fantis, crianças de aldeia, para poder sair daqui de vez em quando. Você não conhece ninguém?

— Cheguei! — anunciou Quey, talvez alto demais, por não querer ouvir o que seu pai diria em seguida. No final do dia, ele já tinha esquecido tudo aquilo, mas, semanas mais tarde, quando Cudjo Sackee veio com o pai visitar o castelo, Quey se lembrou da conversa entre os pais.

O pai de Cudjo era o chefe de uma importante aldeia fanti. Era o maior concorrente de Abeeku Badu e tinha começado a se reunir com James Collins para tratar da expansão do comércio quando o governador lhe perguntou se ele poderia trazer seu filho mais velho a uma das reuniões.

— Quey, esse é o Cudjo — disse James, dando em Quey um empurrãozinho na direção do outro menino. — Vocês dois podem brincar enquanto nós conversamos.

Quey e Cudjo ficaram olhando enquanto os pais se afastavam para o outro lado do castelo. Quando eles mal conseguiam distinguir os vultos, Cudjo voltou a atenção para Quey.

— Você é branco? — Cudjo lhe perguntara, tocando no seu cabelo.

Quey encolheu-se com o toque de Cudjo, apesar de muitos outros terem agido do mesmo modo, feito a mesma pergunta.

— Não sou branco — disse ele, baixinho.

Quey

— O quê? Fala mais alto! — disse Cudjo, e Quey repetiu o que disse, quase gritando. De longe, os pais dos meninos se voltaram para ver o alvoroço.

— Não tão alto, Quey — disse James.

Quey sentiu o sangue subir ao seu rosto, mas Cudjo só observava, nitidamente achando graça.

— Quer dizer que você não é branco. O que você é?

— Sou como você — respondeu Quey.

Cudjo estendeu a mão e fez com que Quey também estendesse a dele, até os dois estarem com os braços juntos, com a pele de um tocando na do outro.

— Não é como eu, não — disse Cudjo.

Quey sentiu vontade de chorar, mas isso o deixou envergonhado. Ele sabia que era uma das crianças mestiças do castelo e que, como as outras crianças mestiças, não podia reivindicar plenamente nenhuma das suas metades: nem o lado branco, do pai; nem o negro, da mãe. Nem a Inglaterra, nem a Costa do Ouro.

Cudjo deve ter visto as lágrimas lutando para brotar dos olhos de Quey.

— Vamos — disse ele, agarrando a mão de Quey. — Meu pai diz que eles têm uns canhões enormes aqui. Me mostra onde estão.

Embora tivesse sido ele que pediu a Quey para lhe mostrar, foi Cudjo que saiu correndo na frente, até os dois passarem velozes pelos pais, rumo aos canhões.

Foi assim que Quey e Cudjo se tornaram amigos. Duas semanas depois do dia em que se conheceram, Quey recebeu uma mensagem de Cudjo, perguntando se ele gostaria de visitar sua aldeia.

— Posso ir? — Quey perguntou à mãe, mas Effia já o estava empurrando porta afora, encantada com a perspectiva de um amigo para o filho.

A aldeia de Cudjo foi a primeira onde Quey passou muito tempo, e ele ficou surpreso ao ver como ela era diferente do castelo e de Cape Coast. Lá, não havia nem uma única pessoa branca, nenhum soldado para dizer o que se podia ou não se podia fazer. Embora as crianças soubessem o que era uma surra, elas ainda eram bagunceiras, barulhentas e livres. Cudjo, que tinha onze anos, como Quey, já era o mais velho de dez irmãos, aos quais dava ordens como se eles fossem seu pequeno exército.

— Vai buscar alguma coisa pro meu amigo comer! — gritou ele para sua irmã caçula quando viu Quey chegar. A menina mal tinha aprendido a andar, ainda com o dedo polegar grudado na boca, mas ela sempre obedecia a Cudjo no mesmo instante em que ele falava.

— Ei, Quey, olha o que eu encontrei — disse Cudjo, abrindo a mão, sem esperar que Quey se aproximasse.

Duas pequenas lesmas estavam ali, contorcendo os corpinhos gosmentos entre os dedos de Cudjo.

— Essa aqui é sua, e essa aqui é minha — disse Cudjo, identificando as duas. — Vamos apostar uma corrida com elas!

Cudjo fechou de novo a mão e começou a correr. Ele era mais veloz, e Quey precisou se esforçar para acompanhar seu ritmo. Quando chegaram a uma clareira na floresta, Cudjo se deitou de bruços e fez um gesto para Quey também se deitar.

Quey

Ele deu a Quey a lesma e marcou na terra uma linha para ser o ponto de partida. Os dois meninos puseram as lesmas atrás da linha e então as soltaram.

De início, nenhuma das duas se mexeu.

— Elas são burras? — perguntou Cudjo, cutucando sua lesma com o indicador. — Vocês estão livres, suas burras. Vamos! Vamos!

— Vai ver que elas só estão chocadas — disse Quey, e Cudjo olhou para ele como se Quey é que fosse burro.

Mas então a lesma de Quey começou a passar pela linha, acompanhada, alguns segundos depois, pela lesma de Cudjo. A de Quey não se movimentava como em geral as lesmas se movimentam, devagar e de modo deliberado. Era como se ela soubesse que estava numa corrida, como se soubesse que estava livre. Não demorou muito para os meninos a perderem de vista, enquanto a lesma de Cudjo passeava tranquila, até dando voltas em círculo algumas vezes.

De repente, Quey ficou nervoso. Talvez Cudjo se zangasse por perder e lhe dissesse para ir embora da aldeia e não voltar nunca mais. Fazia pouco tempo que Quey conhecia Cudjo, mas ele já sabia que não queria perder o amigo. E fez a única coisa que lhe ocorreu. Estendeu a mão, como costumava ver o pai fazer depois de acordos comerciais. E, para sua surpresa, Cudjo a aceitou. Os meninos deram-se um aperto de mão.

— Minha lesma era muito burra, mas a sua se saiu bem — disse Cudjo.

— É, a minha se saiu muito bem — concordou Quey, aliviado.

— A gente devia dar nomes a elas. Vamos chamar a minha de Richard, porque é um nome inglês, e ela foi ruim, como os ingleses. A sua pode se chamar Kwame.

Quey riu.

— É, Richard é ruim como os ingleses — disse ele. Naquele instante, ele se esqueceu de que seu próprio pai era inglês, e, quando se lembrou depois, percebeu que não se importava. Tinha apenas a sensação de ter sido aceito, total e plenamente.

O tempo foi passando. Num verão, Quey cresceu meio palmo, enquanto Cudjo aumentava os músculos. Seus braços e pernas eram bem torneados, de modo que o suor escorrendo por eles dava a impressão de cristas de ondas. Ele se tornou renomado por toda parte por sua capacidade na luta corpo a corpo. Rapazes mais velhos de aldeias vizinhas eram trazidos para desafiá-lo, e ainda assim ele vencia todas as lutas.

— Ei, Quey, quando você vai lutar comigo? — perguntou Cudjo.

Quey nunca o havia desafiado. Ficava nervoso, não com a possibilidade de perder, pois sabia que perderia, mas porque tinha passado os três últimos anos observando com atenção e sabia, melhor do que ninguém, do que o corpo de Cudjo era capaz. A elegância dos seus movimentos quando ele dava voltas no adversário, a matemática da violência, como um braço mais um pescoço era igual à impossibilidade de respirar; ou um cotovelo mais um nariz significava sangue. Cudjo nunca errava um passo nessa dança, e seu corpo, ao mesmo tempo vigoroso e controlado, deixava Quey assombrado. Recentemente, Quey tinha começado a pensar nos braços fortes de Cudjo o cingindo, o arrastando para o chão, o corpo de Cudjo por cima do seu.

— Pegue o Richard para lutar com você — disse Quey, e Cudjo deu sua risada exuberante.

Quey

Depois da corrida de lesmas, os meninos tinham começado a chamar tudo, bom ou ruim, de Richard. Quando tinham algum problema com as mães por terem falado com grosseria, eles culpavam Richard. Quando corriam mais que os outros ou venciam uma luta, era graças a Richard. Richard estava lá no dia em que Cudjo se afastou demais da praia, nadando, e suas braçadas tinham começado a fraquejar. Foi Richard que tinha querido que ele se afogasse; e foi Richard quem o salvou, ajudando-o a recuperar o ritmo.

— Coitado do Richard! Eu o destruiria, isso sim — disse Cudjo, flexionando os músculos.

Quey estendeu a mão para beliscar o braço de Cudjo.

— Por quê? Por causa desse trocinho? — disse ele, embora o músculo não tivesse cedido ao aperto.

— Hem? — perguntou Cudjo.

— Eu disse que esse braço é pequeno. Que parece mole na minha mão, irmão.

Sem aviso, rápido como um raio, Cudjo prendeu o pescoço de Quey numa chave de braço.

— Mole? — perguntou ele, com a voz não mais que um sussurro, um sopro no ouvido de Quey. — Cuidado, amigo. Não há nada de mole aqui.

Apesar de estar perdendo o fôlego, Quey sentiu seu rosto enrubescer. O corpo de Cudjo estava tão grudado ao dele que, por um instante, ele teve a sensação de que eles eram um corpo só. Cada pelo nos braços de Quey estava alerta, aguardando o que aconteceria em seguida. Por fim, Cudjo o soltou.

Quey arquejou fundo algumas vezes enquanto Cudjo ficou olhando, com um sorriso querendo aparecer nos lábios.

— Ficou com medo, Quey?

— Não.

— Não? Você não sabe que todos os homens na terra dos fantis têm medo de mim agora?
— Você não me machucaria — disse Quey. Ele olhou diretamente nos olhos de Cudjo e pôde sentir que alguma coisa ali hesitava.

Cudjo recuperou o domínio de si rapidamente.
— Tem certeza?
— Tenho — respondeu Quey.
— Então me desafie. Me desafie para uma luta.
— Não vou fazer isso.

Cudjo aproximou-se de Quey até ficar a poucos dedos dele.
— Me desafie — disse ele, e sua respiração tocou nos lábios de Quey.

Na semana seguinte, Cudjo tinha uma luta importante. Um soldado do castelo, enquanto estava bêbado, tinha se vangloriado de que Cudjo jamais conseguiria derrotá-lo.

— A luta de um negro com outro negro não é um desafio para valer. Ponham um selvagem contra um branco, e aí vocês vão ver.

Um dos criados, homem da própria aldeia de Cudjo, ouviu a fanfarronada do soldado branco e levou a história até o pai de Cudjo. No dia seguinte, o chefe chegou para transmitir sua mensagem em pessoa.

— Qualquer homem branco que ache que pode derrotar meu filho, ele que tente. Daqui a três dias, vamos ver quem é melhor.

O pai de Quey tinha tentado proibir a luta, dizendo que aquilo não era civilizado, mas os soldados estavam entediados

Quey

e inquietos. Um pouco de diversão não civilizada era exatamente o que eles estavam loucos por ter.

Cudjo chegou no fim daquela semana. Trouxe junto seu pai e seus sete irmãos, mais ninguém. Quey não falava com ele desde a semana anterior e estava sentindo um nervosismo inexplicável, com a sensação da respiração de Cudjo ainda nos seus lábios.

O soldado que tinha se gabado também estava nervoso. Ele andava para lá e para cá, e sua mão tremia, enquanto todos os homens do castelo observavam.

Cudjo postou-se diante do desafiante, a certa distância. Ele o examinou da cabeça aos pés, avaliando-o. E então seus olhos cruzaram com os de Quey na plateia. Quey o cumprimentou com um gesto de cabeça e Cudjo sorriu, um sorriso que para Quey significava que ele ia vencer aquela luta.

E venceu. Só um minuto após o início da luta, Cudjo estava com os braços em torno do barrigão do soldado, jogando-o ao chão e o prendendo ali.

A multidão urrava de empolgação. Mais desafiantes se apresentaram, soldados que Cudjo derrotou com níveis diferentes de facilidade até que, finalmente, todos os homens estavam embriagados e exaustos, e somente Cudjo permanecia tranquilo.

Os soldados começaram a se dispersar. Depois de parabenizar Cudjo de modo barulhento e estridente, seus próprios irmãos e seu pai também foram embora. Cudjo ia passar a noite em Cape Coast, com Quey.

— Eu luto com você — disse Quey, quando lhe pareceu que todos tinham ido embora. O ar da noite estava começando a entrar no castelo, refrescando-o, mas só um pouco.

— Agora, que estou cansado demais para vencer? — perguntou Cudjo.

— Você nunca ficou cansado demais para vencer.

— Está bem. Quer lutar comigo? Então trate de me pegar antes! — E, com isso, Cudjo saiu correndo. Quey era mais veloz do que nos primeiros anos da sua amizade. Ele alcançou Cudjo junto dos canhões e investiu contra ele, prendendo-lhe as pernas e o derrubando no chão.

Em questão de segundos, Cudjo estava por cima dele, arquejando forte enquanto Quey lutava para virá-lo.

Quey sabia que devia bater no chão três vezes, o sinal para terminar a luta, mas não queria. Não queria. Não queria que Cudjo se levantasse. Não queria sentir falta do seu peso.

Aos poucos, Quey relaxou o corpo e sentiu Cudjo fazer o mesmo. Os dois mergulharam um no olhar do outro, a respiração desacelerando. A sensação nos lábios de Quey ficou mais forte, um formigamento que ameaçava levantar seu rosto na direção do rosto de Cudjo.

— Levantem-se, agora! — disse James.

Quey não sabia quanto tempo seu pai tinha ficado ali observando os dois, mas ele reconheceu um novo tom na sua voz. Era o mesmo comedimento controlado que James usava quando falava com criados e — Quey sabia, apesar de nunca ter visto — com escravos antes de espancá-los, mas agora havia um toque de medo nela.

— Vá para casa, Cudjo — disse James.

Quey viu o amigo partir. Cudjo nem olhou para trás.

No mês seguinte, pouco antes do aniversário de catorze anos de Quey, embora Effia chorasse e lutasse... e lutasse mais

Quey

um pouco, chegando uma vez a dar um tapa no rosto de James, Quey embarcou num navio, rumo à Inglaterra.

"*Soube que você voltou de Londres. Podemos nos ver, velho amigo?*" Quey não conseguia parar de pensar na mensagem que tinha recebido de Cudjo. Fixou o olhar na cumbuca e viu que praticamente não tinha comido o mingau. Fiifi já tinha terminado uma cumbuca e pedido outra.

— Talvez eu devesse ter ficado em Londres — disse Quey.

Seu tio tirou os olhos da comida e lhe lançou um olhar esquisito.

— Ficado em Londres, para quê?

— Lá era mais seguro — disse Quey, baixinho.

— Mais seguro? Por quê? Porque os ingleses não saem pelo mato para capturar escravos? Porque eles mantêm as mãos limpas enquanto nós trabalhamos? Vou te dizer uma coisa. O trabalho que eles fazem é o mais perigoso de todos.

Quey assentiu, embora não fosse aquilo o que ele tinha pretendido dizer. Na Inglaterra, ele tinha visto como os negros viviam nos países dos brancos: vinte ou mais indianos e africanos espremidos num quarto, que comiam a lavagem que sobrava dos porcos, que tossiam, tossiam e tossiam sem parar, todos juntos, uma sinfonia de doença. Ele conhecia os perigos que aguardavam no além-mar, mas também conhecia o perigo dentro de si mesmo.

— Não seja fraco, Quey — disse Fiifi, olhando atentamente para ele, e só por um segundo Quey se perguntou se seu tio finalmente o tinha compreendido. Mas então Fiifi voltou a atenção para o mingau. — Você não tem trabalho a fazer, Quey?

Quey abanou a cabeça, tentando se recompor. Deu um sorriso para o tio, agradeceu-lhe a refeição e foi embora.

O trabalho não era difícil. As funções oficiais de Quey e dos seus colegas da companhia incluíam reuniões semanais com Badu e seus homens para repassar o estoque, a supervisão dos empregados que punham a carga nas canoas e o envio de informações atualizadas ao governador do castelo sobre os outros parceiros comerciais de Badu.

Hoje era a vez de Quey supervisionar os empregados. Ele fez a caminhada até a divisa da aldeia e cumprimentou os rapazes fantis que trabalhavam para os ingleses, transportando escravos das aldeias costeiras para o castelo. Nesse dia, havia só cinco escravos, amarrados, à espera. A mais nova, uma menininha, tinha se sujado, mas ninguém dava atenção a isso. Quey já estava habituado ao cheiro de merda, mas o cheiro de medo era um que sempre se destacaria. Esse cheiro franzia seu nariz e lhe levava lágrimas aos olhos, mas muito tempo atrás ele tinha aprendido a sufocar o choro.

Todas as vezes que os empregados partiam com uma canoa cheia de escravos, ele pensava no pai, em pé, à beira do Castelo de Cape Coast, pronto para recebê-los. Neste ponto de partida, assistindo à saída da canoa, Quey se sentia transbordar com a mesma vergonha que acompanhava cada embarque de escravos. Como seu pai teria se sentido lá na outra ponta? James tinha morrido pouco depois de Quey chegar a Londres.

A viagem de navio tinha sido desconfortável, nos melhores momentos; um suplício, nos piores, com Quey alternando o tempo todo entre o choro e o vômito. No navio, Quey só conseguia pensar em que era isso o que seu pai fazia com os escravos. Era isso o que seu pai fazia com seus problemas.

Quey

Punha-os num navio, mandava-os embora. Como James tinha se sentido cada vez que via um navio partir? Era a mesma mistura de medo, vergonha e ódio que Quey sentia pela própria carne, pelo próprio desejo amotinado.

Quando Quey chegou de volta à aldeia, Badu já estava bêbado. Quey o cumprimentou e tentou passar depressa por ele. Não foi rápido o suficiente. Badu agarrou-o pelo ombro.

— Como está sua mãe? Diga a ela que venha me visitar, está bem?

Quey franziu os lábios no que ele esperava que parecesse ser um sorriso. Tentou reprimir sua aversão. Quando aceitou a nomeação para ali, Effia tinha protestado, implorando que ele recusasse, implorando que fugisse correndo até entrar na terra dos axântis, como sua avó jamais conhecida tinha feito, antes dele, se isso fosse o necessário para poder fugir dessa obrigação.

Ela passava o dedo pelo pingente no seu pescoço enquanto falava com ele.

— O mal está naquela aldeia, Quey. Baaba...

— Faz muito tempo que Baaba morreu — respondera Quey —, e nós dois já passamos da idade de acreditar em fantasmas.

Sua mãe tinha cuspido no chão aos pés dele, abanando a cabeça tão rápido que ele achou que ela fosse sair girando.

— Você acha que sabe, mas você não sabe — dissera ela. — O mal é como uma sombra. Ele acompanha a gente.

— Talvez minha mãe venha visitá-lo em breve — disse Quey agora, sabendo que a mãe nunca iria querer ver Badu. Apesar de seus pais brigarem, quase sempre por causa dele, era óbvio que os dois se gostavam. E embora Quey odiasse o pai, outra parte dele ainda tinha o desejo profundo de agradar-lhe.

Quey por fim livrou-se de Badu e continuou andando. A mensagem de Cudjo se repetia na sua cabeça. "*Soube que você voltou de Londres. Podemos nos ver, velho amigo?*" Quando retornou de Londres, Quey estava nervoso demais para perguntar por Cudjo, mas não tinha sido necessário. Cudjo tinha assumido o posto de chefe da sua velha aldeia, e eles ainda negociavam com os ingleses. Quey tinha registrado o nome de Cudjo todos os dias nos livros diários do castelo, quando ainda estava trabalhando como escriturário. Agora seria bastante simples ir vê-lo; conversar com ele como antigamente; dizer-lhe que tinha detestado Londres como tinha detestado o pai; que tudo naquele lugar — o frio, a umidade, a escuridão — tinha lhe dado a impressão de ser uma desfeita pessoal, projetada com o objetivo exclusivo de mantê-lo afastado de Cudjo.

Mas de que adiantaria vê-lo? Será que um olhar o traria de volta ao ponto onde estava seis anos antes, no chão do castelo? Podia ser que Londres tivesse feito o que seu pai esperava que fizesse, mas a verdade é que talvez isso não tivesse acontecido.

As semanas iam transcorrendo, e nada de Quey mandar uma resposta para Cudjo. Em vez disso, ele se dedicava ao trabalho. Fiifi e Badu tinham uma quantidade de contatos na terra dos axântis e mais ao norte. Grandes Homens, guerreiros, chefes e semelhantes, que traziam escravos todos os dias, em grupos de dez e de vinte. O comércio tinha aumentado tanto, e os métodos de capturar escravos tinham se tornado tão

Quey

irresponsáveis, que muitas das tribos adotaram a prática de marcar o rosto das crianças para que elas fossem distinguíveis. Os nortistas, que eram capturados com maior frequência, podiam ter mais de vinte cicatrizes no rosto, o que os tornava feios demais para a venda. Em sua maioria, os escravos trazidos para o posto avançado de Quey na aldeia eram os capturados em guerras tribais. Alguns eram vendidos pela própria família. E o tipo mais raro de escravo era aquele que Fiifi capturava sozinho, em suas missões no escuro da noite, lá para o norte.

Fiifi estava se preparando para uma incursão dessas. Ele não quis contar a Quey qual era a missão, mas Quey soube que tinha de ser alguma coisa com um perigo especial, pois seu tio tinha procurado a ajuda de outra aldeia fanti.

— Você pode ficar com todos os cativos, menos um — Fiifi estava dizendo a alguém. — Vocês podem levá-los quando nos separarmos em Dunkwa.

Quey acabava de ser chamado ao *compound* de Fiifi. Diante dele, guerreiros estavam se preparando para o combate: mosquetes, facões e lanças nas mãos.

Quey foi entrando mais, tentando ver o homem com quem seu tio falava.

— Ah, Quey, até que enfim você veio me cumprimentar!

A voz era mais grave do que Quey se lembrava, mas mesmo assim ele a reconheceu de imediato. Sua mão tremia quando ele a estendeu para apertar a do seu velho amigo. O aperto de Cudjo foi firme; sua mão, suave ao toque. O cumprimento levou Quey de volta à aldeia de Cudjo, à corrida de lesmas, a Richard.

— O que você está fazendo aqui? — perguntou Quey. Ele esperava que sua voz não o traísse. Tinha esperança de parecer tranquilo e seguro.

— Seu tio nos prometeu uma boa missão hoje. Aceitei com entusiasmo.

Fiifi deu um tapinha no ombro de Cudjo e seguiu para falar com os guerreiros.

— Você não respondeu a minha mensagem — disse Cudjo, baixinho.

— Não tive tempo.

— Entendi — disse Cudjo. Ele parecia o mesmo, mais alto, mais encorpado, mas o mesmo. — Seu tio me disse que você ainda não se casou.

— Não.

— Eu me casei na última primavera. Um chefe precisa ser casado.

— *Oh, right* — disse Quey, em inglês, distraído.

Cudjo riu. Pegou seu machete e chegou mais perto de Quey.

— Você fala inglês como um britânico, igualzinho a Richard, hem? Quando eu terminar o serviço lá no norte com seu tio, volto para minha própria aldeia. Você sempre será bem-vindo lá. Venha me visitar.

Fiifi deu um último grito para reunir os homens, e Cudjo saiu correndo. Enquanto seguia em disparada, Cudjo olhou de relance para trás e sorriu para Quey. Quey não sabia quanto tempo eles passariam fora, mas sabia que não conseguiria dormir enquanto o tio não voltasse. Ninguém lhe dissera nada sobre a missão. Na realidade, Quey tinha visto os guerreiros

Quey

saírem um punhado de vezes e nunca tinha querido saber o motivo, mas agora seu coração batia tão forte que parecia que um sapo estava no lugar da sua garganta. Ele sentia o sabor de cada batida. Por que Fiifi tinha dito a Cudjo que Quey não era casado? Será que Cudjo tinha perguntado? Como Quey poderia ser bem-vindo na aldeia de Cudjo? Ele ficaria no *compound* do chefe? Na sua própria cabana, como uma terceira esposa? Ou ficaria numa cabana nos limites da aldeia, sozinho? O sapo coaxou. Havia um jeito. Não havia nenhum jeito. Havia um jeito. O pensamento de Quey corria para lá e para cá a cada batida.

Passou-se uma semana. Depois, duas. Depois, três. No primeiro dia da quarta semana, Quey foi afinal chamado ao porão dos escravos. Fiifi estava deitado encostado na parede do porão, com a mão cobrindo o lado do corpo, de onde escorria sangue de um grande corte. Logo chegou um dos médicos da companhia, com uma agulha grossa e linha, e começou a costurar Fiifi.

— O que houve? — perguntou Quey. Os homens de Fiifi estavam vigiando a porta do porão, nitidamente abalados. Eles seguravam tanto facões como mosquetes. E mesmo ao menor farfalhar de uma folha na floresta, eles seguravam as armas com mais firmeza.

Fiifi começou a rir, um som parecido com o último rugido de um animal moribundo. O médico terminou de suturar o ferimento e derramou um líquido marrom por cima, fazendo com que Fiifi parasse de rir e desse um grito.

— Silêncio! — disse um dos soldados de Fiifi. — Não sabemos quem pode ter vindo atrás de nós.

Quey ajoelhou-se para olhar nos olhos do tio.

— O que houve?

Fiifi estava rangendo os dentes com o sopro lento do vento. Ele levantou um braço e apontou para a porta do porão.

— Olhe o que trouxemos, meu filho — disse ele.

Quey levantou-se e foi até a porta. Os homens de Fiifi lhe entregaram um candeeiro e se afastaram de lado para ele poder entrar. Quando ele entrou, a escuridão ecoou ao seu redor, reverberando contra ele, como se ele tivesse entrado num tambor oco. Quey ergueu o candeeiro mais alto e viu os escravos. Não esperava ver muitos, pois a próxima remessa só estava programada para chegar na semana seguinte. De imediato, ele soube que esses não eram escravos que os axântis tinham trazido. Essas eram pessoas que Fiifi tinha sequestrado. No canto, havia dois homens, guerreiros altos, amarrados um ao outro, sangrando por conta de ferimentos leves. Quando viram Quey, eles começaram a zombar dele em twi, debatendo-se tanto contra as correntes que rasgavam mais a própria carne, sangrando de novo.

Na parede oposta, estava uma menina que não fazia o menor ruído. Ela olhou para Quey com olhos arregalados, e ele se ajoelhou ao seu lado para inspecionar seu rosto. Na bochecha, havia uma grande cicatriz oval, uma marca proposital que James tinha ensinado a Quey tempos atrás, antes de despachá-lo para a Inglaterra, uma marca dos axântis.

Quey levantou-se, ainda olhando para a menina. Lentamente, ele recuou, dando-se conta de quem ela devia ser. Do lado de fora, seu tio tinha desmaiado com a dor, e os soldados tinham afrouxado as mãos que seguravam as armas, aliviados por ninguém tê-los seguido.

Quey

Quey olhou para o que estava mais perto da porta, segurou-lhe o ombro e o sacudiu.

— O que vocês pensam que estão fazendo com a filha do rei dos axântis?

O soldado baixou os olhos, fez que não e não falou. Qualquer que tivesse sido o plano de Fiifi, ele não poderia fracassar, ou a aldeia inteira iria pagar com a própria vida.

Depois daquela noite, Quey passou todas as noites ao lado de Fiifi enquanto ele sarava. Ouviu a história da captura, de como Fiifi e seus homens tinham entrado sorrateiros na terra dos axântis na calada da noite, já informados, por um dos seus contatos, da hora em que a menina teria menos guardas ao redor; como Fiifi tinha sido cortado como um coco pela ponta do machete do guarda da menina quando estendeu a mão para pegá-la; como eles tinham arrastado os cativos para o sul, através da floresta, até chegar à Costa.

Ela se chamava Nana Yaa e era a filha mais velha de Osei Bonsu, o detentor de maior poder no reino dos axântis, homem que era alvo de respeito da própria rainha da Inglaterra, por sua influência no papel que a Costa do Ouro desempenhava no tráfico de escravos. Nana Yaa era uma importante ferramenta de negociação política, e as pessoas vinham tentando capturá-la desde que era bebê. Guerras tinham sido iniciadas por causa dela: para consegui-la, para libertá-la, para casá-la.

Quey estava tão preocupado que não se atrevia a perguntar como Cudjo tinha se saído. Quey sabia que em breve o informante de Fiifi seria apanhado e torturado até contar quem a tinha levado. Era só uma questão de tempo até que as consequências viessem ao encontro deles.

— Tio, os axântis não perdoarão isso. Eles...

Fiifi o interrompeu. Desde a noite da captura, todas as vezes que Quey tentou abordar o assunto da menina, para avaliar as intenções de Fiifi, o homem segurava o lado do corpo e se calava, ou começava uma das suas fábulas enfadonhas.

— Os axântis estão com raiva de nós há anos — disse Fiifi.

— Desde que descobriram que nós comercializávamos outros axântis que nos eram trazidos por outros nortistas que Badu encontrou. Badu me disse então que nós fazemos negócios com quem nos pagar mais. Foi a mesma coisa que eu disse aos axântis, quando eles descobriram. A mesma coisa que eu disse a você. É de se esperar a raiva dos axântis, Quey, e você tem razão quanto ao fato de que ela não deve ser subestimada. Mas pode acreditar em mim: eles são sábios enquanto nós somos espertos. Eles hão de perdoar.

Fiifi parou de falar, e Quey ficou olhando a filha caçula do tio, menina de só dois anos, a brincar no pátio. Daí a um tempo, uma criada veio, trazendo um lanche de amendoins e bananas. Ela se aproximou primeiro de Fiifi, mas ele a interrompeu. Com uma voz neutra e um olhar neutro, ele falou:

— Você deve servir primeiro o meu filho.

A mulher obedeceu, fazendo uma reverência diante de Quey e estendendo sua mão direita. Depois que os dois tinham recebido sua porção, a criada saiu, enquanto Quey observava o balanço medido dos seus quadris largos.

— Por que o senhor sempre diz isso? — perguntou Quey, quando teve certeza de que a mulher tinha ido embora.

— Por que eu digo o quê?

Quey

— Que eu sou seu filho. — Quey baixou os olhos, falando com a voz tão fraca que teve esperança de que o chão engolisse o som. — Antes o senhor nunca afirmou isso.

Fiifi partiu a casca do amendoim com os dentes, separando-a do próprio amendoim, e a cuspiu no chão diante deles. Olhou para a rua estreita de terra batida que saía do seu *compound* na direção da praça da aldeia. Dava a impressão de estar esperando alguém.

— Você passou tempo demais na Inglaterra, Quey. Pode ser que tenha se esquecido de que aqui as mães, irmãs e seus filhos são mais importantes. Se você for o chefe, o filho da sua irmã é seu sucessor porque sua irmã nasceu da sua mãe, mas sua mulher não. O filho da sua irmã é mais importante para você até mesmo do que seu próprio filho. Mas, Quey, sua mãe não é minha irmã. Ela não é a filha de minha mãe e, quando se casou com um homem branco do castelo, comecei a perdê-la. E como minha mãe sempre a odiou, eu também comecei a odiá-la.

"No começo esse ódio era bom. Ele me fazia trabalhar mais. Eu pensava nela e em todos aqueles brancos lá no castelo e dizia: Meu povo aqui nesta aldeia, nós vamos ser mais fortes do que os brancos. Além disso, seremos mais ricos. E quando Badu começou a ficar guloso e gordo demais para lutar, eu comecei a lutar por ele. Mas, mesmo assim, eu ainda odiava sua mãe e seu pai. E odiava minha própria mãe e meu próprio pai também, pelo tipo de pessoas que eu sabia que eram. Suponho que eu tenha começado até mesmo a me odiar.

"Na última vez em que sua mãe veio a esta aldeia, eu estava com quinze anos. Foi para o enterro do meu pai, e, depois que Effia partiu, Baaba me disse que, como ela, na realidade, não era minha irmã, eu não lhe devia nada. E por muitos anos acreditei nisso. Mas agora estou velho, mais sábio, porém mais fraco. Quando eu era jovem, nenhum homem conseguiria tocar em mim com o machete, mas agora..." A voz de Fiifi foi sumindo enquanto ele mostrava o ferimento. Ele pigarreou e prosseguiu: "Logo, tudo que ajudei a construir nesta aldeia já não me pertencerá. Tenho filhos, mas não tenho irmãs, e assim tudo que ajudei a construir será soprado por aí como poeira numa brisa.

"Fui eu quem disse ao seu governador que lhe desse esse posto, Quey, porque você é a pessoa para quem eu deveria deixar tudo isso. Um dia amei Effia como irmã. Por isso, mesmo que você não seja descendente da minha mãe, você é o que tenho de mais próximo de um sobrinho primogênito. Eu lhe darei tudo o que tenho. Tratarei de compensar todos os malefícios da minha mãe. Amanhã à noite, você se casará com Nana Yaa, então, mesmo que o rei dos axântis e todos os seus homens venham bater à minha porta, eles não poderão renegar você. Não poderão matá-lo nem a ninguém desta aldeia, porque ela agora é sua aldeia, como no passado foi da sua mãe. Vou me certificar de que você se torne um homem muito poderoso, para que, mesmo depois que os brancos tiverem ido embora desta Costa do Ouro — e pode acreditar em mim, eles irão —, você ainda seja importante por muito tempo depois que as muralhas do castelo tiverem ruído."

Fiifi começou a encher um cachimbo. Soprou por ele até a fumaça branca formar pequenos telhados acima do fornilho. A estação das chuvas estava chegando e logo o ar começaria a ficar pesado, e as pessoas da Costa do Ouro precisariam reaprender a se movimentar num clima que estava sempre quente e úmido, como se fosse projetado para cozinhar seus moradores para o jantar.

Era assim que se vivia ali, no mato. Coma ou seja comido. Capture ou seja capturado. Case-se para obter proteção. Quey nunca iria para a aldeia de Cudjo. Ele não seria fraco. Seu trabalho era com a escravidão, e era preciso fazer sacrifícios.

Ness

NÃO HAVIA URSA MAIOR, nem conforto espiritual suficiente para reanimar um espírito vencido. Até mesmo a Estrela Polar era uma enganação. Todos os dias, Ness colhia algodão sob o sol causticante do sul. Ela estava na *plantation* de Thomas Allan Stockham, no Alabama, havia três meses. Duas semanas antes, estava no Mississípi. Um ano antes, estava num lugar que só poderia descrever como o Inferno.

Embora tentasse, Ness não conseguia se lembrar de quantos anos tinha. Seu melhor palpite era vinte e cinco, mas cada ano desde que a tinham arrancado dos braços da mãe parecia ter durado dez. A mãe de Ness, Esi, era uma mulher dura, séria, que nunca tinha contado uma história feliz. Mesmo as histórias que contava para Ness na hora de dormir eram sobre o que Esi chamava de "Barco Grande". Ness adormecia com as imagens de homens sendo jogados no oceano Atlântico, como âncoras presas a nada: nem terra, nem gente, nem valor. No Barco Grande, Esi dizia, eles eram postos em pilhas de dez pessoas; e quando um homem morria em cima de você, seu peso esmagava a pilha, como cozinheiras esmagando alho.

A mãe de Ness, chamada de Cara Amarrada pelos outros escravos porque nunca sorria, costumava contar a história de como tinha sido amaldiçoada por uma Pequena Pomba, muito, muito tempo atrás, amaldiçoada e sem irmã, ela resmungava enquanto varria, deixada sem a pedra da sua mãe. Quando venderam Ness em 1796, os lábios de Esi tinham se mantido na mesma linha contida. Ness se lembrava de estender as mãos para a mãe, de agitar os braços e dar chutes, lutando contra o corpo do homem que tinha vindo apanhá-la. E mesmo assim os lábios de Esi não tinham se mexido; suas mãos não tinham se estendido. Ela ficou ali parada, sólida e forte, como Ness sempre a tinha conhecido. E embora Ness viesse a conhecer escravos calorosos em outras *plantations*, negros que sorriam, abraçavam e contavam histórias bonitas, ela sempre sentiria falta da rocha cinzenta do coração da mãe. Sempre associaria o amor verdadeiro a um espírito inflexível.

Thomas Allan Stockham era um bom senhor, se é que podia existir uma coisa dessas. Ele lhes dava descansos de cinco minutos de três em três horas; e os escravos da lavoura tinham permissão de vir ao alpendre para receber dos escravos da casa um pote de vidro cheio de água.

Nesse dia, em fins de junho, Ness esperava na fila ao lado de TimTam. Ele era um presente, para a família Stockham, dos seus vizinhos, os Whitman; e Tom Allan gostava de dizer que TimTam era o melhor presente que tinha recebido na vida, melhor mesmo que o gato de rabo cinza que seu irmão lhe dera no aniversário de cinco anos, ou mesmo que o carrinho vermelho que tinha ganhado no aniversário de dois anos.

— Como tá sendo o dia? — perguntou TimTam.

Ness voltou-se para ele, só um pouco.

— E todos os dias num é igual?

TimTam riu, um som que veio roncando feito trovão, formado a partir das nuvens das entranhas, para sair pelo céu da sua boca.

— Vai ver que você tem razão.

Ness não tinha certeza se um dia ia se acostumar a ouvir o inglês se derramando da boca de negros. No Mississípi, Esi falava com ela em twi, até seu senhor a apanhar fazendo isso. Ele açoitou Esi cinco vezes para cada palavra em twi que Ness disse; e quando Ness, vendo sua mãe ser castigada, ficou apavorada demais para abrir a boca, ele deu cinco açoitadas em Esi para cada minuto de silêncio de Ness. Antes do açoitamento, sua mãe a chamava de Maame, em homenagem à própria mãe, mas o senhor tinha chicoteado Esi por isso também. Ele a tinha chicoteado até ela exclamar *"My goodness!"* — as palavras lhe escapando da boca, sem que ela pensasse, sem dúvida aprendidas com a cozinheira, que costumava dizê-las para assinalar cada frase. E como essas tinham sido as únicas palavras em inglês que saíram pela boca de Esi, sem ela lutar para encontrá-las, Esi acreditou que o que ela estava dizendo devia ter sido alguma coisa divina, como a dádiva de uma filha. Foi assim que aquele *"goodness"* virou apenas Ness.

— De onde você é? — TimTam perguntou. Ele mascou a ponta palhosa de uma haste de trigo e a cuspiu.

— Você faz pergunta demais — disse Ness. E se virou. Era sua vez de receber água de Margaret, a escrava principal da casa, mas a mulher só lhe serviu um quarto do copo.

Ness

— Não tem água que dê pra hoje — disse ela, mas Ness podia ver que os baldes de água no alpendre atrás de Margaret dariam para uma semana inteira.

Margaret olhou para Ness, mas Ness teve a sensação de que Margaret estava de fato olhando através dela, ou melhor, que estava olhando para cinco minutos atrás na vida de Ness, tentando descobrir se a conversa que Ness tinha acabado de ter com TimTam significava ou não que ele estava interessado nela.

TimTam pigarreou.

— Ora, Margaret — disse ele. — Isso lá é jeito de tratar uma pessoa?

Margaret olhou com raiva para ele e mergulhou a concha no balde, mas Ness não aceitou o oferecimento. Afastou-se dali, deixando os dois apoquentados. Embora pudesse existir um papel que declarava que ela pertencia a Tom Allan Stockham, não havia nenhum papel desse tipo que a sujeitasse aos caprichos dos outros escravos iguais a ela.

— Você não devia ser tão dura com ele — uma mulher disse, assim que Ness voltou à sua posição no campo. A mulher parecia mais velha, com mais de trinta e cinco anos, mas suas costas eram encurvadas, mesmo quando ficava em pé. — Você é nova por aqui e não sabe. TimTam perdeu a mulher faz muito tempo, e é ele quem cuida da pequena Pinky sozinho desde aquela época.

Ness olhou para a mulher. Tentou sorrir, mas tinha nascido nos tempos em que Esi não sorria e nunca tinha aprendido a sorrir direito. Os cantos da sua boca sempre pareciam tremelicar para cima involuntariamente, depois caíam em ques-

tão de milissegundos, como se estivessem presos à tristeza que no passado ancorava-se no coração da própria mãe.
— E quem de nós não perdeu alguém? — perguntou Ness.

Ness era bonita demais para trabalhar na lavoura. Foi o que Tom Allan lhe disse no dia em que a levou para a sua *plantation*. Ele a tinha adquirido, acreditando na palavra de um amigo em Jackson, Mississípi, que disse que ela era uma das melhores trabalhadoras de lavoura que ele conhecia, mas que o novo senhor se certificasse de usá-la somente no campo. Ao vê-la, com a pele clara e os cabelos crespos que caíam em cascata pelas costas à procura do patamar redondo das nádegas, Tom Allan achou que o amigo devia ter cometido algum erro. Ele pegou o uniforme que gostava que as escravas domésticas usassem: uma blusa branca, abotoada na frente, com um decote canoa e mangas japonesas, uma saia preta comprida presa a um aventalzinho branco. Ele mandou Margaret levar Ness ao quarto dos fundos, para ela poder mudar de roupa. E Ness tinha obedecido. Margaret, ao ver Ness toda arrumada, apertou a mão junto do peito e disse a Ness para esperar ali. Ness precisou grudar a orelha na parede para ouvir o que Margaret dizia.

— Ela não serve pra dentro de casa — disse Margaret a Tom Allan.

— Bem, deixe-me vê-la, Margaret. Tenho certeza de que posso decidir sozinho se alguém serve ou não serve para trabalhar na minha própria casa, não posso?

— Sim, sinhô — disse Margaret. — Acho que o sinhô pode, mas não é uma coisa que o sinhô vai querer ver, é só o que tô dizendo.

Tom Allan riu. Sua mulher, Susan, entrou na sala e perguntou o motivo do alvoroço.

— Ora, a Margaret trancou nossa neguinha nova lá nos fundos e não quer nos deixar ver a garota. Pare com essa bobagem agora e trate de trazê-la aqui.

Se Susan era como qualquer outra mulher de senhor de escravos, ela devia ter sabido que o fato de seu marido trazer uma negra nova para dentro de casa significava que era melhor ela prestar atenção. Naquela região e em qualquer outra região do sul, era sabido que os olhos dos homens, assim como outras partes do corpo, costumavam sair da linha.

— É, Margaret, traga a garota para podermos ver. Não seja boba.

Margaret deu de ombros e voltou para o quarto. Ness afastou a orelha da parede.

— Bem, melhor você ir lá — foi tudo o que Margaret disse.

Foi o que Ness fez. Ela saiu para se apresentar diante da plateia de dois, com os ombros expostos, bem como a metade inferior das panturrilhas. E no instante em que a viu, Susan Stockham caiu desmaiada. Tom Allan só teve tempo de amparar a mulher enquanto gritava para Margaret ir trocar a roupa de Ness de imediato.

Margaret apressou-se a levá-la para o quarto dos fundos e saiu em busca de roupas de lavoura. Ness ficou parada no meio do quarto, passando as mãos pelo corpo, deliciando-se com a feiura de sua nudez. Ela sabia que eram as cicatrizes intrincadas nos seus ombros nus que tinham assustado a todos eles, mas as cicatrizes não estavam só ali. Não, sua carne marcada era como outro corpo só por si, com a forma de um homem que a abraçava por trás com os braços suspensos em volta do seu pescoço. Elas subiam a partir dos seios, transpunham os montes dos seus ombros e percorriam todo o comprimento altivo das suas costas. Lambiam o alto das nádegas antes de sumir como se fossem nada. Na realidade, a pele de Ness já não era uma pele. Era mais como o fantasma do seu passado, tornado visível, físico. Ela não se incomodava com o lembrete.

Margaret voltou para o quarto com um pano de cabeça, um blusão marrom que cobria os ombros, uma saia vermelha que descia até o chão. Ela ficou olhando Ness vestir a roupa.

— Pena, mesmo. Por um instante, achei que você podia ser mais bonita que eu. — Ela estalou a língua duas vezes e saiu do quarto.

E assim Ness foi trabalhar na lavoura. Não era novidade para ela. No Inferno, ela também tinha trabalhado na terra. No Inferno, o sol queimava tanto o algodão que só tocar nele quase chamuscava a palma das mãos. Segurar aqueles pequenos tufos brancos quase parecia como segurar fogo, mas Deus que te livrasse de deixar cair um que fosse. O Demônio estava sempre de olho. Foi no Inferno que ela aprendeu a ser uma boa escrava de lavoura, e seu talento a tinha levado até Tuscumbia.

Era seu segundo mês na *plantation* dos Stockham. Ela morava numa das cabanas das mulheres, mas não tinha feito amizade com ninguém. Todas a conheciam como a mulher que tinha desfeiteado TimTam; e as mulheres, irritadas quando pensavam que ela era alvo do desejo dele e ainda mais irritadas quando se davam conta de que ela não queria ser esse alvo, a tratavam como se achassem que ela era pouco mais do que um vento forte, um inconveniente pelo qual ainda era possível abrir caminho.

De manhã, Ness preparava seu balde para levar para o campo. Bolinhos de fubá, um pouco de carne de porco salgada e, se tivesse sorte, algumas verduras. No Inferno, ela tinha aprendido a comer em pé: colhendo algodão com a mão direita, empurrando a comida pela boca com a esquerda. Não era algo que fosse necessário fazer na *plantation* de Tom Allan, trabalhar enquanto se comia, mas ela não sabia trabalhar de outro jeito.

— Parece que ela acha que é melhor que a gente — disse uma mulher, alto só o bastante para Ness ouvir.

— Claro que Tom Allan vai achar que é — disse outra.

— Não mesmo, Tom Allan não quer saber dela desde que ela foi expulsa da casa-grande — disse a primeira.

Ness tinha aprendido a desligar as vozes. Ela tentava se lembrar do twi em que Esi costumava falar com ela. Tentava acalmar a mente até que tudo o que restasse fosse a linha fina e severa dos lábios da mãe, lábios que antes diziam palavras de amor numa língua que Ness já não conseguia captar. Ocorriam-lhe frases e palavras, descombinadas ou desequilibradas, erradas.

Ela trabalhava assim o dia inteiro, escutando os sons do sul. O zumbido insistente dos mosquitos, o canto estridente das cigarras, o murmúrio dos mexericos dos escravos. De noite, ela voltava para o alojamento, batia na enxerga até fazer subir a poeira, que a envolvia como um abraço. Ela a colocava no chão de novo e esperava por um sono que raramente chegava, fazendo o maior esforço para aquietar as imagens angustiantes que dançavam por trás das pálpebras fechadas.

Foi numa noite como essa, bem na hora em que ela sacudiu a enxerga para o alto, que as batidas começaram, socos na porta da cabana das mulheres, num ritmo firme, urgente.

— Por favor! — gritou uma voz. — Por favor, nos ajudem.

Uma mulher chamada Mavis abriu a porta. TimTam estava ali, com a filha, Pinky, aninhada nos braços. Ele foi entrando, com a voz embargada, apesar de não haver lágrimas nos seus olhos.

— Acho que ela pegou o que a mãe dela teve — disse ele.

As mulheres abriram um espaço para a menina, e TimTam a pôs ali antes de começar a andar para lá e para cá.

— Ai, meu Deus, ai, meu Deus, ai, meu Deus — queixava-se ele.

— Melhor chamar Tom Allan pra ele ir buscar o médico — disse Ruthie.

— Na última vez, o médico não adiantou — disse TimTam.

Ness estava por trás de uma fileira de mulheres de ombros aprumados, como se fossem entrar em combate. Ela foi abrindo caminho até o centro para ter um vislumbre da criança. Pinky era pequena e angulosa, como se seu corpo fosse composto de varetas sem nenhuma flexibilidade. Seu cabelo estava preso para o alto em dois tufos grandes. Todo o tempo em que as mulheres a observaram, ela não fez o menor ruído, a não ser uma inspiração rápida.

— Ela não tem nada — disse Ness.

De repente, TimTam parou de andar, enquanto todas se voltavam para olhar fixamente para Ness.

— Faz pouco tempo que você tá aqui — disse TimTam. — Pinky não disse uma palavra desde que a mãe dela morreu; e agora esses soluços dela não param.

— É só soluço — disse Ness. — Soluço nunca matou ninguém, que eu saiba. — Ela olhou em volta para todas as mulheres que balançavam a cabeça com ar de censura, mas não sabia dizer o que tinha feito de errado.

TimTam puxou-a para um lado.

— Essas mulheres não te avisaram? — sussurrou ele, e Ness fez que não. Era tão raro que as mulheres falassem com ela, e depois ela havia conseguido desligar seus mexericos. TimTam pigarreou e baixou um pouco mais a cabeça. — É só que a gente sabe que não tem nada de errado com ela, além do soluço, mas tamos tentando fazer ela falar, por isso...

Sua voz foi se calando à medida que Ness começava a entender que tudo aquilo não tinha sido mais que um plano para enganar a pequena Pinky e levá-la a falar. Ness afastou-se de TimTam e olhou com cuidado para o pequeno grupo de mulheres, de uma para a seguinte e depois para a próxima. Ela foi até o centro do alojamento, onde Pinky estava deitada na enxerga, com os olhos fixos no teto. A menina voltou o olhar para Ness e deu mais um soluço.

Ness dirigiu-se a todos:

— Meu Deus, não sei que tipo de tolice vim encontrar neste lugar, mas vocês todos precisam deixar essa menina em paz. Vai ver que ela não quer falar porque sabe como isso deixa a gente maluca, ou vai ver que ela ainda não tem nada pra dizer. Mas eu acho que ela não vai começar a falar hoje só porque vocês tão fazendo de conta que isso aqui é um teatro ambulante.

As mulheres torceram as mãos e mudaram de posição sem sair do lugar, enquanto TimTam abaixou um pouco mais a cabeça.

Ness voltou para sua enxerga, acabou de bater a poeira e se deitou.

TimTam aproximou-se de Pinky.

— Bem, vamos — disse ele, estendendo a mão para a menina, mas ela se afastou com um puxão. — Eu disse, vamos — repetiu ele, com a vergonha tingindo de cinza sua voz, mas a garota mais uma vez fugiu de junto dele. Ela foi até onde Ness estava deitada, com os olhos bem fechados, enquanto implorava que o sono viesse depressa. A mão de Pinky roçou no ombro de Ness, e Ness abriu os olhos para ver a garota olhando fixamente para ela, com olhos arregalados, suplicando. E como Ness entendia o que era a perda, e como entendia o que era não ter mãe, o que era o anseio e até mesmo o silêncio, ela estendeu a mão para segurar a da menina e a puxou para a cama.

— Você pode ir — disse ela a TimTam, com a cabeça de Pinky aninhada entre as almofadas macias dos seus seios. — Hoje ela fica comigo.

Daquele dia em diante, foi impossível separar Pinky de Ness. Ela até se mudou da cabana das outras mulheres para a de Ness. Ela dormia com Ness, comia com Ness, andava com Ness e cozinhava com Ness. Mesmo assim, ela não falava; e Ness nunca lhe pediu que falasse, sabendo muito bem que Pinky falaria quando tivesse alguma coisa a dizer, riria quando alguma coisa fosse realmente engraçada. Quanto a si mesma, Ness, que não sabia o quanto tinha sentido falta de companhia, agora se reconfortava com a presença silenciosa da menina.

Pinky era a garota da água. Todos os dias ela fazia até quarenta viagens ao pequeno córrego na beira da lavoura dos Stockham. Ela carregava uma tábua de um lado ao outro das costas, com os braços dobrados por cima, vindo de trás, de modo que parecia ser um homem carregando uma cruz, e em cada ponta da tábua iam pendurados dois baldes prateados. Pinky enchia esses baldes e os trazia de volta para a casa-grande. Ela então os despejava nos grandes baldes de água que ficavam no alpendre dos Stockham. Enchia as bacias da casa para que os filhos dos Stockham pudessem ter água limpa para tomar banho de tarde. Ela regava as flores que ficavam na penteadeira de Susan Stockham. Dali, ia à cozinha para dar dois baldes cheios para Margaret poder cozinhar. Todos os dias, percorria o mesmo caminho batido, descendo até o córrego, subindo de volta para a casa. No fim do dia, seus braços latejavam tanto que dava para Ness sentir o coração de Pinky bater neles, quando a menina entrava de mansinho na cama à noite e Ness a aninhava nos braços.

Os soluços não tinham parado, continuando desde o dia em que TimTam a tinha trazido para a cabana de Ness, na esperança de assustar tanto a criança que ela acabasse falando. Todos sugeriam algum remédio.

— Põe a menina de cabeça pra baixo!

— Manda ela prender a respiração e engolir!

— Faz uma cruz com duas palhas no alto da cabeça dela!

O último remédio, sugerido por uma mulher chamada Harriet, foi o que pareceu funcionar. Pinky fez trinta e quatro viagens ao córrego sem um único soluço. Ness estava no alpendre para encher seu pote de água na trigésima quinta viagem de volta de Pinky. Os dois filhos ruivos dos Stockham estavam ali fora naquele dia. O menino, chamado Tom Jr., e a menina, Mary. Eles estavam subindo a escada, bem no instante em que Pinky virou a esquina da casa, e Tom Jr. bateu na tábua de um jeito que fez voar um dos baldes, com a água caindo em todos os que estavam no alpendre. Mary começou a chorar.

— Meu vestido está todo molhado! — disse ela.

Margaret, que tinha acabado de servir conchas de água para um dos outros escravos, largou a concha.

— Calma, srta. Mary.

Tom Jr., que nunca tinha sido de muita gentileza, resolveu experimentar ser um pouco gentil, por conta da irmã.

— Bem, peça desculpas a Mary! — disse ele a Pinky. Os dois eram da mesma idade, embora Pinky fosse um palmo e meio mais alta que ele.

Pinky abriu a boca, mas nenhuma palavra saiu.

— Ela pede desculpa — disse Ness, depressa.

— Eu não estava falando com você — disse Tom Jr.

Mary tinha parado de chorar e estava olhando atenta para Pinky.

— Tom, você sabe que ela não fala — disse Mary. — Tudo bem, Pinky.

— Ela vai falar se eu mandar — disse Tom Jr., empurrando a irmã. — Peça desculpas a Mary — repetiu ele. O sol estava alto e fazia calor naquele dia. Na verdade, Ness pôde ver que duas marcas de água no vestido de Mary já tinham secado.

Pinky, com os olhos marejados, abriu a boca de novo, e uma onda de soluços saiu, altos e nervosos.

Tom Jr. fez que não. Ele entrou na casa enquanto todos olhavam e voltou com a vara de açoitar de Stockham. Ela era de madeira de vidoeiro sem brilho e tinha o dobro da altura de Tom Jr. Não era grossa, mas era tão pesada que Tom Jr. mal conseguia segurá-la com as duas mãos, muito menos tirar distância para aplicar a vergastada.

— Fale, negra — ordenou Tom Jr., e Margaret, que já tinha parado de servir a água havia algum tempo, entrou correndo na casa aos gritos.

— Uuuui, Tom Jr., vou chamar teu pai!

Pinky chorava e tinha soluços ao mesmo tempo, com os soluços impedindo qualquer palavra que ela poderia ter dito. Com enorme esforço, Tom Jr. levantou a vara com a mão direita e tentou tirar distância por cima do ombro, mas Ness, que estava em pé atrás dele, pegou a ponta da vara com a mão. Ela a segurou com tanta força que a vara cortou suas palmas quando Tom Jr. caiu no chão. Ela o arrastou talvez um dedo.

Tom Allan apareceu no alpendre com Margaret, que estava ofegante, com a mão no peito.

— O que está acontecendo? — perguntou ele.

Tom Jr. começou a chorar.

— Ela ia me bater, papai! — disse ele.

Margaret tentou protestar.

— Sinhozinho Tom, que mentira! O sinhozinho tava...

Tom Allan levantou a mão para calar a fala de Margaret e olhou para Ness. Talvez ele tivesse se lembrado das cicatrizes nos ombros, se lembrado de como elas deixaram sua mulher de cama no resto daquele dia e fizeram com que ele não quisesse jantar por uma semana. Talvez ele tivesse se perguntado o que uma negra precisava fazer para ganhar chicotadas como aquelas; do que uma negra daquelas devia ser capaz. E ali estava seu filho no chão, com terra nas calças curtas, e a criança muda Pinky chorando. Ness tinha certeza de que ele podia ver com total clareza o que tinha acontecido, mas foi a lembrança das cicatrizes que fez com que ele duvidasse. Uma negra com cicatrizes daquelas, e seu filho no chão. Não havia outra coisa que ele pudesse fazer.

— Logo, logo, vou me encarregar de você — disse ele a Ness, e todos se perguntaram o que iria acontecer.

Naquela noite, Ness voltou para o alojamento das mulheres. Ela se deitou na cama e fechou os olhos, esperando que as imagens que todas as noites se repetiam nas suas pálpebras se acalmassem, e viesse a escuridão. Ao seu lado, Pinky começou com os soluços.

— Ai, meu Deus, ela começou! Será que a gente já não teve problema demais prum dia? — disse uma das mulheres. — Não dá pra descansar quando essa menina começa com esse soluço.

Envergonhada, Pinky tapou a boca com a mão, como se, com ela, pudesse levantar uma muralha que impedisse o som de sair.

— Não te incomoda com elas — sussurrou Ness. — Pensar só piora as coisas. — Ela não sabia se estava falando com Pinky ou consigo mesma.

Pinky fechou bem os olhos enquanto uma série de soluços explodia da sua boca.

— Vocês deixem a menina em paz — disse Ness ao coro de resmungos, e elas obedeceram. Os acontecimentos do dia tinham plantado uma semente dupla de respeito e pena por Ness que elas regavam com uma deferência só delas. Não se sabia o que Tom Allan iria fazer.

Durante a noite, quando todas tinham por fim adormecido, Pinky rolou na cama e se aconchegou na carne macia do ventre de Ness. Ness permitiu-se abraçar a menina e permitiu-se deixar levar pelos caminhos da memória.

Ela está de volta no Inferno. Está casada com um homem que chamam de Sam, mas que vem direto do Continente e não fala inglês. O senhor do Inferno, o próprio Demônio, com a pele de couro vermelho e um topete de cabelo grisalho, prefere que seus escravos sejam casados, "como uma espécie de seguro". E como Ness é nova no Inferno e ninguém a tomou para si, ela é dada para acalmar o novo escravo Sam.

A princípio, eles não falam um com o outro. Ness não entende sua língua desconhecida e fica assombrada com ele. Sam é o homem mais bonito que ela já viu, com a pele tão escura e aveludada que olhar para ela bem poderia ser a mesma coisa que provar seu sabor. Ele tem o corpo grande e musculoso da fera africana e se recusa a ficar enjaulado, nem mesmo tendo Ness como seu presente de boas-vindas. Ness sabe que o Demônio deve ter pagado um monte de dinheiro por ele e, portanto, espera trabalho duro, mas não há nada que se faça que pareça domá-lo. No primeiro dia, ele briga com outro escravo, cospe no feitor e é posto em pé num tablado, sendo açoitado diante de todos até haver tanto sangue no chão que seria suficiente para dar um banho num bebê.

Sam se recusa a aprender inglês. Todas as noites, como castigo por ele ainda manter a língua negra, o Demônio o manda de volta para o leito matrimonial com vergões de chicotadas que se reabrem assim que saram. Uma noite, enfurecido, Sam destrói o alojamento dos escravos. O lugar fica desmantelado de uma parede a outra. E quando o Demônio recebe a notícia da destruição, ele vem para aplicar o castigo.

"Fui eu", diz Ness. Ela passou a noite escondida no canto esquerdo do quarto, assistindo enquanto esse homem que lhe disseram ser seu marido se transformava no animal que disseram a ele que ele é.

O Demônio não tem pena, muito embora saiba que ela está mentindo. Muito embora Sam tente repetidas vezes assumir a culpa. Ela é açoitada até o chicote se desgrudar das suas costas como puxa-puxa. Depois é chutada para o chão.

Quando o senhor sai, Sam está chorando, e Ness mal está consciente. As palavras de Sam saem numa prece densa e fervorosa, mas Ness não consegue entender o que ele está dizendo. Ele a pega do chão com enorme cuidado e a coloca na enxerga. Sai da casa em busca do curandeiro, a mais de uma légua dali, que vem com ele trazendo raízes, folhas e unguentos, que são passados nas costas de Ness, enquanto ela oscila entre momentos de consciência e inconsciência. É a primeira noite que Sam dorme na enxerga com ela; e de manhã, quando acorda para dores renovadas e feridas infeccionadas, ela o encontra sentado aos seus pés, contemplando seu rosto com os olhos grandes, exaustos.

"Desculpa", diz ele. É a primeira palavra em inglês que ele diz para ela, para qualquer pessoa.

Naquela semana, eles trabalham lado a lado nos campos, e o Demônio, apesar de vigilante, não age contra eles. À noite, eles voltam para a cama, mas dormem um de cada lado, sem se tocarem. Em algumas noites, eles receiam que o Demônio os esteja vigiando enquanto estão ali deitados; e é nessas noites que Sam abraça o corpo de Ness junto ao dele, esperando que se acalme o metrônomo do medo que mantém acelerado o tambor do coração dela. O vocabulário de Sam cresceu e agora inclui o nome dela e o dele, "não se preocupe" e "calma". Dentro de um mês, ele aprenderá "amor".

Dentro de um mês, quando as feridas nas costas de ambos tiverem se tornado cicatrizes endurecidas, eles por fim consumarão o casamento. Ele a pega no colo com tanta facilidade que ela acha que deve ter se transformado numa das bonecas de trapos que faz para as crianças brincarem. Ness nunca esteve com um homem, mas ela imagina que Sam não é um homem. Para ela, ele se tornou algo muito maior do que um homem, a própria Torre de Babel, tão perto de Deus que precisou ser derrubada. Ele passa as mãos pelas costas de Ness, cheias de cascas de feridas; e ela faz o mesmo pelas costas dele. E enquanto eles se movimentam juntos, agarrando-se, algumas cicatrizes se reabrem. Agora, os dois estão sangrando, tanto a noiva como o noivo, nesta santa união profana. O alento sai pela boca de Sam e entra na de Ness; e os dois ficam ali deitados juntos até os galos cantarem, até chegar a hora de voltar para os campos.

Ness acordou com o dedo de Pinky cutucando seu ombro.

— Ness, Ness! — disse ela. Ness voltou-se para encarar a menina, tentando esconder a surpresa. — Você tava tendo um sonho ruim? — perguntou Pinky.

— Não — respondeu Ness.

— Parecia que tava tendo um sonho ruim — disse a menina, decepcionada, porque, quando tinha sorte, Ness lhe contava histórias.

— Era ruim — respondeu Ness. — Mas não era sonho, não.

A manhã anunciou sua presença com os cantos dos galos, e as mulheres nos alojamentos de escravos se preparavam para o dia, sussurrando o tempo todo sobre o destino de Ness. Ninguém nunca tinha visto Tom Allan fazer um açoitamento público até então, não como os que eles viam, ou sofriam, em outras *plantations*. O senhor deles tinha um rio no lugar do estômago e detestava ver sangue. Não, quando Tom Allan queria punir um dos seus escravos, ele o fazia em local reservado, algum lugar onde pudesse fechar os olhos durante o processo, deitar-se depois de terminar. Mas esse caso parecia diferente. Ness era uma das poucas escravas que ele já tinha repreendido em público; e ela sabia que o tinha constrangido, ainda por cima com seu próprio filho caído na terra batida, enquanto Pinky estava em pé, calada e incólume.

Ness voltou para a mesma fileira no campo em que estava no dia anterior, sob o olhar espantado de todos. Dizia-se que a *plantation* de Tom Allan se estendia mais do que qualquer outra das pequenas *plantations* do condado, e que levava dois dias para colher uma fileira inteira de algodão. Sem aviso, TimTam surgiu atrás de Ness. Ele tocou no seu ombro, e ela se virou.

— Me contaram que Pinky falou ontem. Acho que devo agradecer por isso. E pela outra coisa.

Ness olhou para ele e percebeu que, todas as vezes que tinha visto esse homem, ele estava mascando alguma coisa, com a boca sempre dando voltas.

— Você não me deve nada — disse Ness, curvando-se de novo. TimTam olhou para verificar se Tom Allan já tinha aparecido no alpendre.

— Bem, sou agradecido de qualquer modo — disse ele, com sinceridade na voz. Quando Ness virou o rosto para cima, viu que ele estava sorrindo, com os lábios largos se afastando para abrir espaço para os dentes. — Posso falar com o sinhô Tom, por você. Ele não vai fazer nada.

— Acho que nunca precisei de ninguém pra lutar por mim antes. Não vejo motivo pra começar agora — disse Ness. — Agora, vai perturbar outra pessoa com teu agradecimento. Parece que Margaret bem que ia gostar disso.

A decepção dominou o rosto de TimTam. Ele assentiu em silêncio e voltou para sua própria fileira. Alguns minutos mais tarde, Tom Allan chegou ao alpendre e observou os campos. Todos olharam para Ness com o canto dos olhos. Ela se sentiu como às vezes se sentia à noite, no escuro, no auge da estação dos mosquitos, quando tinha a sensação da presença de alguma coisa ameaçadora, mas não podia ver o perigo em si.

Ela olhou para Tom Allan, não mais do que um cisco no alpendre, visto de onde ela estava na lavoura, e se perguntou quanto tempo ele levaria para agir, se ele a convocaria nessa mesma manhã ou deixaria que se passassem dias, fazendo-a esperar. O que a incomodava era a espera, isso sempre a incomodava. Ela e Sam tinham passado tanto tempo esperando, esperando, esperando.

Ness tinha feito Sam esperar do lado de fora quando ela estava em trabalho de parto. Ela deu à luz Kojo durante um estranho inverno sulino. Uma neve inaudita tinha coberto as lavouras por uma semana inteira, ameaçando a colheita, irritando os proprietários de terra, deixando ociosos os escravos.

Ness estava enfurnada no quarto de parto na noite da nevasca mais pesada. E quando a parteira por fim chegou e abriu a porta, um vento gelado atravessou o quarto, trazendo uma revoada de flocos de neve que foram se derreter nas mesas, cadeiras e na barriga de Ness.

Durante toda a gravidez, Kojo foi o tipo de bebê que lutava com as paredes do ventre da mãe, e sua saída dali não foi diferente. Ness tinha gritado até ficar rouca, lembrando-se, a cada empurrada, das histórias que outras escravas contavam sobre seu próprio nascimento. Elas diziam que Esi não tinha contado a ninguém que Ness estava vindo. Ela só saiu para trás de uma árvore e se agachou ali. Elas diziam que um som estranho tinha precedido o choro de recém-nascida de Ness. E por anos a fio, Ness tinha ouvido a discussão entre elas sobre o que aquele som seria. Uma escrava achava que era o farfalhar de asas de pássaros. Outra, que era um espírito que tinha vindo ajudar Ness a sair e depois foi embora com um ronco. Ainda outra dizia que o som tinha vindo da própria Esi. Que ela teria se afastado para ficar sozinha, para ter seu próprio momento particular de alegria com o bebê, antes que alguém chegasse para lhe arrancar tanto a alegria como o bebê. O som, dissera aquela escrava, era do riso de Esi, que era o motivo pelo qual elas não o tinham reconhecido.

Ness

Ness não podia imaginar ninguém rindo durante um parto, até a parteira finalmente puxar Kojo para o mundo e seu filhinho começar a chorar, mais alto do que os pulmõezinhos poderiam ter permitido que chorasse. E Sam, que estava andando para lá e para cá do lado de fora, na neve, agradeceu em iorubá aos seus ancestrais e esperou pela oportunidade de segurar o bebê. Foi então que Ness entendeu.

Depois do nascimento do filho, Sam veio a ser tudo o que o Demônio queria que ele fosse. Dócil, trabalhador bom e esforçado, que raramente brigava ou criava encrenca. Ele se lembrava de como o Demônio tinha espancado Ness pela loucura dele, e quando segurou Kojo, chamado de Jo, pela primeira vez, prometeu a si mesmo que nenhum ato seu causaria mal ao menino.

E então Ness encontrou Aku e disse a Sam que ele teria condições de manter aquela promessa. Ness estava esperando que o sermão começasse, sentada no fundo da igreja no Domingo de Páscoa, o único domingo em que o Demônio permitia que seus escravos andassem as quase quatro léguas para chegar à igreja batista dos negros, nos limites da cidade. Sem pensar, ela começou a cantar uma pequena canção em twi que sua mãe costumava cantar entristecida em noites em que o trabalho escravo tivesse sido mais extenuante do que o normal, quando ela tivesse sido espancada por uma suposta insolência, por indolência ou por deixar de cumprir alguma tarefa. *A Pomba errou. Ai, o que fazer? Fazê-la sofrer bem, ou você erra também!*

Ness não sabia o que estava cantando, pois Esi nunca lhe ensinara o que as palavras significavam; mas, no banco da igreja diante dela, uma mulher virou-se para trás e murmurou alguma coisa.

— Desculpa, mas não entendo — disse Ness. As palavras que a mulher dissera tinham sido na língua da sua mãe.

— Então você é uma axânti e nem mesmo sabe — disse a mulher. Seu sotaque ainda era forte, como o de Esi tinha sido, ainda rebrilhando com a leveza da Costa do Ouro.

Ela se apresentou como Aku e explicou que vinha da terra dos axântis, tendo sido mantida no castelo exatamente como a mãe de Ness, antes de ser despachada para o Caribe e depois para a América.

— Sei como sair pelos fundos — disse Aku. O sermão estava prestes a começar e Ness sabia que não teria muito tempo. O Domingo de Páscoa só voltaria a acontecer depois de um ano; e, àquela altura, ela, Aku ou as duas poderiam ter sido vendidas ou até mesmo ter morrido. A vida que levavam era do tipo que não garantia a sobrevivência. Precisavam agir rápido.

Aku falava baixinho. Contou a Ness que tinha levado gente do povo akan para a liberdade no norte, muitas vezes, tantas que tinha conquistado o apelido em twi de *Nyame nsa*, mão de Deus, da ajuda. Ness sabia que ninguém nunca tinha escapado da plantação do Demônio, mas, escutando essa mulher, que falava como sua mãe, que louvava o deus que sua mãe tinha louvado, Ness soube que queria que sua família fosse a primeira.

Jo estava com um ano de idade quando Ness começou a planejar a liberdade da família. A mulher tinha lhe assegurado que já tinha levado crianças para o norte, bebês que ainda berravam e gemiam pelo peito da mãe. Jo não seria nenhum problema.

Ness

Ness e Sam conversavam sobre isso todas as noites que passavam juntos. "Não se pode criar um filho no Inferno", Ness repetia inúmeras vezes, pensando em como tinha sido roubada da própria mãe. Quem sabia quanto tempo ela teria com seu filho perfeito, antes que ele se esquecesse do som da sua voz, dos detalhes do seu rosto, do jeito que ela se esquecera dos de Esi? E quando Sam por fim concordou, eles mandaram avisar Aku, dizendo-lhe que estavam prontos, que esperariam pelo sinal dela, uma antiga canção em twi, cantada baixinho na floresta como que carregada por folhas sopradas pelo vento.

E assim eles esperaram. Ness, Sam e Kojo, trabalhando na lavoura com mais empenho e por mais tempo do que qualquer um dos outros escravos, de tal modo que até o Demônio começou a sorrir ao ouvir menção ao nome deles. Eles esperaram o outono e depois o inverno, tentando ouvir o som que lhes diria que estava na hora, rezando para não ser vendidos e separados antes que chegasse sua oportunidade.

Eles não foram, mas Ness costumava se perguntar se não teria sido melhor se tivessem sido vendidos. A canção veio na primavera, tão delicada que Ness achou que talvez a tivesse imaginado, mas logo Sam estava pegando Jo num braço e Ness no outro; e eles três deixaram para trás as terras do Demônio pela primeira vez de que pudessem se lembrar.

Naquela primeira noite, andaram tanto tempo, tão longe, que as solas ressecadas dos pés de Ness começaram a rachar. Ela sangrava nas folhas e torcia para que chovesse e os cães, que sem dúvida viriam, não pudessem captar seu cheiro. Quando o sol nasceu, eles subiram nas árvores. Ness não fazia isso desde a infância, mas a técnica lhe voltou depressa.

Ela enrolava Jo com um pano preso às suas costas e tentava alcançar o galho mais alto. Quando ele chorava, ela abafava esse choro contra seu peito. Às vezes, depois de ela fazer isso, ele ficava tão quietinho que ela se preocupava e ansiava pelos gritos do filho. Mas ali eles todos estavam praticando o silêncio, um silêncio como aquele de que Esi falava nas histórias sobre o Barco Grande. Um silêncio como o da morte.

Dias foram se passando assim, com eles quatro transpondo árvores na floresta, capim alto nos campos, mas logo Ness pôde sentir um calor que subia da terra, e ela soube, como uma pessoa reconhece o ar ou o amor só pela sensação, que o Demônio estava atrás deles.

— Você pode levar Kojo hoje de noite? — perguntou Ness a Aku, enquanto Sam e o menino tinham se afastado em busca de água para beber. — Só esta noite. Minhas costas não tão aguentando mais ele.

Aku assentiu, lançando-lhe um olhar estranho, mas Ness sabia o que queria e não ia mudar de ideia.

Naquela manhã, os cães chegaram, com a respiração ofegante e dificultosa, enquanto suas patas batiam na árvore onde Ness estava escondida.

De longe, ouviu-se um assovio, uma velha canção de Dixie que subia da terra antes que o som pudesse ser associado a um corpo.

— Sei que vocês estão aqui em algum lugar — disse o Demônio. — E vai ser um prazer esperar o tempo que for necessário.

Num twi precário, Ness chamou Aku, que estava mais adiante, ao longe, carregando o bebê Jo.

— Faz o que quiser, mas não desce — disse Ness.

Ness

O Demônio continuou se aproximando, cantarolando baixinho, paciente. Ness sabia que ele ia esperar ali para sempre, e logo o bebê ia chorar, pedir comida. Ela olhou para a árvore em que Sam estava e teve esperança de que ele a perdoasse pelo que ela estava prestes a fazer desabar sobre eles. E então ela desceu da árvore. Estava no chão antes de perceber que Sam tinha feito o mesmo.

— Onde está o menino? — perguntou o Demônio, enquanto seus homens amarravam os dois fugitivos.

— Morreu — disse Ness, e ela esperava que seus olhos tivessem aquela expressão, aquela expressão que as mães às vezes tinham quando voltavam de uma corrida, tendo matado os filhos para libertá-los.

O Demônio ergueu uma sobrancelha e deu um riso lento.

— Pena, mesmo. Eu achei que talvez tivesse conseguido uns negros dignos de confiança. Vivendo e aprendendo.

Ele forçou Ness e Sam a marchar de volta para o Inferno. Quando lá chegaram, todos os escravos foram chamados para o pelourinho. Ele os despiu, amarrou Sam com tanta força que ele não conseguia nem movimentar os dedos, e o fez assistir enquanto Ness ganhava os lanhos que a tornariam feia demais para um dia poder trabalhar numa casa. Quando terminou, Ness estava no chão, com a poeira cobrindo suas feridas. Ela não conseguia levantar a cabeça. Por isso, o Demônio a levantou para ela. Ele a fez assistir. Fez com que todos assistissem: a corda ser trazida, o galho da árvore se curvar, a cabeça se soltar do corpo num piscar de olhos.

E assim, nesse dia, enquanto esperava para ver qual punição Tom Allan tinha reservado para ela, Ness não pôde deixar de se lembrar daquele outro dia. A cabeça de Sam. A cabeça de Sam inclinada para a esquerda, balançando.

Pinky estava carregando água até o alpendre onde Tom Allan estava sentado, esperando. Quando a menina deu meia-volta, seus olhos cruzaram com os de Ness, mas Ness não ficou olhando muito tempo. Simplesmente continuou a colher algodão. Ela considerava o ato de colher algodão como uma prece, como o tinha considerado desde o dia em que viu a cabeça de Sam. Quando curvava o corpo, dizia: "Senhor, perdoa os meus pecados." Quando arrancava o algodão: "Livra-nos do mal." E quando se erguia, ela dizia: "E protege meu filho, onde quer que ele esteja."

James

Lá fora, as crianças cantavam "*Eh-say, shame-ma-mu*" e dançavam em volta da fogueira, suas barrigas nuas e lisas reluzindo como pequenas bolas que refletiam a luz. Estavam cantando porque tinham chegado notícias: os axântis estavam com a cabeça do governador Charles MacCarthy. Ela estava sendo mantida na ponta de uma estaca na frente do palácio do rei dos axântis, como uma advertência aos ingleses: é isso o que acontece com quem nos desafia.

— Ei, crianças, vocês não sabem que, se os axântis derrotarem os ingleses, eles virão atrás de nós depois? — perguntou James. Ele correu atrás de uma das menininhas e fez cócegas nela até todas as crianças estarem rindo e implorando que parasse. Ele soltou a menina e assumiu uma expressão séria, continuando sua preleção. — Vocês estão seguras aqui na aldeia porque minha família é da realeza. Não se esqueçam disso.

— Sim, James — disseram as crianças.

Mais adiante na rua, o pai de James estava se aproximando com um dos homens brancos do castelo. Ele fez um gesto para James acompanhá-los ao interior do *compound*.

— Será que o garoto devia ouvir isso, Quey? — perguntou o homem branco, olhando de relance para James.

— Ele é um homem, não um garoto. E vai assumir minhas responsabilidades aqui quando eu terminar. Qualquer coisa que você diga para mim, pode dizer também para ele.

O homem branco assentiu e olhou com atenção para James enquanto falava.

— O pai de sua mãe, Osei Bonsu, morreu. Os axântis estão dizendo que nós matamos seu rei para vingar a morte do governador MacCarthy.

— E vocês mataram? — perguntou James, retribuindo com vigor o olhar do homem, a raiva começando a lhe ferver nas veias. O homem branco desviou os olhos. James sabia que os ingleses vinham instigando guerras tribais havia anos, sabendo que quaisquer cativos que fossem capturados nessas guerras lhes seriam vendidos para o tráfico. Sua mãe sempre dizia que a Costa do Ouro era como um caldeirão de sopa de amendoim. O povo dela, os axântis, eram o caldo; e o povo do pai, os fantis, eram os amendoins. E as muitas outras nações que começavam à beira do Atlântico e seguiam para o norte mata adentro eram a carne, a pimenta e os legumes. Esse caldeirão já estava a ponto de transbordar antes que os brancos chegassem e aumentassem o fogo. Agora, o povo da Costa do Ouro fazia de tudo para impedir o caldeirão de transbordar de novo e de novo. James não se surpreenderia se os ingleses tivessem matado seu avô como um recurso para aumentar ainda mais a temperatura. Desde que sua mãe fora sequestrada para se casar com seu pai, o calor naquela aldeia era sufocante.

— Sua mãe quer comparecer ao funeral — disse Quey. James abriu o punho que nem tinha percebido que tinha fechado.

James

— É perigoso demais, Quey — disse o homem branco. — Talvez nem mesmo a realeza de Nana Yaa os proteja. Eles sabem que sua aldeia é nossa aliada há anos. É simplesmente perigoso demais.

O pai de James baixou os olhos, e, de repente, James pôde ouvir a voz da mãe no seu ouvido, mais uma vez, dizendo-lhe que o pai era um homem fraco, sem respeito algum pela terra em que pisava.

— Nós vamos — disse James, e Quey levantou os olhos. — Não comparecer ao funeral de um rei axânti é um pecado que os ancestrais jamais perdoariam.

Lentamente, Quey assentiu. E se voltou para o homem branco.

— É o mínimo que podemos fazer — disse ele.

O homem branco despediu-se dos dois com apertos de mão; e, no dia seguinte, James, sua mãe e seu pai rumaram para o norte, para Kumasi. Sua avó, Effia, ficaria na aldeia com as crianças mais novas.

James mantinha a arma no colo enquanto eles atravessavam a floresta. A última vez que segurara uma arma tinha sido cinco anos antes, em 1819, no seu aniversário de doze anos. Seu pai o levara até a floresta para atirar em faixas de tecido que tinha amarrado em várias árvores ao longe. Ele disse a James que um homem devia aprender a segurar uma arma do mesmo jeito que segurava uma mulher, com cuidado, com ternura.

Agora, olhando para os pais enquanto eles seguiam pela mata, James se perguntava se seu pai algum dia tinha abraçado sua mãe daquele jeito, com cuidado, com ternura. Se a guerra tinha sido como o mundo funcionava na Costa do Ouro, ela também havia definido o mundo dentro do seu *compound*.

Nana Yaa chorava ali dentro da carruagem enquanto a viagem prosseguia.

— Se não fosse por meu filho, será que nós íamos comparecer? — perguntou ela.

James cometera o erro de contar a ela o que o pai e o homem branco tinham conversado no dia anterior.

— Se não fosse por mim, será que você teria esse filho? — resmungou o pai.

— Como? — disse a mãe. — Não consigo entender esse fanti horrível que você fala.

James revirou os olhos. Eles continuariam assim pelo resto da viagem. Ele ainda se lembrava das brigas que eles tinham quando ele era pequeno. Sua mãe, aos berros, por causa do seu nome.

— James Richard Collins? — gritava a mãe. — James Richard Collins! Que tipo de akan você acha que é, para dar ao seu filho três nomes de branco?

— E daí? — retrucava o pai. — Ele ainda não será um príncipe para nosso povo e também para os brancos? Eu dei a ele um nome poderoso.

James sabia agora, como sabia na época, que seus pais nunca se amaram. Fora um casamento político. O dever os mantinha juntos, muito embora até mesmo o dever mal parecesse suficiente. Quando passaram pela cidadezinha de Edumfa, sua mãe já estava alegando que Quey nem mesmo seria um homem se não fosse pela intromissão do falecido tio-

James

-avô de James, Fiifi. A maior parte das discussões deles sempre levava a Fiifi e às decisões que ele tinha tomado por Quey e pela família.

Após dias de viagem, eles pararam para passar a noite em Dunkwa com David, um amigo dos tempos em que Quey passara na Inglaterra, que tinha se mudado havia alguns anos para a Costa do Ouro com sua mulher britânica. Dias, até semanas, se passariam antes que eles chegassem ao interior, onde o corpo do avô de James estava sendo mantido para que todos pudessem celebrar sua vida.

— Quey, velho amigo — disse David quando a família de James veio chegando. Ele tinha uma barriga redonda como um coco gigante. Por um segundo, lembrando-se de como tinha crescido abrindo cocos e bebendo o que havia dentro, James se perguntou o que poderia se derramar de um homem como David se fosse perfurado.

Seu pai e David se cumprimentaram com um aperto de mão e começaram a conversar. James sempre percebeu que, quanto mais tempo os dois demoravam para se reencontrar, mais altas e mais animadas suas vozes ficavam, como se o volume da voz estivesse tentando compensar a distância, ou voltar atrás no tempo.

Nana Yaa cumprimentou a mulher de David, Katherine, com um gesto de cabeça e então pigarreou ruidosamente.

— Minha esposa está muito cansada — disse Quey, e as criadas vieram para acompanhá-la ao quarto. James começou a ir com elas, na esperança de conseguir descansar um pouco, mas David o deteve.

— Ei, James, você já é um homem grande. Sente-se. Converse.

As raras vezes que James tinha visto David, David o tinha chamado de "homem grande". Ele se lembrava de quando estava com não mais que quatro anos de idade e tropeçara em alguma coisa invisível, talvez uma formiga. Ele caiu no chão, abrindo um rasgo no lábio superior, e começou na mesma hora a chorar, um choro violento que partia de algum lugar dentro do seu peito. David o pegou com uma das mãos, espanou o traseiro da calça com a outra e o pôs em pé em cima de uma mesa à sua frente para que os dois olhassem nos olhos um do outro. "Você agora é um homem grande, James. Não pode chorar por qualquer coisinha que aconteça."

Em volta de uma fogueira que os criados tinham preparado, os três homens se sentaram, bebericando vinho de palma. O pai de James lhe parecia mais velho, mas só um pouco, como se a viagem de três dias tivesse acrescentado três anos à sua vida. Se a viagem levasse trinta dias, Quey iria parecer quase tão velho quanto o avô de James pouco antes de morrer.

— Quer dizer que ela ainda lhe traz problemas, hem? Mesmo você a levando ao funeral de Osei Bonsu? — perguntou David.

— Nada nunca é suficiente para essa minha mulher — disse Quey.

— É o que acontece quando você se casa pelo poder em vez de por amor. A Bíblia diz...

— Não preciso saber o que a Bíblia diz. Eu também estudei a Bíblia, está lembrado? Na realidade, eu me lembro de comparecer à aula de religião com mais frequência do que você — disse Quey, com um risinho. — Não tenho utilidade para aquela religião. Escolhi esta terra, esta gente, estes costumes, em vez da terra, da gente e dos costumes britânicos.

James

— Você escolheu, ou escolheram para você? — disse David, baixinho. Quey olhou de relance para James e então desviou o olhar. Era como sua mãe sempre dizia aos berros a Quey, quando estava com raiva de verdade. "Você é tão mole que se desmancha. Fracote."

— E você, James? Já está quase na idade para o início das festividades do casamento. Deveríamos começar a procurar uma noiva para você, ou você já tem alguma em mente? — David piscou para ele e então, como se a piscada fosse o acionamento de um interruptor que levava para sua garganta, começou a rir tão forte que engasgou com a própria saliva.

— Nana Yaa e eu escolhemos uma bela esposa para se casar com ele quando chegar a hora — disse Quey.

David assentiu com cuidado e virou a cabaça de vinho, com seu pomo de adão subindo contra a corrente de líquido que escorria por ali. Enquanto o observava, James se encolheu. Antes que seu tio-avô Fiifi morresse, quando James ainda era um menininho, Fiifi tinha conspirado com Quey para escolher a mulher com quem James se casaria. Ela se chamava Amma Atta, a filha do sucessor ao trono do chefe Abeeku Badu. A união desses dois seria o último item da lista de retificações que Fiifi tinha prometido a si mesmo que efetuaria pelo bem de Quey. Seria o cumprimento da promessa feita por Cobbe Otcher a Effia Otcher Collins anos antes: que o sangue dela se uniria ao sangue da realeza dos fantis. James iria se casar com ela na véspera do seu aniversário de dezoito anos. Ela seria sua primeira esposa e a mais importante.

Como Amma também tinha crescido na aldeia, James a conhecia desde sempre; e, quando eram pequenos, ele brincava com ela do lado de fora do *compound* do chefe Abeeku. Mas quanto mais eles cresciam, mais Amma começava a irritá-lo. Coisinhas, como o jeito dela de sempre rir um segundo a mais depois que ele contava uma piada, só o tempo suficiente para ele saber que ela não o considerava nem um pouco engraçado; ou o jeito dela de usar tanto óleo de coco no cabelo que, se os fios roçassem no ombro dele enquanto eles estavam juntos, o ombro continuava a cheirar ao óleo quando eles já estavam distantes um do outro. Ele tinha só quinze anos quando soube que nunca poderia amar de verdade uma mulher como aquela, mas a opinião dele não fazia diferença.

Os homens continuaram a bebericar o vinho em silêncio por um tempo. Nas árvores, os pássaros chamavam uns aos outros para dormir. Uma aranha passou rastejando pelo pé descalço de James, e ele pensou nas histórias de Anansi que sua mãe costumava lhe contar, e ainda contava aos irmãos e irmãs mais novos. "Vocês conhecem a história de Anansi e do pássaro adormecido?", ela lhes perguntava, com os olhos brincalhões, e as crianças todas gritavam "Não!", abafando risinhos com as mãos, vibrando com a mentira que estavam contando, pois todas elas já tinham ouvido a história muitas vezes, aprendendo, assim, que uma história não passava de uma mentira que não resultava em castigo.

David voltou a entornar a cabaça, inclinando para trás a cabeça para poder esvaziar totalmente o conteúdo. Ele arrotou e então limpou a boca com o dorso da mão.

— É verdade? — perguntou ele. — São verdadeiros os rumores de que os ingleses vão abolir a escravidão em breve?

Quey deu de ombros.

— No ano em que James nasceu, eles disseram a todo mundo no castelo que o tráfico de escravos estava abolido e

James

que não poderíamos mais vender nossos escravos para a América, mas isso impediu as tribos de vender? Isso fez com que os ingleses fossem embora? Você não vê essa guerra que os axântis e os ingleses estão travando agora e vão continuar a travar por muito mais tempo do que você, eu ou até mesmo James poderemos viver para ver? Aqui há algo mais em jogo do que a simples escravidão, meu irmão. A questão é quem será o dono da terra, da gente, quem deterá o poder. Não se pode enfiar uma faca num cabrito e depois dizer: agora vou retirar minha faca bem devagar, para que as coisas sejam fáceis e limpas, para que não haja sujeira. Sempre haverá sangue.

James já tinha ouvido essa conversa, ou alguma coisa parecida, muitas vezes antes. Os ingleses já não vendiam escravos para a América, mas a escravidão não tinha terminado, e parecia que seu pai achava que ela não terminaria. Eles simplesmente trocariam um tipo de grilhões por outro: trocariam as correntes físicas enroladas nos pulsos e tornozelos pelas correntes invisíveis que envolviam a mente. James não tinha entendido isso quando era menor, quando a exportação legal de escravos tinha terminado e a ilegal tinha começado, mas agora ele entendia. Os ingleses não tinham a menor intenção de sair da África, nem mesmo quando terminasse o tráfico de escravos. Eles eram donos do castelo e, embora ainda não tivessem dito isso com clareza, pretendiam ser donos da terra também.

Eles voltaram a seguir viagem na manhã do dia seguinte. James achou que sua mãe dava a impressão de ter melhorado de humor com o descanso noturno. Ela chegou a cantarolar enquanto viajavam. Eles passaram por cidadezinhas e aldeias construídas de pouco mais do que barro e ripas. Contavam com a gentileza de pessoas com quem Quey tinha trabalhado no passado, ou de primos de primos que Nana Yaa nunca tinha conhecido, pessoas que lhes ofereciam espaço no chão e um pouco de vinho de palma. Quanto mais eles se embrenhavam naquela terra, mais James percebia como a pele do seu pai atraía a atenção entre os habitantes da mata.

— Você é um homem branco? — uma menininha tinha perguntado, estendendo o dedo indicador para passar na pele parda de Quey, como se fosse conseguir colher com ele um pouquinho da cor.

— O que você acha? — Quey tinha perguntado, com seu twi enferrujado, mas aceitável.

A menininha deu um risinho e fez que não, devagar, antes de voltar correndo para passar a informação para as outras crianças que estavam reunidas em torno da fogueira, olhando com assombro, sem coragem para elas mesmas lhe fazerem a pergunta.

Eles chegaram a Kumasi ao entardecer e foram recebidos por Kofi, o irmão mais velho de Nana Yaa, e seus guardas.

— *Akwaaba* — disse ele. — Sejam bem-vindos.

Foram então levados para o grande palácio do novo rei, onde os servos tinham preparado um aposento num canto da construção. Enquanto eles faziam uma refeição oportuna, Kofi se sentou com eles e lhes passou notícias do que tinha acontecido na cidade desde que eles tinham partido da própria aldeia.

— Lamento, irmã, mas não podemos esperar tanto tempo para enterrá-lo — disse Kofi, e Nana Yaa assentiu em silêncio.

James

Ela sabia que o corpo seria enterrado antes que eles chegassem, para que o novo rei pudesse assumir o posto. Só tinha querido chegar para as cerimônias póstumas.

— E Osei Yaw? — perguntou ela. Todos estavam preocupados com o novo rei. Como estavam em guerra, tinham precisado escolhê-lo rapidamente, logo após o enterro do avô de James, e ninguém sabia se isso traria azar ou não para o povo e a guerra que estavam travando.

— Ele está se saindo muito bem como *asantehene*, rei dos axântis — disse Kofi. — Não se preocupe, irmãzinha. Ele vai garantir que a memória do nosso pai seja honrada, como deveria ser.

Enquanto o tio falava, James percebeu que Kofi não dava a menor atenção ao seu pai. Seus olhos, nem por uma única vez, cruzaram com os olhos de Quey, nem mesmo quando passeavam pelo ambiente. Ele era como o gato cego que atravessava a floresta escura exclusivamente por instinto, evitando os troncos e rochas que o ameaçavam ou que o tinham ferido um dia.

As cerimônias póstumas começaram no dia seguinte. Nana Yaa saiu do palácio muito antes que James e os outros homens acordassem, para poder se juntar às mulheres da família, nos lamentos pelo morto, lamentos que anunciavam a todos na cidade que de fato tinha chegado o dia da celebração. Ao meio-dia, essas mulheres já estavam vestidas em panos vermelhos, com ráfia e folhas de *nyanya* trançadas em volta das testas tingidas de barro, enquanto andavam para lá e para cá pelas ruas, lamentando-se aos gritos para que todos os moradores da cidade ouvissem.

Enquanto isso, James, seu pai e todos os outros homens vestiram seus panos vermelhos e pretos de luto. Havia uma fileira de tocadores de tambor que começava num canto do Palácio Real e terminava no outro. O batuque só pararia quando amanhecesse. Os homens começaram a cantar e então a dançar o kete, o adowa, o dansuomu. Só parariam de dançar quando amanhecesse.

A família do rei morto estava sentada numa fileira, de tal modo que pudesse receber os cumprimentos de todos os que chegassem para prantear o morto. Uma fila indiana começava na primeira esposa do avô de James e seguia toda a distância até a praça da cidade. Todos na fila apertaram a mão de cada membro da família e deram seus pêsames. James estava em pé ao lado do pai. Ele tentava se lembrar de manter os ombros eretos e de olhar nos olhos de cada convidado, para eles saberem que ele era um homem cujo sangue era tão importante quanto eles esperavam que fosse. Eles apertavam a mão de James e murmuravam suas condolências, que James aceitava, apesar de nunca ter vivido na terra dos axântis e de ter conhecido seu avô apenas como uma pessoa conhece sua sombra, como um vulto que está ali, visível, mas intocável e incognoscível.

Quando os últimos convidados estavam passando, o sol já estava a pino. James levantou a mão rapidamente para secar o suor das pálpebras e, depois disso, abriu os olhos para a garota mais linda que tinha visto na vida.

— Que o velho rei encontre paz na terra dos espíritos — disse a garota, sem estender a mão.

— O que está havendo? — perguntou James. — Você não aperta a minha mão?

— Com todo o respeito, eu me recuso a apertar a mão de um traficante de escravos — disse ela, encarando-o diretamente enquanto falava. James examinou seu rosto. Ela usava o cabelo puxado para o alto da cabeça e suas palavras tinham passado sibilando pelo espaço entre os dentes da frente. Embora seu pano de luto estivesse bem preso, ele tinha escorregado um pouco para baixo, de modo que James pôde vislumbrar a parte superior dos seus seios. Ele deveria ter lhe dado um tapa por sua insolência, tê-la denunciado, mas a fila continuava atrás dela, e a cerimônia precisava continuar também. James deixou que ela prosseguisse, tentou observá-la enquanto continuava a percorrer a fileira; mas, em pouco tempo, ele a perdeu no meio da multidão.

Ele a perdeu, mas não conseguia se esquecer dela, mesmo com a fila passando e o resto do povo se aproximando para os cumprimentos. James oscilava entre a irritação e a vergonha pelo que ela lhe dissera. Será que ela apertou a mão do pai dele? Do tio dele? Quem era ela para decidir o que era um traficante de escravos? James tinha passado a vida inteira ouvindo as discussões dos pais sobre quem era melhor, os axântis ou os fantis, mas a questão nunca poderia chegar aos escravos. Os axântis detinham poder por capturarem escravos. Os fantis tinham proteção porque os negociavam. Se a garota não podia apertar a mão dele, ela sem dúvida não poderia tocar na sua própria mão.

Por fim, eles deixaram Osei Bonsu, o velho rei, descansar. O gongo soou para que os moradores da cidadezinha soubessem que estava terminado, que todos podiam voltar à vida normal. Mas, para os membros da família, os ritos só terminariam depois de mais quarenta dias. Por mais quarenta dias, eles usariam os trajes de luto, dividiriam e distribuiriam os presentes e se preocupariam com o sucessor do rei.

Os pais de James deixariam a cidadezinha dali a dois dias, e James sabia que não dispunha de muito tempo para encontrar a garota que tinha se recusado a apertar sua mão. Ele recorreu ao primo Kwame. Kwame estava chegando aos vinte anos e já tinha se casado duas vezes. Era um homem gordo e escuro, que falava alto e bebia muito, mas era bom e leal. James e a família tinham visitado o local uma vez quando James estava com sete anos. Ele e Kwame estavam brincando na sala do Tamborete Dourado do avô, sala onde homens tinham sido mortos por terem entrado sem ser convidados, sala que tinha sido expressamente proibida para os meninos. Enquanto brincavam, James tinha derrubado uma das bengalas do avô. Numa dessas coincidências que só poderiam ser atribuídas a espíritos malignos, a bengala tinha ido parar na lâmpada de óleo de palma, pegando fogo, e os dois meninos tinham se apressado a apagá-lo. Sentindo o cheiro de queimado, a família inteira tinha vindo ver o que estava acontecendo.

"Quem é o responsável por isso?", bradou o avô. Fazia tanto tempo que ele era rei dos axântis que sua voz já não parecia humana, e sim o rugido de um leão.

James tinha baixado os olhos de imediato, calculando que Kwame o acusaria. Ele era de fora, só vinha ali uma vez de tantos em tantos anos. Era Kwame que precisava viver ali, com aquele avô que mais parecia um leão, com sua raiva rápida e poderosa. Mas Kwame não dissera nada. Até mesmo quando as mães os deitaram de bruços no colo e lhes deram palmadas sincronizadas, Kwame continuou sem dizer nada.

— Kwame, preciso encontrar uma garota — disse James.

James

— É, primo, você procurou a pessoa certa — disse Kwame, rindo alto. — Conheço todas as garotas desta cidade. Diga aí como ela é.

E James a descreveu. Quando terminou, seu primo lhe disse quem ela era e onde poderia encontrá-la. James saiu pela cidade que ele mal conhecia, à procura da garota que tinha visto apenas uma vez. Ele sabia que o primo guardaria esse segredo.

Quando James a encontrou, ela estava carregando água num balde no alto da cabeça, se encaminhando de volta para a cabana da família.

Ela não pareceu surpresa ao vê-lo; e ele tinha certeza de que o que ele tinha sentido naquele instante em que estiveram juntos, ela também tinha sentido.

— Posso te ajudar a carregar isso aí? — perguntou James, apontando para o balde.

Ela fez que não, horrorizada.

— Não, por favor, não. O senhor não deveria fazer esse tipo de trabalho.

— Pode me chamar de James.

— James — ela repetiu, fazendo rolar o nome estranho na boca, provando-o como se ele fosse um melão amargo que tocasse no fundo da sua língua. — James.

— E você é?

— Akosua Mensah — disse ela. Os dois continuaram andando. Os poucos moradores da cidade que reconheciam James paravam para fazer uma reverência ou para olhar com assombro; mas a maioria das pessoas continuava com sua rotina de vida, buscando água e carregando lenha para as fogueiras.

Era uma caminhada de três léguas do riacho até a cabana de Akosua na mata, nas cercanias da cidadezinha, e James estava decidido a descobrir tudo o que tivesse a saber sobre ela.

— Por que você não quis apertar minha mão na cerimônia do rei? — perguntou James.

— Eu já disse. Não quero apertar a mão de um fanti, traficante de escravos.

— E eu sou um traficante de escravos? — perguntou James, tentando impedir que a raiva transparecesse na sua voz. — Se sou fanti, também não sou axânti? Meu avô não era seu rei?

Ela sorriu para ele.

— Meus pais tiveram treze filhos. Agora só restam dez de nós. Quando eu era pequena, houve guerra entre minha aldeia e outra. Eles levaram três irmãos meus.

Os dois caminharam em silêncio por mais alguns minutos. James sentiu pena pela sua perda, mas ele também sabia que toda perda simplesmente fazia parte da vida. Até mesmo a mãe dele, por importante que fosse, tinha um dia sido capturada, sequestrada da família e transplantada para a família de outros.

— Se a sua aldeia tivesse vencido aquela guerra, vocês não teriam tomado três irmãos de alguma outra pessoa? — disse James, sem conseguir resistir ao impulso de perguntar.

Akosua desviou o olhar. O balde na sua cabeça estava tão firme que James ficou pensando no que seria necessário para derrubá-lo. Talvez o vento? Talvez um inseto?

— Sei o que você está pensando — disse ela, por fim. — Todo mundo participa disso. Axânti, fanti, ga. Inglês, holandês e americano. E você não está errado por pensar assim. É como nos ensinam a pensar. Mas eu não acredito nisso. Quando meus irmãos e as outras pessoas foram levados, minha aldeia chorou por eles, enquanto redobrávamos nossos esforços militares. E o que isso quer dizer? Nos vingamos de vidas perdidas tomando outras? Não faz sentido para mim.

Eles pararam de andar para ela poder ajeitar o seu pano amarrado no peito. Pela segunda vez naquele dia, James fez o maior esforço para não olhar para os seios dela. Ela continuou a falar.

— Amo meu povo, James — disse ela, e o nome na sua língua era de uma doçura indescritível. — Tenho orgulho de ser axânti, como tenho certeza de que você tem orgulho de ser fanti, mas, depois que perdi meus irmãos, decidi que eu, Akosua, por mim, vou ser minha própria nação.

Enquanto a ouvia falar, James sentiu alguma coisa o inundar por dentro, como nunca tinha sentido antes. Se pudesse, ele a escutaria falar para sempre. Se pudesse, ele se juntaria àquela nação da qual ela falava.

Eles andaram mais adiante. O sol já estava baixando no céu, e James soube que seria impossível para ele voltar para casa antes de anoitecer. E, no entanto, eles seguiam mais devagar, de modo que parecia que seus pés, no fundo, nem mesmo estavam se movimentando, só deslizando lentamente, como se seus corpos estivessem sendo levantados e transportados de um jeito estranho pelos mosquitos que eles sentiam zumbindo ao redor.

— Você está prometida para alguém? — perguntou James.

Tímida, Akosua olhou de relance para ele.

— Meu pai não aprova a ideia de prometer uma garota antes que o corpo dela demonstre que ela está pronta. E meu sangue ainda não veio.

James pensou na sua própria esposa prometida lá na sua aldeia, selecionada para ele por causa do seu status. Ele nunca seria feliz com ela, e seu casamento seria tão ácido e desprovido de amor quanto o dos seus pais. Mas ele sabia que seus pais jamais aprovariam Akosua, nem mesmo como terceira ou quarta esposa. Ela não tinha nada e não vinha de lugar nenhum. Nada de lugar nenhum. Era alguma coisa que sua avó Effia dizia durante a noite quando estava mais triste. James não se lembrava de um dia em que não tivesse visto Effia toda de preto, nem de uma noite em que não a tivesse ouvido chorar baixinho.

Quando ele era ainda pequeno, tinha passado um fim de semana com ela na sua casa perto do Castelo. No meio da noite, tinha acordado e ouvido que ela chorava no seu quarto. Ele tinha ido até lá e lhe tinha dado um abraço tão forte quanto seus bracinhos conseguiram dar.

— Por que está chorando, Mama? — perguntara ele, tocando-lhe o rosto com os dedos, tentando pegar algumas lágrimas para soprar nelas e fazer um pedido, como sua mãe às vezes fazia quando ele chorava.

— Você já ouviu a história de Baaba, meu querido? — perguntara ela, puxando-o para o colo e o embalando para lá e para cá.

Aquela foi a primeira noite que James a ouviu, mas não foi a última.

Agora James agarrou a mão de Akosua e fez com que parasse de andar. O balde na cabeça dela começou a balançar, e ela levantou as mãos para firmá-lo.

— Quero me casar com você — disse James.

Eles estavam a poucos passos da cabana da garota. Dava para ele vê-la através dos arbustos. Crianças pequenas estavam lutando na lama, levantando-se com o rosto emplastrado de marrom. Um homem estava em pé, cortando o capim alto

James

com um facão. Cada vez que a lâmina atingia o chão, a terra tremia. James achou que podia sentir o movimento da terra debaixo dos seus pés.

— Como você vai poder se casar comigo, James? — perguntou a garota. Agora, ela parecia preocupada, com os olhos se desviando para onde a família esperava. Se ela se atrasasse demais com a água, sua mãe bateria nela e depois berraria com ela até o amanhecer. Ninguém acreditaria que estava com o neto do rei dos axântis; e se acreditassem, só achariam que isso traria problemas.

— Quando seu sangue vier, você não deve contar a ninguém. Deve escondê-lo de todos. Vou embora amanhã, mas vou voltar para buscá-la, e nós deixaremos esta cidade juntos. Vamos começar uma vida nova numa pequena aldeia, onde ninguém nos conheça.

Akosua ainda estava olhando para a família, e ele sabia como devia estar parecendo maluco. Sabia também que estava pedindo a ela para renunciar a muita coisa. Os ritos de puberdade dos axântis eram um assunto sério. Havia uma cerimônia de uma semana de duração para abençoar a condição de mulher que as meninas atingiam. A partir daquele momento, as regras eram rigorosas. As mulheres menstruadas não podiam visitar as casas dos tamboretes dourados, não podiam atravessar certos rios. Eram alojadas em casas separadas e tinham os pulsos pintados com barro branco nos dias de menstruação. Se alguém descobrisse que uma mulher tinha sangrado mas não informado a ninguém, o castigo seria tremendo.

— Você confia em mim? — perguntou James, sabendo que se tratava de uma pergunta que ele não tinha nenhum direito de fazer.

— Não — Akosua respondeu, por fim. — A confiança é algo que se conquista. Não confio em você. Já vi o que o poder faz aos homens, e você pertence a uma das famílias mais poderosas.

James sentiu uma tontura. Uma fraqueza, como se estivesse prestes a cair.

— Mas — prosseguiu Akosua —, se você voltar para me buscar, só então conquistará minha confiança.

James assentiu em silêncio, devagar, entendendo. Ele estaria de volta à sua aldeia antes do final do mês, estaria no seu próprio casamento antes do final do ano. A guerra continuaria, e nada estava garantido, nem sua vida, nem seu coração. Mas, ao ouvir Akosua falar, ele soube que daria um jeito.

James não conseguia explicar para Amma por que não queria dormir na sua cabana. Eles estavam casados havia três meses e as desculpas dele já estavam se esgotando. Na noite da cerimônia, ele alegara estar passando mal. Durante toda a semana seguinte, seu corpo assumiu o comando das desculpas, com o pênis inerte entre as pernas cada vez que ele ia até ela, mesmo nas noites em que ela trançava o cabelo como ele gostava e esfregava óleo de coco nos seios e entre as coxas. Depois daquela semana, ele tinha passado mais duas fingindo estar envergonhado demais para procurá-la, mas logo isso também deixou de surtir efeito.

— Você precisa consultar a curandeira. Existem ervas que você pode tomar para ajudar com isso. Se eu não engravidar logo, as pessoas vão começar a achar que o problema é comigo — disse Amma.

James

Ele sentiu pena dela. Era verdade. Sempre se acreditava que a incapacidade de engravidar era culpa da mulher, um castigo pela infidelidade ou pela devassidão. Mas, naqueles poucos meses, James tinha vindo a conhecer bem a esposa. Ela logo contaria a todos na aldeia que havia algum problema com *ele*; e chegaria ao seu pai e à sua mãe a notícia de que ele não tinha cumprido seu dever de marido. Ele até podia ouvir a voz da mãe. "Ai, Nyame, o que eu fiz para merecer isso? Primeiro, um marido fraco, e agora um filho fraco!" James sabia que teria de descobrir um jeito logo, se quisesse se manter fiel à lembrança de Akosua.

Era uma lembrança à qual ele se agarrava com fervor. Já fazia quase um ano desde que tinha prometido a Akosua que voltaria para buscá-la, e ele não tinha dado um passo que o levasse a criar um plano para cumprir a promessa. Os axântis estavam vencendo uma batalha atrás da outra contra os ingleses, e o povo da sua aldeia tinha começado a murmurar que talvez os axântis saíssem vitoriosos contra os homens brancos. E aí o que seria? Será que outros homens brancos viriam substituir os que tinham morrido? Quem protegeria a aldeia se os axântis investissem contra ela, para finalmente se vingar dos males que Abeeku Badu e Fiifi tinham cometido contra eles? A aldeia tinha feito uma aliança com os ingleses havia tanto tempo que podia ser que os brancos já tivessem se esquecido.

James não tinha se esquecido de Akosua. Ele a via todas as noites, quando dormia, seus lábios, olhos, as pernas e o traseiro percorrendo o campo dos olhos fechados de James. Na sua própria cabana, nos limites do *compound* que ele havia construído para si mesmo, para Amma e as outras esposas, que supostamente se seguiriam, ele não se esquecia de como tinha gostado de estar na cidade do avô, em meio aos axântis, o calor humano que tinha sentido do povo da sua mãe. Quanto mais ele ficava na terra dos fantis, mais sentia vontade de ir embora. Levar uma vida mais simples, de lavrador, como a do pai de Akosua, não de político, como a do próprio pai, cujo trabalho para os ingleses e para os fantis por tantos anos o tinha deixado com dinheiro e poder, mas quase mais nada.

— James, você está me ouvindo? — disse Amma. Ela estava mexendo um caldeirão de sopa de pimenta, com um pano amarrado na cintura, inclinando-se para a frente de tal modo que parecia que seus seios nus iam mergulhar no caldo.

— Sim, querida, você tem razão — disse James. — Amanhã vou procurar Mampanyin.

Amma fez que sim, satisfeita. Mampanyin era a melhor curandeira num raio de centenas de quilômetros. Esposas mais novas iam procurá-la quando queriam matar discretamente esposas mais velhas. Irmãos mais novos faziam o mesmo quando queriam ser escolhidos como sucessores em detrimento de irmãos mais velhos. Desde a beira do mar até as florestas do interior, as pessoas iam consultá-la quando tinham um problema que as orações sozinhas não conseguiam resolver.

James foi vê-la numa quinta-feira. Seu pai e muitos outros sempre tinham chamado a mulher de bruxa, e parecia que ela encarnava bem o papel. Faltavam-lhe todos os dentes, menos os quatro da frente, com um espaçamento uniforme, como se eles tivessem expulsado todos os outros dentes da boca, para depois se unirem ali no meio, em triunfo. Suas costas apresentavam uma corcunda permanente, e ela andava com uma bengala feita de uma bela madeira negra, esculpida de modo que representasse uma cobra enroscada no seu eixo. Um olho

James

dela parecia estar sempre olhando para outro lado; e, por mais que se esforçasse, mexendo com a cabeça para lá e para cá, James não conseguiu convencer aquele olho a cumprimentá-lo.

— O que esse homem está fazendo aqui? — Mampanyin perguntou ao ar.

James pigarreou, sem ter certeza se deveria falar.

Mampanyin cuspiu no chão, mais catarro do que saliva.

— O que esse homem quer com Mampanyin? Será que ele não pode deixá-la em paz? Ele, que nem mesmo acredita nos poderes dela.

— Titia Mampanyin, vim da minha aldeia a pedido da minha esposa. Ela gostaria que eu tomasse algumas ervas, para nós podermos ter um filho.

Ele tinha ensaiado uma fala no caminho até ali — sobre como queria fazer a esposa feliz ao mesmo tempo que ele próprio também ficaria feliz —, mas as palavras lhe fugiram. Dava para ele ouvir a incerteza, o medo, na sua voz, e ele se amaldiçoou por isso.

— É, ele me chama de titia? Ele, cuja família vende nossa gente para os brancos de longe. Ele se atreve a me chamar de titia.

— Esse era o trabalho do meu pai e do meu avô. Não é o meu. — Ele não acrescentou que, por causa do trabalho deles, ele próprio não precisava trabalhar, mas podia, em vez disso, viver do poder e do nome da família.

Ela o observou com seu olho bom.

— Na sua cabeça, você me chama de bruxa, não é?

— Todo mundo a chama de bruxa.

— Diga aí, foi Mampanyin a que se deitou para um branco lhe abrir as pernas? Os brancos poderiam ter ido embora, se não tivessem provado nossas mulheres.

— O branco vai ficar aqui enquanto puder ganhar dinheiro.

— Ah, agora você fala em dinheiro? Mampanyin já disse que sabe como sua família ganha dinheiro: mandando seus irmãos e irmãs para Aburokyire, para serem tratados como bichos.

— A América não é o único lugar com escravos — disse James, baixinho. Ele tinha ouvido o pai dizer isso a David, quando eles comentavam as atrocidades do sul dos Estados Unidos, sobre as quais ele tinha lido nos jornais abolicionistas britânicos. "O tratamento que dão aos escravos nos Estados Unidos, meu irmão", tinha dito David. "É indescritível. Indescritível. Não temos escravidão desse tipo aqui. Desse tipo, não."

A pele de James estava começando a sentir um calor, mas o sol já tinha mergulhado por baixo da Terra. Bem que ele queria poder dar meia-volta e ir embora. O olho inconstante de Mampanyin tinha ido pousar numa árvore ao longe, subiu então ao céu e se fixou pouco além da orelha esquerda de James.

— Não quero fazer o trabalho da minha família. Não quero ser unha e carne com os ingleses.

Ela cuspiu de novo e então focalizou o olho itinerante direto nele. James começou a suar. Quando ela terminou, o olho voltou a passear, finalmente satisfeito com o que tinha visto nele.

— Seu pênis não funciona porque você não quer que ele funcione. Meu remédio é só para quem tem vontade. Você fala do que não quer, mas existe alguma coisa que você quer mesmo.

Não era uma pergunta. James achava que não podia confiar nela, e, ao mesmo tempo, ele sabia que, com seu olho defeituoso, ela o tinha visto. Realmente o tinha visto. E como ele sozinho não tinha conseguido fazer a Terra girar, resolveu confiar na feiticeira para ajudá-lo a pôr as coisas em movimento.

— Quero abandonar minha família e me mudar para a terra dos axântis. Quero me casar com Akosua Mensah e trabalhar como lavrador, ou em alguma coisa bem pequena.

Mampanyin riu.

— O filho do Grande Homem quer viver de alguma coisa pequena, é?

Ela o deixou em pé ali fora e entrou na cabana. Quando voltou, trazia dois pequenos potes de barro, com moscas zumbindo em torno da boca. De onde estava, James sentiu o cheiro deles. Ela se sentou numa cadeira e começou a girar o indicador num dos potes. Tirou o dedo dali e lambeu o que estava nele. James sentiu uma ânsia de vômito.

— Se você não quer sua esposa, por que se casou com ela? — perguntou Mampanyin.

— Fui obrigado a me casar com ela para que nossas famílias por fim se unissem — disse James. Não era óbvio? Ela mesma tinha dito. Ele era o filho de um Grande Homem. Havia coisas que era preciso fazer. Coisas que era preciso que o vissem fazendo para que todos soubessem que sua família ainda era importante. O que ele queria, o que mais queria, era sumir. Seu pai tinha mais sete filhos que poderiam prosseguir com o legado Otcher-Collins. Ele queria ser um homem sem nome. — Quero deixar minha família sem que eles saibam que os deixei — disse ele.

Mampanyin cuspiu no pote e voltou a mexer nele. Seu olho perfeito olhou para James.

— E é possível?

— Titia, dizem que a senhora torna possível o impossível.

Ela riu de novo.

— É, mas dizem o mesmo de Anansi, de Nyame, do homem branco. Eu só posso tornar o possível realizável. Você percebe a diferença?

Ele fez que sim, e ela sorriu — o primeiro sorriso que lhe deu desde sua chegada. Ela acenou para que ele se aproximasse, e ele foi, esperando que ela não lhe pedisse para comer o que quer que fosse que estava fedendo no pote. Ela fez um gesto para ele se sentar ajoelhado diante dela, e ele obedeceu, sem dizer nada. Seus pais não gostariam de ver como ele estava submisso abaixo dela, de uma forma que dava a impressão de que ela era de linhagem superior à dele. Dava para ele ouvir a voz da mãe, "Levante-se!", mas ele continuou ali, ajoelhado. Talvez Mampanyin pudesse fazer com que nem a voz da sua mãe nem a do seu pai voltassem a surgir no seu pensamento.

— Você veio aqui me perguntando o que fazer, mas já sabe como deixar a família sem que ninguém saiba que você partiu — disse Mampanyin.

James manteve-se calado. Era verdade que ele tinha imaginado esquemas para fazer a família pensar que ele tinha ido para Asamando, quando na realidade ele tinha viajado para outro lugar. A melhor ideia, a mais perigosa, era se juntar à interminável guerra entre os axântis e os ingleses. Todos sabiam da guerra, como ela parecia não terminar nunca, como os brancos eram mais fracos do que todos chegaram a imaginar, mesmo com seu grande Castelo feito de pedra.

— As pessoas acham que me procuram para pedir conselhos — disse Mampanyin —, mas a verdade é que me procuram em busca de permissão. Se quer fazer uma coisa, faça. Os axântis estarão em Efutu em breve. Isso eu sei.

James

Ela já não estava olhando para ele. Em vez disso, estava concentrada no conteúdo do pote. Não havia como essa mulher ter conhecimento de quais eram os planos dos axântis. O exército deles era o mais poderoso de toda a África. Dizia-se que, quando os brancos toparam pela primeira vez com os guerreiros axântis, com seu torso nu e seus panos soltos, eles tinham rido, dizendo: "Esses não são os tecidos que nossas mulheres usariam?" Os brancos se orgulhavam das suas armas e dos seus uniformes: as túnicas abotoadas na frente e as calças. Então os axântis começaram a matá-los às centenas, extraindo o coração dos seus líderes militares e os comendo para obter mais força. Depois disso, foi possível ver pelo menos um soldado britânico molhando aquelas calças que antes tinham louvado, enquanto recuava diante dos homens que um dia eles tinham subestimado.

Se tudo o que se dizia sobre o exército dos axântis fosse verdade, era impossível que eles fossem tão desorganizados a ponto de deixar uma feiticeira fanti saber seus planos. James soube que aquele olho inconstante tinha se encontrado em Efutu no futuro e o tinha visto lá, exatamente como tinha visto seu desejo mais profundo naquele instante.

Mesmo assim, James não foi a Efutu. Amma estava esperando por ele quando ele voltou para casa.

— O que Mampanyin disse? — perguntou a esposa.

— Ela disse que você precisa ter paciência comigo — respondeu ele, e Amma bufou, insatisfeita. James sabia que ela passaria o resto do dia falando mal dele com as amigas.

Por uma semana, James se sentiu péssimo. Começou a ter dúvidas quanto a Akosua, quanto a seu desejo de levar uma vida simples. Será que sua vida agora era tão ruim? Ele poderia ficar na aldeia. Poderia continuar o trabalho do pai.

James praticamente estava decidido a fazer isso quando sua avó veio comer com eles em uma noite.

Effia era uma senhora de idade, e, no entanto, ainda era possível ver a juventude que um dia esteve em algum lugar por trás das muitas rugas do seu rosto. Effia tinha insistido em morar em Cape Coast, na casa que seu marido tinha construído, mesmo depois de Quey ter se tornado importante na sua aldeia. Ela disse que nunca mais voltaria a morar na aldeia que o mal tinha construído.

Enquanto todos comiam ao ar livre no *compound* de Quey, James sentia que sua avó o observava; e depois que os criados e as criadas tinham recolhido os pratos, e que o pai e a mãe de James tinham se recolhido para a noite, ele pôde sentir que sua avó ainda o observava.

— O que está havendo, meu querido? — perguntou ela, quando os dois finalmente ficaram a sós.

James não falou. O *fufu* que eles tinham comido parecia uma pedra no fundo da sua barriga, e ele achava que o prato ia lhe fazer mal. Olhou para a avó. Diziam que, no passado, ela era tão linda que o governador do Castelo teria incendiado a aldeia inteira só para ficar com ela.

Ela tocou no colar com a pedra negra que usava no pescoço e estendeu a mão para pegar a de James.

— Você não está feliz? — perguntou ela.

James pôde sentir a pressão aumentando por trás dos seus olhos à medida que as lágrimas ameaçavam irromper. Ele apertou a mão da avó.

— A vida inteira ouvi minha mãe chamar meu pai de fraco, mas e se eu for igualzinho a ele? — disse James. Ele esperava que a avó reagisse, mas ela se manteve em silêncio. — Quero ser minha própria nação. — Ele sabia que ela não seria capaz de entender o que ele dizia, e entretanto pareceu que ela o ouviu. Muito embora ele falasse num sussurro, ela o ouviu. A avó de início não falou. Só o observava.

— Nós todos somos fracos a maior parte do tempo — acabou dizendo ela. — Pense no bebê. Nascido da sua mãe, ele aprende com ela a comer, a andar, a falar, a caçar, a correr. Ele não inventa novas maneiras. Apenas continua com as antigas. É assim que todos nós chegamos ao mundo, James. Fracos e carentes, loucos para aprender a ser uma pessoa. — Ela sorriu para ele. — Mas, se não gostarmos da pessoa que aprendemos a ser, será que deveríamos simplesmente ficar de braços cruzados diante do nosso *fufu*, sem fazer nada? Acho, James, que talvez seja possível criar uma nova maneira.

Ela continuava a sorrir. O sol estava se pondo às costas deles, e James finalmente se permitiu chorar diante da avó.

E assim, no dia seguinte, James disse à família que ia voltar com Effia para Cape Coast, mas, em vez disso, ele foi para Efutu. Encontrou trabalho com um médico que sua avó conhecia, que tinha trabalhado para os ingleses quando ela morava no Castelo. Bastou que James lhe dissesse que era neto de James Collins para receber de imediato trabalho e um lugar para ficar.

O médico era escocês e tão velho que mal conseguia andar ereto, muito menos curar doenças sem as pegar. Ele tinha se mudado para Efutu depois de trabalhar para a companhia por apenas um ano. Falava um fanti fluente, tinha construído seu *compound* sozinho a partir do chão e tinha permanecido solteiro, apesar de muitas mulheres da região terem trazido suas filhas jovens como oferendas para ele. Para os moradores da cidadezinha, ele era um mistério, mas eles tinham se afeiçoado a ele, chamando-o pelo apelido carinhoso de Médico Branco.

Cabia a James ajudar a manter limpo o consultório. A cabana de atendimento do Médico Branco ficava ao lado da sua moradia, e era pequena o suficiente para ele não precisar nem um pouco da ajuda de James. James varria, organizava os remédios, lavava os trapos. Às vezes, à noite, ele preparava uma refeição simples para eles dois. E eles ficavam sentados no pátio, de frente para o trecho de estrada de terra batida, enquanto o Médico Branco contava histórias do seu tempo no Castelo.

— Você é igualzinho à sua avó. Como era que os moradores da aldeia a chamavam? — Ele coçou os finos cabelos brancos. — A Bela. Effia, a Bela, não é?

James fez que sim, tentando vê-la através dos olhos do médico.

— Seu avô estava tão empolgado por se casar com ela. Eu me lembro de que, na véspera do dia em que ela deveria chegar ao Castelo, nós levamos James para o depósito da companhia bem na hora em que o sol se punha e bebemos quase toda a bebida da nova remessa. James precisou dizer aos patrões lá na Inglaterra que o navio que tinha transportado a bebida tinha afundado ou sido atacado por piratas. Alguma coisa parecida. Foi uma noite fantástica para todos nós. Um pouco de agitação na África. — Um olhar sonhador dominou seu rosto, e James se perguntou se o velho tinha conseguido as aventuras que parecia que ele viera procurar na Costa do Ouro.

Dentro de um mês, James conseguiria o que estava procurando. O chamado veio no meio da noite. Berros ofegantes, acelerados, agudos, à medida que os vigias de Efutu iam de cabana em cabana, informando aos gritos que os axântis estavam chegando. As guarnições britânicas e fantis posicionadas em Efutu mandaram mensagens pedindo reforços, mas o pânico nos olhos das sentinelas disse a James que os axântis estavam mais perto do que quaisquer reforços. Àquela altura, as aldeias por toda a terra dos fantis, dos gas e dos denkyiras já estavam dominadas pelo medo de ataques-surpresa dos axântis. Soldados britânicos tinham sido destacados de modo intermitente para as cidadezinhas e aldeias em torno de Cape Coast. Sua missão era impedir que os axântis tomassem de assalto o Castelo, para que não tivessem sucesso nessa ação, mas Efutu, a apenas uma semana de viagem da Costa, era perto demais para a segurança do Castelo.

— O senhor precisa fugir! — gritou James para o Médico Branco. O velho tinha acendido uma lâmpada de óleo de palma ao lado do catre e sacado um livro encadernado em couro, lendo com os óculos empoleirados na ponta do nariz. — Vão matá-lo quando o virem. Não vão se importar com sua idade.

O Médico Branco virou a página. Não chegou a levantar os olhos para James enquanto se despedia com um aceno.

James balançou a cabeça e saiu da cabana. Mampanyin tinha lhe dito que ele saberia o que fazer quando chegasse a hora. E, no entanto, ali estava ele, tão dominado pelo pânico que mal conseguia respirar. Ele podia sentir o líquido morno que escorria por suas pernas enquanto fugia. Não conseguia pensar. Não conseguia pensar com rapidez suficiente para criar um plano, e, antes que se desse conta, havia um tiroteio em toda a sua volta. As aves saíram voando, subindo numa nuvem de asas pretas, vermelhas, azuis e verdes. James queria se esconder. Não se lembrava do que tinha sido assim tão desagradável na vida de antes. Ele poderia aprender a amar

Amma. Tinha passado tanto tempo vendo o que havia de ruim no casamento dos pais que tinha suposto que houvesse algo melhor. E se não houvesse? Tinha confiado a uma feiticeira sua felicidade. Sua vida. Agora, sem dúvida haveria de morrer.

James acordou no interior de uma floresta desconhecida. Seus braços e pernas doíam, e sua cabeça parecia que tinha sido golpeada com uma pedra. Ficou ali, desorientado, por minutos sem conta. E então um guerreiro axânti aproximou-se tão silenciosamente que James só percebeu sua presença quando ele já estava parado em pé ao seu lado.

— Você não morreu? — perguntou o guerreiro. — Está ferido?

De que modo James poderia dizer a um guerreiro como aquele que estava com dor de cabeça? Ele disse que não.

— Você é o neto de Osei Bonsu, não é? Eu me lembro de você na cerimônia póstuma. Nunca esqueço um rosto.

James queria que ele baixasse a voz, mas não disse nada.

— O que estava fazendo em Efutu? — perguntou o guerreiro.

— Alguém sabe que estou vivo? — perguntou James, sem responder à pergunta do homem.

— Não, um guerreiro acertou uma pedra na sua cabeça. Como você não se mexia, eles o jogaram na pilha dos mortos. Não devemos tocar na pilha, mas eu o reconheci e o tirei de lá para poder enviar seu corpo para sua família. Eu o escondi aqui para ninguém vir a saber que toquei nos mortos. Não sabia que você ainda estava vivo.

— Preste atenção. Eu morri nessa guerra — disse James.

O homem arregalou tanto os olhos que eles ficaram parecidos com reflexos da lua.

— O quê?

— Você deve dizer a todos que eu morri nessa guerra. Está disposto a fazer isso?

O guerreiro fez que não. Ele se recusou um monte de vezes, mas, por fim, concordou. James soube que ele cumpriria o combinado. E quando cumprisse, essa seria a última vez que James usaria seu poder para forçar outra pessoa a obedecer.

Durante o resto daquele mês, James viajou rumo à terra dos axântis. Ele dormia em grutas e se escondia em árvores. Pedia ajuda quando via pessoas na mata, dizendo-lhes que era um lavrador pobre que tinha se perdido. E quando, no quadragésimo dia de viagem, acabou chegando à casa de Akosua, ele a encontrou à sua espera.

Kojo

ALGUÉM TINHA COMETIDO UM roubo no velho *Alice*, o que significava que a polícia viria farejar por ali pelo barco, perguntando a todos os operários do estaleiro se tinham alguma informação a respeito. A reputação de Jo era impecável. Ele vinha trabalhando havia quase dois anos nos navios em Fell's Point e nunca tinha causado problema para ninguém. Mesmo assim, sempre que ocorria um roubo numa embarcação, todos os negros que trabalhavam nas docas eram reunidos e interrogados. Jo estava cansado daquilo. Ele sempre ficava nervoso na presença da polícia ou de qualquer pessoa de uniforme. Até mesmo a aparição do carteiro tinha um dia feito com que ele se escondesse correndo por trás de uma cortina de renda. Ma Aku dizia que ele era assim desde o tempo que passaram nas florestas, fugindo de perseguidores, de cidadezinha em cidadezinha, até que chegaram à casa segura de Maryland.

— Dá pra você cobrir pra mim, Poot? — perguntou Jo ao amigo, mas ele sabia que a polícia não notaria sua falta. Eles não sabiam distinguir um rosto negro do outro. Poot res-

Kojo

ponderia quando chamassem seu próprio nome e depois responderia também quando chamassem o de Jo, e eles não saberiam a diferença.

Jo saltou do barco e olhou para trás, para a bela baía de Chesapeake, para os navios grandes e imponentes ao longo dos estaleiros de Fell's Point. Ele adorava a aparência daquelas embarcações, gostava de saber que suas mãos ajudavam a construí-las e a fazer sua manutenção. Mas Ma Aku sempre dizia que aquilo dava azar, ele e todos os outros negros libertos trabalharem em navios. Ela dizia que havia algo de maligno nessa história de eles construírem as coisas que tinham trazido todos para a América, justamente aquelas coisas que tinham tentado acabar com eles.

Jo seguiu pela Market Street e comprou uns pés de porco do Jim na loja da esquina, perto do museu. Quando estava saindo, um cavalo se soltou da charrete e saiu correndo, enlouquecido, quase pisoteando uma velhota branca, que estava levantando a saia, pronta para atravessar a rua.

— A senhora tá bem? — perguntou Jo, correndo até ela e lhe oferecendo o braço.

Ela pareceu atordoada por um segundo, mas então deu um sorriso para Jo.

— Estou bem, obrigada — disse ela.

Ele continuou em frente. Anna ainda estaria fazendo faxina com Ma Aku. Ele sabia que devia ir até lá para ajudar as duas mulheres, fosse por Anna estar grávida de novo, fosse por Ma Aku estar tão velha que as dores e tosses incessantes tinham vindo para ficar; mas fazia muito tempo desde a última vez que ele se permitira apreciar Baltimore, a brisa fresca do mar, os negros, alguns escravos, mas outros livres como eles só, que trabalhavam, viviam e brincavam ao seu redor. No passado, Jo tinha sido escravo. Ele era só um bebê, na época. No entanto, cada vez que via um escravo em Baltimore, ele achava que se lembrava. Cada vez que Jo via um escravo em Baltimore, ele via a si mesmo, via o que sua vida teria sido se Ma Aku não o tivesse trazido para a liberdade. Seus documentos de homem livre indicavam que seu nome era Kojo Freeman. *Free man.* Homem livre. Metade dos ex-escravos de Baltimore tinha esse sobrenome. Repita uma mentira por tempo suficiente e ela se tornará uma verdade.

Jo só conhecia o sul pelas histórias que Ma Aku lhe contava; da mesma forma que conhecia sua mãe e seu pai, Ness e Sam. Como histórias e nada mais. Ele não sentia falta do que não conhecia, do que não podia sentir nas mãos ou no coração. Baltimore era tangível. Não tinha açoites e lavouras sem fim. Baltimore era o porto, as fundições, as ferrovias. Eram os pés de porco que Kojo estava comendo, os sorrisos dos seus sete filhos, com o oitavo a caminho. Era Anna, que tinha se casado com ele quando estava só com dezesseis anos; e ele com dezenove, tendo trabalhado todos os dezenove anos desde então.

Voltando a pensar em Anna, Jo decidiu dar uma passada na casa dos Mathison, onde ela e Ma estavam fazendo a limpeza naquele dia. Ele comprou uma flor da velha Bess, na esquina da North com a 16; e, segurando a flor, ele teve a sensação de que podia por fim esquecer a ideia da polícia lá no navio.

— Ora, não é que é meu marido, vindo pela calçada? — disse Anna quando o viu. Ela estava varrendo o alpendre com o que parecia ser uma vassoura nova. O cabo era de um marrom bonito, só alguns tons mais escuro do que a própria pele dela, e as cerdas estavam todas alertas. Ma Aku sempre gostava de lhes dizer que, na Costa do Ouro, as vassouras não tinham cabo. O corpo era o cabo; e ele se movimentava e se abaixava com muito mais facilidade do que um cabo conseguiria.

— Trouxe uma coisa pra você — disse Jo, entregando-lhe a flor. Ela a pegou, sentiu o perfume e sorriu. A haste batia na sua barriga bem no lugar em que o vestido começava a ficar apertado. Jo pôs a mão ali e esfregou.

— Cadê a Ma? — perguntou ele.

— Lá dentro, limpando a cozinha.

Jo deu um beijo na mulher e tirou a vassoura das suas mãos.

— Vai lá ajudar ela agora — disse, dando um beliscãozinho enquanto a empurrava para ela entrar na casa. Tinha sido o traseiro que pesou na balança, havia dezenove anos, e continuava pesando agora. Ele o tinha visto passando por Strawberry Alley e o tinha seguido por quatro quarteirões. Era hipnotizante seu jeito de se mexer, independentemente do resto do corpo, como se fosse acionado pela influência de um cérebro totalmente diferente: com cada bochecha batendo na outra de tal modo que a segunda bochecha precisava balançar para fora antes de voltar para bater na primeira.

Quando tinha sete anos, Jo perguntou a Ma Aku o que um homem deveria fazer quando gostasse de uma mulher, e ela caiu na risada. A mãe dele nunca tinha sido como as outras mães. Ela era meio estranha, meio desligada, ainda sonhando com a terra da qual tinha sido arrancada anos e anos antes. Era frequente encontrá-la olhando mar afora, dando a impressão de que gostaria de pular na água, tentar descobrir o caminho para casa.

— Ora, Kojo, na Costa do Ouro, dizem que se você gostar de uma mulher, deve procurar o pai dela com uma oferenda.

— Naquela época, Jo estava apaixonado por uma menina chamada Mirabel; e no domingo seguinte, na igreja, ele levou para o pai dela um sapo que tinha apanhado à beira d'água na noite anterior. Ma Aku tinha rido sem parar, até que o pastor e o pai disseram que ela estava ensinando a Jo os costumes da velha feitiçaria africana. E os dois foram expulsos da congregação.

Com Anna, Jo simplesmente acompanhou o ondular do seu traseiro, até que ele ficou imóvel. Ele se aproximou dela e viu seu rosto. A pele delicada da cor de caramelo, e o cabelo preto, preto, escuro e comprido como o rabo de um cavalo, sempre preso numa única trança. Ele lhe disse que se chamava Jo e perguntou se podia andar um pouco com ela. Ela disse que sim, e eles caminharam por toda a Baltimore. Foi só meses depois que Jo soube que Anna teve problemas com a mãe naquela noite, porque deixou para lá todas as tarefas que tinha prometido fazer.

Os Mathison eram uma antiga família de brancos. A casa do pai do sr. Mathison no passado tinha sido um ponto de encontro do movimento Underground Railroad, e ele ensinara o filho a sempre dar ajuda. A sra. Mathison era quem tinha o dinheiro na família; e, quando os dois se casaram, eles compraram uma casa espaçosa e deram emprego a Anna, Ma Aku e a uma quantidade de outros negros da cidade de Baltimore e das proximidades.

A casa tinha dois andares e dez quartos. Sua limpeza levava horas, e os Mathison gostavam de vê-la imaculada. Kojo assumiu parte do trabalho naquele dia e, enquanto lavava as janelas na sala de estar, ele podia ouvir Mathison e outros abolicionistas conversando.

Kojo

— Se a Califórnia se juntar à União como um estado livre, o presidente Taylor terá um problemão com os secessionistas sulistas — disse Mathison.

— E Maryland será apanhada no meio disso tudo — disse outra voz.

— É por isso que precisamos fazer tudo o que for possível para garantir que mais escravos sejam emancipados aqui mesmo em Baltimore.

Eles podiam passar horas nesse tipo de conversa. No início, Jo gostava de prestar atenção. Aquilo lhe dava esperança, ver todos aqueles homens brancos poderosos abraçando a causa dele e dos seus. Contudo, quanto mais os anos passavam, mais ele descobria que até mesmo pessoas generosas como as da casa dos Mathison não podiam fazer muito.

Quando terminaram a limpeza da casa, Jo, Anna e Ma Aku rumaram de volta para seu pequeno apartamento na rua 24.

— Minhas costas, ai, minhas costas — disse Ma, apertando aquela parte do corpo que lhe doía havia anos. Ela se voltou para Jo e disse em twi: "Não é que ficamos cansados?" Era uma expressão velha e gasta para uma sensação velha e gasta. Jo concordou em silêncio e lhe deu a mão para ajudá-la a subir a escada.

Lá dentro, as crianças estavam brincando. Agnes, Beulah, Cato, Daly, Eurias, Felicity e Gracie. Parecia que Anna e ele iam ter um filho para cada letra do alfabeto. Eles iam ensinar os filhos a lerem essas letras, educá-los para serem o tipo de pessoa que pudesse ensinar aquelas letras a outras pessoas. Agora todos na casa chamavam o novo bebê de "H", para garantir seu lugar até ele chegar trazendo seu próprio nome junto.

Ser um bom pai parecia a Jo uma dívida que ele tinha para com seus pais, que não conseguiram ser livres. Ele costumava passar muitas noites tentando formar uma imagem do próprio pai. Ele era valente? Alto? Gentil? Inteligente? Era um homem bom e justo? Que tipo de pai ele teria sido se tivesse chegado a ter a oportunidade de ser um pai, em liberdade?

Agora Jo passava a maioria das noites com o ouvido grudado na barriga ainda pequena da mulher, tentando começar a conhecer um pouco o bebê H, antes da sua chegada. Ele tinha prometido a Anna que estaria sempre ao lado deles, como seu próprio pai não tinha conseguido fazer por ele. E Anna, que nunca quis seu próprio pai ao seu lado, conhecendo o tipo de homem que ele era e o tipo de encrenca que sua presença traria, só tinha sorrido e lhe dado um tapinha nas costas.

Mas Jo estava falando sério. Ele estudava os filhos, nas poucas horas em que os via todas as noites antes de irem dormir ou de manhã antes que ele saísse para as docas. Agnes era prestativa. Ele nunca tinha conhecido uma criatura mais mansa e bondosa. Não Anna, e decerto não sua mãe cansada da vida. Beulah era bela, mas ainda não sabia disso. Para um menino, Cato era delicado, e Jo todos os dias tentava pôr nele um pouco de fibra. Daly gostava de brigar, e Eurias infelizmente costumava ser seu alvo. Felicity era tão tímida que não diria seu nome se lhe perguntassem; e Gracie era uma bolinha de amor. Sua vida com eles, com Anna, Ma e os filhos, era tudo que ele tinha desejado naquele tempo que passara como filho único, indo de uma casa segura para outra, de um serviço para outro, tentando ajudar a mulher que ele chamava de mãe a ser a mãe que ela não tinha pedido para ser, mas de que nunca se queixava.

Ma Aku começou a tossir e Agnes foi na mesma hora ajudá-la a se deitar. O apartamento tinha dois cômodos: um para

Jo e Anna, separado por uma cortina, e um para todos e tudo o mais. Ma Aku deixou-se cair no colchão com um pesado suspiro e, em minutos, estava tossindo e roncando num mesmo compasso.

Gracie, o bebê, estava puxando uma perna da calça de Jo.

— Papai, papai!

Jo abaixou-se e a pegou com um braço, com tanta facilidade como se ela fosse a caixa de ferramentas que ele tinha deixado no navio. Logo, logo, ela estaria grande demais para ser tratada como bebê. Talvez bem a tempo da chegada do novo bebê.

Pouco depois, Agnes e Anna tinham posto todos os menores para dormir, e a própria Agnes finalmente já tinha adormecido. Jo estava sentado no quarto com a cortina fechada quando Anna entrou, esfregando a barriga que estava tão pequena que era pouco mais do que uma sensação.

— A polícia apareceu no navio hoje. Disseram que alguém tinha roubado alguma coisa — disse Jo. Anna estava tirando as roupas e as dobrando, para colocá-las na cadeira que ficava ao lado do colchão. No dia seguinte, ela usaria as mesmas. Não tivera tempo de lavar roupa naquela semana e, na anterior, não tinha tido o dinheiro necessário. Ela só podia torcer para os filhos não cheirarem mal quando fossem à escola cristã.

— Você ficou com medo? — perguntou ela, e Jo se levantou, veloz como um raio, agarrou-a num abraço e a trouxe para o colchão com ele.

— Nada me dá medo, mulher — disse ele, enquanto ela ria e se debatia, fingindo querer rechaçá-lo.

Eles se beijaram. E quaisquer peças de roupa que Anna ainda não tivesse tirado, Jo removeu depressa. Ele provou sua carne e pôde sentir mais do que ouvir o prazer que percorria o corpo dela como uma corrente; seu jeito de sufocar os gemidos para as crianças não acordarem, uma especialista nisso depois de muitas noites e sete filhos. Juntos, eles se encaixaram rápido e sem ruído, esperando que a escuridão escondesse seus movimentos se uma das crianças, sem conseguir dormir, por acaso espiasse pela cortina. Jo agarrou o traseiro de Anna com as mãos famintas. Enquanto vivesse, sempre seria um prazer e uma dádiva encher as mãos com o peso da carne da mulher.

No dia seguinte de manhã, Jo voltou para o trabalho no *Alice*. Poot chegou para dividir o café da manhã com Jo: um pouco de broa de milho e peixe.

— E eles vieram? — perguntou Jo. Mais cedo naquela manhã, ele tinha aprontado a calafetagem, empapando a estopa com alcatrão de pinheiro. Ele a tinha torcido como uma corda, aplicando-a nas emendas entre as tábuas. Jo vinha trabalhando com as mesmas ferramentas desde que começara a fazer calafetagem. Seus próprios formão e macete. Ele adorava o som que as duas ferramentas emitiam juntas quando ele aplicava a calafetagem nas emendas, batendo delicadamente com o formão para forçar a calafetagem a ficar no lugar, preencher as emendas, impermeabilizar a embarcação.

— É, eles vieram. Só fizeram as perguntas de sempre. Não foi nada de mais. Ouvi dizer que encontraram o culpado. — Poot tinha nascido livre, morado em Baltimore a vida inteira. Trabalhava no *Alice* havia mais ou menos um ano. E, antes disso, tinha trabalhado em praticamente todos os navios no porto. Era um dos melhores calafetadores por ali. Dizia-se que bastava Poot grudar a orelha num navio para o navio lhe dizer onde era preciso fazer o reparo. Jo tinha começado trabalhando sob suas ordens e, por isso, sabia quase tudo o que havia para saber sobre navios.

Ele revestiu o casco, espalhando piche quente por toda a superfície e depois cobrindo tudo com chapas de cobre. Quando estava começando, Jo quase tinha morrido ao esquentar o piche. O fogo tinha sido impressionante e tão quente que era como o bafo do Demônio; e, antes que Jo se desse conta, ele tinha começado a atacar a madeira do convés. Jo olhava para toda aquela água na baía, voltava a olhar para o fogo que estava ameaçando afundar o barco inteiro e pedia um milagre. Esse milagre foi Poot. Veloz como só ele, Poot apagou o fogo e acalmou o chefe, dizendo que, se Jo não pudesse ficar, ele também não ficaria. Agora, sempre que acendia fogo numa embarcação, Jo sabia como cuidar dele.

Jo tinha acabado de terminar o trabalho no casco e estava enxugando o suor que lhe escorria pelos olhos quando viu Anna parada, acenando para ele de lá das docas. Era raro que ela viesse encontrá-lo depois de um dia de trabalho porque ele costumava terminar antes dela, mas ele se alegrou ao vê-la.

Enquanto pegava as ferramentas e começava a caminhar na sua direção, ele se deu conta de que havia algum problema.

— O sr. Mathison disse pra você ir na casa dele o mais rápido possível — disse ela. Ela estava retorcendo o lenço nas mãos, um hábito nervoso que Jo detestava, por perceber que ele sempre tinha o efeito de deixá-lo nervoso também.

— Tudo bem com Ma? — perguntou ele, segurando as mãos de Anna nas suas e as sacudindo até elas por fim se acalmarem.

— Sim.

— Então o que é?
— Não sei — disse ela.
Jo olhou firmemente para ela, mas pôde ver que ela estava dizendo a verdade. Só estava ansiosa porque Mathison nunca tinha pedido para falar com Jo antes, não naqueles sete anos que ela e Ma vinham fazendo a limpeza da casa para ele; e ela não sabia o que poderia significar o fato de ele lhe pedir isso agora.

Eles percorreram os poucos quilômetros até a casa dos Mathison tão rápido que o conteúdo da caixa de ferramentas de Jo chocalhava de modo desagradável nas paredes da caixa. Jo estava andando um pouco à frente de Anna, e ele podia ouvir os passinhos dos seus pés pequenos lutando para acompanhar as pernas compridas do marido.

Quando chegaram a casa, Ma Aku estava esperando no alpendre, com sua tosse sendo as únicas boas-vindas da parte dela. Anna e ela conduziram Jo até a sala de visitas, onde Mathison e um punhado de outros homens brancos estavam sentados nos luxuosos sofás brancos, com almofadas tão gordas que pareciam pequenos montes, ou o dorso de elefantes.

— Kojo! — disse Mathison, levantando-se para lhe dar um aperto de mão. Uma vez, ele tinha ouvido Ma Aku chamar Jo desse modo e tinha perguntado o que significava. Quando Ma explicou que era o nome axânti para um menino nascido na segunda-feira, Mathison tinha batido palmas, como se estivesse ouvindo uma bonita canção, e insistia em chamar Jo pelo nome completo sempre que o via. "Privar alguém do seu nome é o primeiro passo", dissera ele, na ocasião, em tom sombrio. Tão sombrio que Jo não tinha considerado prudente perguntar o que estava pensando: o primeiro passo para quê?
— Sr. Mathison.

Kojo

— Sente-se, por favor — disse o sr. Mathison, apontando para uma poltrona branca vazia. De repente, Jo ficou nervoso. Sua calça estava coberta de piche seco, tão preto que parecia marcada por centenas de furinhos. Jo ficou preocupado, achando que o piche mancharia a poltrona, pois Anna e Ma Aku teriam mais trabalho a fazer no dia seguinte quando viessem trabalhar. Se chegassem a vir trabalhar.

— Lamento fazer você vir toda essa distância, mas meus companheiros me passaram uma notícia muito perturbadora.

Um homem branco mais gordo pigarreou, e Jo ficou olhando o bamboleio do seu pescoço enquanto ele falava.

— Ouvimos falar de uma nova lei que está sendo elaborada pelos sulistas e pelo Partido Solo Livre. E se ela for aprovada, será exigido que as forças policiais detenham qualquer escravo supostamente fugido, no norte, para mandá-lo de volta para o sul, não importa há quanto tempo esse escravo tenha escapado.

Os homens estavam todos olhando para ele, à espera da sua reação, e ele assentiu em silêncio.

— Estou preocupado com você e com sua mãe — disse o sr. Mathison, e Jo olhou para a porta, onde Anna estava parada poucos instantes atrás. Era provável que agora ela já estivesse de volta à limpeza, preocupada com fosse lá o que fosse que Mathison tinha a dizer a Jo. — Como fugidos, vocês dois podem ter mais problemas do que Anna e as crianças, que são livres por si mesmas.

Jo assentiu. Ele não podia imaginar quem estaria procurando por ele ou por Ma Aku depois de todos aqueles anos. Jo nem mesmo sabia o nome ou conhecia o rosto do seu antigo senhor. Tudo o que Ma conseguia se lembrar era de que Ness o chamava de Demônio.

— Você deveria levar sua família mais para o norte — disse o sr. Mathison. — Para Nova York, até mesmo para o Canadá. Se essa lei passar, não há como saber o caos que ela provocará.

— Eles vão me mandar embora? — perguntou Anna. Os dois estavam sentados no colchão mais tarde naquela noite, depois que as crianças tinham todas ido dormir, e Jo finalmente pôde explicar a ela o motivo pelo qual Mathison o tinha chamado.

— Não, eles só queriam nos avisar, só isso.

— Mas o antigo senhor da sua mãe morreu. Ruthie nos contou, lembra?

Jo se lembrava. Ruthie, uma prima de Anna, tinha mandado uma mensagem de uma *plantation* para outra até uma casa segura e finalmente a Ma Aku, dizendo que o homem que tinha sido seu senhor tinha morrido. E, naquela noite, todos tinham respirado com mais tranquilidade.

— O sr. Mathison diz que não faz diferença. A família dele ainda pode pegar a gente, se quiser.

— E eu e as crianças?

Jo deu de ombros. O senhor da sua mãe a tinha engravidado e depois libertou a mãe e a filha. Anna tinha documentos verdadeiros de liberta, não documentos falsificados, como Jo e Ma Aku. Os filhos tinham todos nascido bem ali em Baltimore, livres. Ninguém viria procurar por eles.

— Só eu e Ma é que precisamos nos preocupar. Não pensa mais nisso, não.

Quanto a Ma Aku, Jo sabia que ela nunca sairia de Baltimore. A menos que pudesse voltar para a Costa do Ouro, não haveria nenhum território novo para ela — não o Canadá, nem mesmo o Paraíso, se ele existisse na Terra. Uma vez que tinha decidido se libertar, ela também tinha decidido permanecer livre. Quando era criança, Jo costumava ficar assombrado com a faca que Ma Aku sempre guardava enfiada na bata, que ela vinha mantendo ali desde os seus tempos de escrava axânti, depois como escrava americana e finalmente como pessoa livre. Quanto mais Jo crescia, mais ele compreendia coisas sobre a mulher que chamava de Ma. Mais ele entendia que, às vezes, permanecer livre exigia um sacrifício inimaginável.

No outro cômodo, Beulah começou a gemer dormindo. A criança tinha terrores noturnos. Eles ocorriam a intervalos imprevisíveis: um mês aqui, dois dias ali. Algumas vezes, eles eram tão ruins que ela acordava com o barulho dos próprios gritos ou tinha arranhões pelos braços por travar batalhas invisíveis durante o sono. Em outros dias, ela dormia imóvel, como que morta, com as lágrimas lhe escorrendo pelo rosto. E no dia seguinte, quando lhe perguntavam com o que tinha sonhado, ela sempre sacudia os ombros e dizia: "Com nada."

Nesse dia, Jo deu uma olhada e viu as perninhas da menina começando a se mexer: um joelho dobrado, um chute para a frente, repetido. Beulah estava correndo. Vai ver que era assim que tudo começava, pensou Jo. Talvez Beulah estivesse vendo alguma coisa com mais clareza nas noites em que tinha esses sonhos, uma criancinha negra lutando em sonho contra um adversário que não conseguia identificar pela manhã, porque, à luz do dia, aquele adversário simplesmente parecia ser o mundo ao seu redor. Um mal intangível. Injustiça indescritível. Beulah corria durante o sono, corria como se tivesse roubado alguma coisa, quando, na realidade, não tinha feito nada a não ser esperar a paz, a clareza, que o sonho trazia.

É, pensou Jo, era ali que tudo começava, mas quando, onde, tudo terminava?

Jo decidiu manter a família em Baltimore. Anna estava com a gravidez muito adiantada para ser arrancada da cidade na qual todos eles estavam enraizados. E Baltimore ainda parecia segura. As pessoas não paravam de cochichar sobre a lei. Algumas famílias tomaram providências, fazendo as malas e se encaminhando para o norte, com medo de que a lei fosse aprovada. A velha Bess, que vendia flores na North Street, foi embora. Também foram embora Everett, John e Dothan, que trabalhavam no *Alice*.

— É uma pena — disse Poot, no dia em que três irlandeses subiram no navio para substituí-los.

— Você já pensou em ir embora, Poot? — perguntou Jo.

Poot bufou.

— Vão me enterrar em Baltimore, Jo. Seja lá como for. Vão lançar meu corpo no mar na baía de Chesapeake.

Jo sabia que ele estava falando sério. Poot sempre dizia que Baltimore era uma cidade fantástica para um negro. Havia carregadores, professores, pastores e vendedores ambulantes negros. Um homem liberto não precisava ser um criado ou um condutor de charretes. Ele podia fazer alguma coisa com as próprias mãos. Podia consertar alguma coisa. Vender alguma coisa. Podia construir alguma coisa a partir do nada e então mandá-la para o mar. Poot tinha aprendido a calafetar quando era adolescente, e costumava brincar dizendo que a única coisa de que ele gostava mais do que de segurar um macete era de segurar uma mulher. Ele era casado, mas não tinha filhos, nenhum filho homem a quem ensinar seu ofício. Os navios eram seu orgulho. Ele nunca sairia de Baltimore.

E, em sua maioria, todos os outros em Baltimore não saíram do lugar também. Estavam cansados de fugir e habituados a esperar. E assim eles esperaram para ver o que acabaria acontecendo.

A barriga de Anna continuava a crescer. O bebê H estava se fazendo conhecer todos os dias, com chutes e socos ferozes dentro do ventre de Anna.

— H vai lutar boxe — disse Cato, de dez anos, com a orelha grudada na barriga da mãe.

— Nã-ão — disse Anna. — Não quero saber de violência *nesta* casa. — Daí a cinco minutos, Daly deu um chute nas canelas de Eurias, e Anna lhe deu palmadas tão fortes que ele se encolheu cada vez que se sentou naquele dia.

Agnes fez dezesseis anos e arrumou um serviço de limpeza na igreja metodista na Caroline Street; e Beulah adorou seu novo papel de filha mais velha da casa, por uma hora todas as noites antes de Agnes chegar do trabalho.

— Timmy disse que ele e o pastor John não vão a lugar nenhum — relatou Agnes uma noite. Estavam em agosto de 1850, e o calor em Baltimore era pegajoso. Agnes chegava em casa todas as noites com o suor escorrendo pelo seu lábio superior, pelo pescoço, pela testa. Timmy era o filho do pastor, e todos os dias Jo e o resto da família eram alvo dos relatos de Agnes do que Timmy tinha pensado, feito ou dito naquele dia.

— Quer dizer que você também não vai a lugar nenhum, né? — disse Anna com um sorriso de zombaria, e Agnes saiu da casa, ofendida. Ela disse que foi comprar chocolate para as crianças, mas todos sabiam que Anna tinha acertado em cheio.

Ma Aku riu quando Agnes bateu a porta com força.

— Essa criança não sabe nada do amor — disse ela. Sua risada transformou-se numa tosse, e ela precisou se dobrar para a frente para a tosse se acalmar.

Jo deu um beijo na testa de Anna e olhou para Ma.

— E o que a senhora sabe do amor, Ma? — perguntou ele, retomando a risada onde ela a deixara.

Ma agitou o dedo na direção dele.

— Não vem me perguntar o que eu sei e o que eu não sei — disse ela. — Você não é o único que tocou em alguém ou foi tocado por alguém.

Foi a vez de Anna rir, e Jo largou a mão que estava segurando, sentindo-se um pouco traído.

— Quem, Ma?

— Não importa — disse Ma, fazendo que não, lentamente.

Duas semanas depois, Timmy foi até as docas para pedir a Jo a mão de Agnes.

— Você tem ofício, garoto? — perguntou Jo.

— Vou ser pastor, como meu pai — disse Timmy.

Jo resmungou. Ele tinha ido a uma igreja só uma vez desde o dia em que ele e Ma Aku tinham sido expulsos por feitiçaria; e essa vez tinha sido no dia do seu próprio casamento. Se Agnes se casasse com esse filho de pastor, Jo teria de ir à igreja mais uma vez para o casamento dela, e depois quem sabe quantas outras vezes.

No dia em que tinham andado os oito quilômetros de volta para casa, de lá da igreja batista, depois que Jo dera o sapo ao pai de Mirabel, Jo chorara sem parar. Ma Aku deixou que ele fizesse escândalo por alguns minutos e então levantou-o pela orelha com a mão, arrastou-o para um beco, olhou firmemente para ele e perguntou:

— Por que tá chorando, menino?
— O pastor disse que nós tava fazendo feitiçaria africana.
— Ele não tinha idade suficiente para saber o que isso queria dizer. Mas tinha idade suficiente para saber o que era a vergonha. E, nesse dia, ele estava envergonhado até a raiz dos cabelos.

Ma Aku cuspiu para trás do ombro esquerdo, algo que ela só fazia quando estava realmente aborrecida.

— Quem mandou você chorar por isso? — perguntou ela, e ele deu de ombros, tentando impedir que escorresse muco do seu nariz, porque parecia que isso a deixava ainda mais zangada. — Eu te digo uma coisa, se eles não tivessem escolhido o deus dos brancos em vez dos deuses dos axântis, eles não iam poder dizer uma coisa dessas pra mim.

Jo sabia que devia fazer que sim, e foi o que fez. Ela continuou:

— O deus do homem branco é igualzinho ao homem branco. Ele acha que é o único deus, igualzinho como o homem branco acha que é o único homem. Mas a única razão pra ele ser deus em vez de Nyame, Chukwu, ou seja lá quem for, é porque a gente *deixa*. A gente não luta contra ele. A gente nem mesmo duvida dele. O homem branco nos disse que ele era o caminho, e nós dissemos sim, mas quando foi que o homem branco nos disse que uma coisa era boa pra nós e essa coisa foi boa de verdade? Eles dizem que você é um feiticeiro africano, e daí? E daí? Quem ensinou a eles o que é um feiticeiro?

Jo tinha parado de chorar, e Ma Aku tentou limpar as manchas de sal branco nas bochechas do menino com a bainha do vestido. Ela o puxou de volta para a rua, arrastando-o pelo braço e resmungando o tempo todo.

As mãos de Timmy tremiam, e Jo as via chocalhando. Ele era um rapaz comprido, magricela, com mãos macias que nunca tinham sido queimadas por piche quente, nem calejadas por um formão de calafetar. Timmy era descendente de uma linhagem de homens livres: nascido e criado em Baltimore, de pais que também tinham nascido e sido criados em Baltimore.

— Se é o que a Aggie quer — disse Jo, por fim.

Eles se casaram no mês seguinte, na manhã em que foi aprovada a Lei do Escravo Fugitivo. Anna costurou o vestido de Agnes de noite, à luz de velas. De manhã, Jo a encontrara, sonolenta, piscando muito para se manter acordada enquanto se aprontava para ir à casa dos Mathison. O bebê H estava tão grande na sua barriga que ela já não conseguia andar sem bambolear, com os pés tão inchados que, quando os enfiava nos chinelos de trabalhar, eles transbordavam por cima, como pão com excesso de fermento que não coubesse na sua forma.

A cerimônia foi realizada na igreja do pai de Timmy; e todas as mulheres da congregação tinham preparado uma refeição digna de um rei, muito embora houvesse sussurros sobre Timmy casar-se com uma moça cujos pais não frequentavam a igreja, nem mesmo a sua rival, a metodista, do outro lado da rua.

Beulah estava postada ao lado de Agnes, num vestido roxo, e o irmão de Timmy, John Jr., estava ao lado do noivo. O pai de Timmy, o pastor John, casou-os. Ele não encerrou a cerimônia do modo habitual, anunciando os novos sr. e sra. e dizendo que eles se beijassem. Em vez disso, ele pediu à congregação que estendesse as mãos na direção de Timmy e Agnes enquanto ele fazia uma bênção. E no exato momento em que ele pronunciou as palavras "E todo o povo de Deus disse", um garotinho passou correndo pela porta da igreja aos gritos de: "A lei passou! A lei passou!"

Com isso, a resposta "Amém" veio abafada e pouco sincera por parte de alguns. Por parte de outros, ela nem chegou a vir.

Alguns começaram a se remexer nos seus lugares; e um até mesmo saiu, levantando-se tão depressa que o banco inteiro balançou, como que perdendo o equilíbrio.

Agnes olhou para Jo com uma sombra de nervosismo por trás dos olhos; e ele lançou para ela o olhar mais firme que conhecia. Depois, o medo dela se dissolveu à medida que crescia o medo coletivo. O pastor John terminou de casar os dois, e todos comeram o banquete que Anna, Ma e todas as outras mulheres tinham preparado.

Duas semanas depois, chegou a notícia de que James Hamlet, um fugitivo de Baltimore, tinha sido sequestrado e condenado na cidade de Nova York. Os brancos escreveram sobre o assunto no *New York Herald* e no *Sun* de Baltimore. Ele foi o primeiro, mas todos sabiam que outros viriam. As pessoas começaram a se mudar para o Canadá às centenas. Jo foi uma semana a Fell's Point, e o que antes era um mar de rostos negros em contraste com o verde-azulado da baía tinha se transformado em nada. Mathison tinha se certificado de que a família inteira de Jo tivesse seus documentos de pessoas livres em ordem, mas ele conhecia outros que tinham documentos também, e até mesmo esses tinham fugido.

Mathison voltou a falar com Jo.

— Quero ter certeza de que você sabe o que está em jogo aqui, Jo. Se você for apanhado, vão levá-lo a julgamento, mas você não terá direito a se defender. Será a palavra de um homem branco contra absolutamente nada. Trate de sempre levar seus documentos, o tempo todo, entendeu?

Jo assentiu.

Havia manifestações e protestos pelo norte inteiro, e não apenas entre os negros. Brancos estavam se unindo a eles, como Jo nunca os tinha visto se unirem por nenhum motivo antes. O sul tinha levado essa luta até o capacho de bem-vindo dos nortistas, quando muitos deles não queriam ter nada a ver com ela. Agora, os brancos podiam ser multados por dar a um negro uma refeição, um emprego ou um abrigo, se a lei dissesse que aquele negro era um fugitivo. E como eles haveriam de saber quem era fugitivo e quem não era? Aquilo tinha criado uma situação insustentável, e quem tinha se sentido determinado a ficar em cima do muro acabou se descobrindo sem muro algum.

De manhã, antes de Jo e Anna saírem para o trabalho, Jo fazia os filhos ensaiarem como mostrar os documentos. Ele representava o oficial federal, com as mãos nos quadris, indo até cada um deles, até mesmo com a pequena Gracie, e dizendo, com a voz mais severa que conseguia: "Aonde vocês tão indo?" E eles enfiavam a mão no bolso que Anna tinha costurado nos vestidos e nas calças e, sem discussão, sempre em silêncio, empurravam os documentos nas mãos de Jo.

Quando ele começou a fazer isso, as crianças estouravam de rir, achando que era uma brincadeira. Elas não sabiam do medo que Jo tinha de pessoas uniformizadas; não sabiam como era ficar calado, quase sem respirar, debaixo do assoalho de uma casa de quacres, escutando o som do tacão da bota de um caçador de escravos acima de você. Jo tinha se esforçado tanto para que seus filhos não herdassem esse medo, mas agora desejava que eles pelo menos sentissem um pouquinho de medo.

— Você se preocupa demais — disse Anna. — Ninguém vai vir procurar essas crianças. Ninguém vem procurar a gente também. — Agora o bebê estava para chegar a qualquer dia, e Jo tinha percebido que a mulher estava mais irritadiça, retrucando com aspereza pelas menores coisas. Ela morria de desejo de peixe e limões. Andava com as mãos na parte inferior das costas e se esquecia das coisas. Num dia, as chaves; no outro, a vassoura. Jo ficava preocupado achando que ela em seguida se esqueceria de levar os documentos. Ele a tinha visto deixá-los, amarfanhados e gastos, no seu lado do colchão um dia em que foi à feira e gritou com ela por isso. Gritou tanto até ela chorar. Por pior que se sentisse naquele dia, Jo sabia que ela nunca mais iria esquecer os documentos.

E então, um dia, Anna não voltou para casa. Jo correu para o quarto para ver se ela teria deixado os documentos ali de novo, mas não os encontrou em parte alguma. E ele podia ouvir a voz doce de Anna dizendo no seu ouvido: "Tu te preocupa demais. Tu te preocupa demais." Beulah veio para casa, trazendo as outras crianças, e Jo perguntou se elas tinham visto a mãe.

— Será que o bebê H tá chegando, papai? — perguntou Eurias.

— Pode ser — disse Jo, ausente.

E então Ma Aku chegou em casa, com as mãos massageando a nuca. Ela não demorou para examinar o cômodo.

— Cadê Anna? Ela disse que ia comprar sardinha antes de vir pra casa — disse Ma, mas Jo já estava saindo pela porta.

Ele foi ao armazém, à loja da esquina, à loja de tecidos. Foi ao mercado de peixes, ao sapateiro, ao hospital. Aos estaleiros, ao museu, ao banco.

— Anna? Hoje ela não passou aqui — disse um atrás do outro.

E então, pela primeira vez na vida, Jo bateu na porta de um homem branco de noite. O próprio Mathison abriu a porta.

— Ela não voltou pra casa desde de manhã — disse Jo, com a voz embargada. Fazia muito tempo que ele não chorava, e agora ele não queria chorar diante de um homem branco, por mais que esse homem o tivesse ajudado.

— Volte para casa, para seus filhos, Kojo. Vou começar a procurar por ela neste instante. Você, trate de ir para casa.

Jo assentiu e, na caminhada atordoada de volta para casa, ele começou a pensar em como seria a vida sem a mulher, a mulher que amava tanto e por tanto tempo. Todos se mantinham atualizados com a lei que estava se tornando conhecida como a "Lei dos Cães de Caça". Eles tinham ouvido falar dos cães, dos sequestros, dos julgamentos. Tinham ouvido tudo, mas eles não tinham conquistado sua liberdade? Os dias passados em fuga através das florestas e escondidos debaixo de assoalhos. Não era esse o preço que tinham pagado? Jo não queria aceitar o que já estava começando a saber no seu coração. Anna e o bebê H tinham sumido.

Jo não conseguiu ficar de braços cruzados e esperar que Mathison procurasse por Anna. Mathison podia ter todos os contatos no mundo dos brancos ricos que alguém poderia desejar, mas Jo conhecia os negros e os brancos pobres, imigrantes, de Baltimore. E à noite, depois que acabava de trabalhar nos navios, ele saía para conversar com eles, tentando colher informações.

No entanto, aonde quer que fosse, a resposta era a mesma. Eles tinham visto Anna naquela manhã, no dia anterior, três noites antes. No dia em que Anna desapareceu, ela havia ficado na casa dos Mathison até as seis. Depois dessa hora, nada. Ninguém a tinha visto.

O jovem marido de Agnes, Timmy, era um bom desenhista. Ele fez um retrato de Anna, de memória, que era mais parecido com ela do que qualquer retrato que Jo já tivesse visto. De manhã, Jo levou o retrato até Fell's Point. Entrou em todos os barcos do estaleiro, mostrando às pessoas o rosto de Anna, em traços fortes a carvão.

— Sinto muito, Jo — disseram todos eles.

Ele levou o retrato ao *Alice*; e, apesar de todos os outros homens já saberem como ela era, eles fizeram sua vontade, examinando o retrato com cuidado antes de dizer a Jo o que ele já sabia. Eles também não a tinham visto.

Jo habituou-se a levar o retrato no bolso enquanto trabalhava. Ele mergulhava no som do macete batendo no formão, aquele ritmo regular que ele conhecia tão bem. Aquilo o tranquilizava. E então, um dia, quando estava preparando a estopa, o retrato escorregou do bolso; e quando Jo conseguiu pegá-lo, as bordas inferiores já estavam empapadas de alcatrão de pinheiro. Quando tentou limpar o retrato, o alcatrão grudou nos seus dedos; e, quando levantou a mão para secar o suor da testa, sua pele ficou tremeluzindo com o alcatrão.

— Preciso ir — disse Jo a Poot, nervoso, agitando o retrato, na esperança de que o vento o secasse.

— Você não pode faltar mais, Jo — disse Poot. — Eles vão dar o teu lugar pra um desses irlandeses aí, hem? Quem vai levar comida pras crianças, Jo?

Jo já estava correndo rumo à terra firme.

Quando chegou à loja de móveis na rua Aliceanna, Jo já estava mostrando o retrato a todas as pessoas que passavam. Ele não sabia o que estava pensando quando o empurrou no rosto da mulher branca que vinha saindo da loja.

— Por favor, senhora — disse ele. — A senhora viu minha mulher? Tô procurando minha mulher.

A mulher afastou-se dele, recuando devagar, com os olhos arregalados de medo, mas nunca deixando de encará-lo, como se, caso ela lhe desse as costas, ele fosse se sentir livre para atacá-la.

— Não se aproxime de mim — disse a mulher, estendendo a mão à sua frente.

— Tô procurando minha mulher. Por favor, senhora. É só olhar o retrato. A senhora viu minha mulher?

Ela fez que não com a cabeça e com a mão estendida também. Não chegou a olhar para o retrato nem de relance.

— Eu tenho filhos — disse ela. — Por favor, não me machuque.

Será que ela sequer escutou uma palavra do que ele disse? De repente, Jo sentiu dois braços fortes que o agarravam por trás.

— Esse negro está incomodando a senhora? — perguntou uma voz.

— Não, senhor policial. Obrigada, senhor — disse a mulher, respirando mais tranquila e então indo embora.

O policial girou Jo para vê-lo de frente. Jo estava tão apavorado que não conseguia levantar os olhos. Em vez disso, ele levantou o retrato.

Kojo

— Por favor, senhor, minha mulher. Ela tá com oito meses de gravidez e eu não vejo ela faz dias.

— Sua mulher, é? — disse o policial, arrancando o retrato das mãos de Jo. — Neguinha bonita, não é não?

Ainda assim, Jo não conseguia olhar para ele.

— Por que você não me deixa levar esse retrato?

Jo fez que não. Ele quase tinha perdido o retrato naquele dia e não sabia o que faria se o perdesse de uma vez.

— Por favor, senhor, é só esse que eu tenho.

E então Jo ouviu o som do papel sendo rasgado. Ele olhou para ver o nariz, as orelhas, os fios de cabelo de Anna, os pedacinhos destruídos sendo levados pelo vento.

— Estou cheio de todos esses criolos fugitivos acharem que estão acima da lei. Se sua mulher era uma negra fugida, ela teve o que merecia. E você? Você é um negro fugido? Posso despachar você pra ir ver sua mulher.

Jo encarou o olhar do policial. Ele tinha a impressão de que seu corpo inteiro estava tremendo. Ele não podia ver o tremor, mas podia senti-lo por dentro, um sacolejar irrefreável.

— Não, senhor — disse ele.

— Fale mais alto — disse o policial.

— Não, senhor. Eu nasci livre, bem aqui em Baltimore.

O policial deu um sorriso pretensioso.

— Pode ir pra casa — disse ele, dando meia-volta e se afastando dali. E aquele tremor que tinha sido mantido preso em algum lugar, dentro dos ossos de Jo, começou a escapar, até ele se sentar no chão duro, tentando se controlar.

— Conte para ele o que me contou — disse Mathison. Jo estava em pé na sala de visitas de Mathison, três semanas depois.

Ma Aku tinha adoecido e já não podia ir trabalhar, mas Jo ainda dava uma passada na casa de Mathison quando voltava do trabalho, para ver se o homem tinha alguma notícia de Anna.

Nesse dia, Mathison estava segurando pelos ombros uma criança negra apavorada. O menino não poderia ser muito mais velho que Daly; e, se ele só estivesse um pouco mais assustado por ser levado para dentro da casa por um homem branco, sua pele teria ficado cinza em vez da cor negra de alcatrão frio.

Ele ficou ali parado, com as mãos trêmulas, olhando para Jo.

— Eu vi um homem branco pegar uma mulher grávida na carruagem. Ele disse que ela tava grávida demais pra andar, e ele pegou ela.

Jo curvou-se até seus olhos ficarem no mesmo nível dos olhos da criança trêmula. Ele segurou o queixo do menino e o forçou a olhar para ele. Examinou os olhos do menino pelo que pareceram dias, três semanas inteiras, para ser exato, em busca de Anna.

— Eles venderam ela — disse Jo a Mathison, voltando a se empertigar.

— Ora, Jo, isso nós não sabemos. Pode ser que tenham precisado lhe dar atendimento médico de emergência. Anna era livre, por direito, e estava grávida — retrucou Mathison, mas não havia segurança na sua voz. Eles tinham verificado todos os hospitais, todas as parteiras, até mesmo os curandeiros. Ninguém tinha visto Anna nem o bebê H.

— Eles venderam ela e o bebê também — disse Jo. E antes que ele ou Mathison pudessem impedi-lo ou lhe agradecer, o menino se desvencilhou e saiu correndo da casa dos Mathison, mais rápido que um raio. Era provável que ele fosse contar aos amigos toda aquela história, de estar na casa imponente de um homem branco que andava fazendo perguntas sobre uma mulher negra. No relato, ele faria com que seu papel parecesse melhor. Diria que se manteve em pé, falando com firmeza, que o homem apertou sua mão depois e lhe ofereceu um quarto de dólar.

— Vamos continuar procurando, Jo — disse Mathison, observando o espaço vazio que o menino tinha deixado para trás. — Isso não está terminado. Nós vamos encontrá-la. Irei à justiça se for preciso, Jo. Eu prometo.

Jo já não o escutava. O vento estava entrando pela porta que a criança tinha deixado entreaberta. Ele girava em torno das grandes pilastras brancas que sustentavam a casa, curvando-se ao redor delas, dobrando-se até conseguir se encaixar no espaço estreito do canal auditivo de Jo. Ele estava ali para lhe dizer que o outono tinha chegado a Baltimore e que ele teria de passar a estação sozinho, cuidando da sua Ma enferma e dos sete filhos, sem sua Anna.

Quando chegou em casa, os filhos estavam todos esperando. Agnes tinha vindo visitar com Timmy. Ela estava grávida, Jo simplesmente sabia, mas também sabia que ela estava com medo de lhe contar, de magoá-lo ou de desrespeitar a memória de três semanas da sua mãe, com medo de que sua pequena alegria fosse quase uma vergonha.

— Jo? — Ma Aku chamou. Jo tinha lhe dado o quarto quando sua dor começou a piorar.

Ele foi até lá. Ela estava deitada de costas, olhando fixamente para o teto, com as mãos cruzadas sobre o peito. Voltou a cabeça para ele e falou em twi, algo que costumava fazer muito quando ele era pequeno, mas que tinha parado quase totalmente de fazer desde que ele se casou com Anna.

— Ela se foi? — perguntou Ma, e Jo fez que sim. Ela deu um suspiro. — Você vai sair dessa, Jo. Nyame não fez axântis fracos, e axânti é o que você é, por mais que o homem aqui, branco ou negro, queira apagar essa sua parte. Sua mãe vinha de uma linhagem forte, poderosa. Gente que não se entrega.

— Você é minha mãe — disse Jo, e Ma Aku, com um esforço enorme, virou o corpo inteiro na direção dele e abriu os braços. Jo entrou na cama com ela e chorou com a cabeça pousada no seu peito, como não fazia desde pequeno. Naquela época, ele chorava por Sam e Ness. A única coisa que o tranquilizava eram histórias sobre eles, mesmo se fossem desagradáveis. E, assim, Ma Aku lhe contava que Sam quase não falava, mas, quando falava, era carinhoso e sábio. E que Ness tinha as cicatrizes de chicotadas mais medonhas que ela já tinha visto. Jo costumava se preocupar, achando que a linhagem da sua família tinha sido interrompida, que estava perdida para sempre. Ele nunca saberia de verdade quem era sua gente, e quem tinham sido as pessoas que vieram antes. E se houvesse histórias a ser contadas sobre o lugar de onde ele vinha, ele nunca as ouviria. Quando ele se sentia desse modo, Ma Aku o abraçava apertado e, em vez de relatos sobre a família, ela lhe contava histórias sobre nações. Os fantis da costa, os axântis do interior, o povo akan.

Agora, deitado ali, encostado nessa mulher, ele sabia que pertencia a alguém, e isso um dia tinha lhe bastado.

Passaram-se dez anos. Ma Aku passou com eles. Agnes tinha três filhos. Beulah estava grávida. E Cato e Felicity estavam casados. Assim que puderam, tanto Eurias quanto Gracie, a caçula da turma, encontraram trabalho em que dormissem no emprego. Disseram que era para ajudar a aliviar parte da carga do pai, mas Jo sabia a verdade. Seus filhos já não aguentavam ficar perto dele; e embora detestasse admitir isso, ele mesmo não suportava ficar perto deles.

O problema era Anna. O fato de que ele a via por toda parte em Baltimore, em cada loja, em cada rua. Às vezes, ele via uns quadris largos virando uma esquina e os seguia por quarteirões a fio. Uma vez, tinha levado um tapa ao fazer isso. Era inverno, e a mulher, de pele tão clara que parecia leite só com uma gota de café, tinha virado uma esquina e esperado por ele ali. O tapa foi tão rápido que ele nem mesmo percebeu quem o tinha dado, até que ela voltou a lhe dar as costas e ele viu o balanço generoso dos seus quadris.

Ele foi para Nova York. Não fazia diferença que tivesse se tornado um dos melhores calafetadores de navios da área da baía de Chesapeake. Ele não conseguia olhar de novo para uma embarcação. Não conseguia pegar um formão nem sentir o cheiro de calafetagem, estopa ou alcatrão, sem pensar na vida que tinha tido, na mulher e nos filhos do seu passado, e essa lembrança era demais para ele.

Em Nova York, ele fazia o trabalho que conseguia. Principalmente de carpinteiro, mas também de bombeiro hidráulico, quando aparecia, embora muitas vezes ele fosse mal remunerado. Ele alugava um quarto de uma negra idosa, que preparava suas refeições e lavava sua roupa, espontaneamente. A maior parte das noites ele passava num bar só para negros.

Num dia tempestuoso de dezembro, ele entrou e se sentou no lugar de costume, passando a mão pela madeira lisa do balcão. O trabalho era impecável, e ele sempre tinha desconfiado de que tivesse sido feito por algum negro, talvez durante seus primeiros dias de liberdade em Nova York, tão feliz por poder fazer alguma coisa para si mesmo, em vez de para outra pessoa, que pôs toda a sua alma no trabalho.

O barman, homem que mancava de modo quase imperceptível, serviu a bebida de Jo antes mesmo que Jo a pedisse e a pôs diante dele. O homem sentado ao lado dele estava abrindo com um estalo o jornal da manhã, agora amarfanhado, molhado com a umidade do balcão ou com as poucas gotas respingadas da sua bebida.

— A Carolina do Sul saiu hoje da União — disse o homem, para ninguém em particular. Como não houve nenhuma reação, ele ergueu os olhos do jornal e olhou ao redor para os poucos que ali se encontravam. — A guerra está chegando.

O barman começou a limpar o balcão com um trapo que parecia a Jo mais sujo que o próprio balcão.

— Não haverá guerra — disse ele, calmamente.

Jo vinha ouvindo falar da guerra havia anos. Aquilo não significava muito para ele, e ele tentava evitar a conversa sempre que possível, desconfiado de simpatizantes sulistas no norte ou, pior, de brancos nortistas excessivamente entusiasmados que queriam que ele sentisse mais raiva e falasse mais alto, para defender a si mesmo e a seu direito à liberdade.

Mas Jo não sentia raiva. Não mais. No fundo, ele não saberia dizer se antes o que ele tinha sentido era raiva. Era uma emoção para a qual ele não via utilidade, que não realizava nada e significava ainda menos. Se sentia alguma coisa, na verdade era cansaço.

— Estou lhes dizendo, isso é um mau sinal. É só um estado sulista se separar, que os outros vão seguir o exemplo.

O país não pode se chamar de Estados Unidos da América se metade dos estados se for. Prestem atenção ao que digo: a guerra está chegando.

O barman revirou os olhos.

— Não vou prestar atenção a nada. E a menos que tenha dinheiro pra outro drinque, acho que está na hora de você parar de falar e ir andando.

O homem bufou ruidosamente enquanto enrolava o jornal. Quando passou por Jo, ele lhe deu uma batidinha no ombro com o jornal; e quando Jo se virou para olhar para ele, o homem piscou um olho, como se ele e Jo estivessem por dentro de algum esquema, como se eles dois soubessem de alguma coisa que o resto do mundo não sabia. Mas Jo não conseguiu imaginar o que poderia ser.

Abena

ENQUANTO ABENA FAZIA A viagem de volta à sua aldeia, com sementes novas nas mãos, ela ainda mais uma vez pensava na idade que tinha. Nunca se ouvira falar de uma mulher de vinte e cinco anos que não fosse casada, na sua aldeia, em qualquer outra aldeia do continente ou do continente seguinte. Mas só havia alguns homens no lugar, e nenhum deles queria se arriscar com a filha do Azarado. As lavouras do pai de Abena nunca cresciam. Ano após ano, estação após estação, a terra cuspia plantas doentes ou, às vezes, absolutamente nada. Quem ia saber de onde vinha esse azar?

Abena sentiu as sementes na mão: pequenas, redondas e duras. Quem suspeitaria que elas poderiam se transformar numa lavoura inteira? Ela se perguntava se, esse ano, elas fariam isso pelo seu pai. Abena tinha certeza de que devia ter herdado aquela coisa que tinha levado o pai a merecer aquele apelido. Eles o chamavam de homem sem nome. Eles o chamavam de Azarado. E agora os problemas dele a tinham acompanhado. Nem mesmo seu melhor amigo de infância,

Ohene Nyarko, queria tê-la como segunda esposa. Embora ele nunca se dispusesse a dizer isso, ela sabia o que ele estava pensando: que ela não valia a perda de inhames e vinho que um preço da noiva lhe custaria. Às vezes, enquanto dormia na cabana particular que o pai construíra para ela, Abena se perguntava se ela é que não seria uma maldição, não a terra improdutiva que os cercava, mas ela própria.

— Velho, eu trouxe as sementes que você pediu — anunciou ela ao entrar na cabana dos pais. Abena tinha ido à aldeia vizinha porque seu pai achava, ainda mais uma vez, que uma troca de sementes talvez produzisse uma mudança na sorte.

— Obrigado — disse ele. Dentro da cabana, a mãe de Abena estava varrendo o chão, encurvada para a frente, com a mão nas costas, à altura da cintura, e a outra mão segurando firme as cerdas de palmeira, enquanto balançava ao som de uma música que só ela ouvia.

Abena pigarreou.

— Eu queria visitar Kumasi — disse ela. — Gostaria de ver o lugar só uma vez antes de morrer.

O pai levantou a cabeça, num movimento brusco. Ele estava examinando as sementes nas mãos, revirando-as, levando-as à orelha, como se pudesse ouvi-las, levando-as aos lábios, como se pudesse prová-las.

— Não — disse ele, com firmeza.

A mãe não se ergueu, mas parou de varrer. Abena já não ouvia as cerdas roçando na terra batida.

— Está na hora de eu fazer a viagem — disse Abena, com os olhos neutros. — Está na hora de eu conhecer pessoas de outras aldeias. Logo serei uma velhota sem filhos e não conhecerei nada a não ser esta aldeia e a vizinha. Quero visitar

Kumasi. Ver como é uma cidade grande, passar pelo palácio do rei dos axântis.

Ao ouvir as palavras "rei dos axântis", o pai cerrou os punhos, esmagando as sementes que estavam nas suas mãos, tornando-as um pó fino que escorreu pelos pequenos espaços entre seus dedos.

— Ver o palácio do rei dos axântis para quê? — gritou ele.

— E eu não sou uma axânti? — perguntou ela, desafiando-o a contar a verdade, a explicar o fanti no seu sotaque, o branco na sua pele. — O meu povo não é de Kumasi? Você me mantém aqui como uma prisioneira com esse seu azar. Azarado é como eles o chamam, mas seu nome deveria ser Envergonhado, Medroso ou Mentiroso. Qual é o certo, Velho?

Com isso, o pai deu-lhe um forte tapa na face esquerda, e as sementes na mão dele cobriram o rosto de Abena como um pó. Ela subiu com a mão para onde a dor estava. Ele nunca tinha batido nela. Todos os filhos naquela aldeia tinham apanhado por motivos tão pequenos quanto derramar a água de um balde ou tão importantes quanto dormir com alguém antes do casamento. Mas os pais dela jamais tinham batido nela. Em vez disso, eles a tratavam como uma igual, pedindo sua opinião e debatendo com ela seus planos. A única proibição que lhe impuseram era de ir a Kumasi, a terra do rei dos axântis, ou de descer até à terra dos fantis. E embora ela não se interessasse pela Costa, nem sentisse respeito pelo povo fanti, seu orgulho pelos axântis era enorme. A cada dia, ele crescia à medida que chegavam notícias das valorosas batalhas dos soldados axântis contra os ingleses, da sua força, da sua esperança por um reino livre.

Até onde ela conseguia se lembrar, seus pais criavam uma desculpa atrás da outra. Ela era pequena demais. Seu sangue não tinha chegado. Ela não tinha se casado. Ela nunca ia se casar. Abena começara a acreditar que os pais tinham matado alguém em Kumasi ou que eram procurados pelos guardas do rei, talvez até mesmo pelo próprio rei. Ela já não se importava. Abena limpou o pó das sementes do rosto e fechou o punho, mas, antes que pudesse usá-lo, sua mãe chegou por trás dela e agarrou seu braço.

— Chega — disse a mãe.

O Velho estava cabisbaixo quando saiu da cabana, e quando o ar fresco lá de fora atingiu sua nuca exposta, Abena começou a chorar.

— Sente-se — disse a mãe, indicando o banco que seu pai tinha acabado de deixar. Abena obedeceu e ficou olhando sua mãe, uma mulher de sessenta e cinco anos, que não parecia mais velha do que ela mesma, ainda tão bonita que os garotos da aldeia cochichavam e assobiavam quando ela se abaixava para pegar água. — Seu pai e eu não somos bem-vindos em Kumasi — disse ela. Falava como alguém que se dirige a uma senhora idosa cujas lembranças, aquelas coisas que costumavam ser crisálidas rígidas, tinham se transformado em borboletas e saído voando por aí, para nunca mais voltar. — Eu sou de Kumasi e, quando jovem, desafiei meus pais para me casar com seu pai. Ele veio me buscar. Percorreu toda a distância desde a terra dos fantis.

Abena abanou a cabeça.

— Por que seus pais não queriam que vocês se casassem?

Akosua pôs a mão sobre a mão da filha e começou a afagá-la.

— Seu pai era um... — Ela parou, procurando as palavras certas. Abena sabia que a mãe não queria revelar um segredo que não lhe cabia revelar. — Ele era filho de um Grande Homem, neto de dois Grandes Homens, e queria levar uma vida por si mesmo, em vez de levar uma vida escolhida por outros para ele. Ele queria que seus filhos pudessem fazer o mesmo. É só isso o que posso dizer. Vá visitar Kumasi. Seu pai não a impedirá.

A mãe deixou a cabana para ir procurar o pai, e Abena ficou olhando fixamente para as paredes de barro vermelho que a cercavam. Seu pai deveria ter sido um Grande Homem, mas ele tinha preferido isso: barro vermelho na forma de um círculo, um telhado de palha compactada, uma cabana tão pequena que nela não cabiam mais do que alguns bancos feitos de tocos de árvores. Lá fora, a terra arruinada de uma lavoura que nunca tinha feito jus ao nome de lavoura. A decisão dele tinha representado para ela a vergonha, sua vergonha por não se casar e não ter filhos. Ela iria a Kumasi.

À noite, depois de ter certeza de que seus pais estavam dormindo, Abena foi, sorrateira, até o *compound* de Ohene Nyarko. A primeira esposa dele, Mefia, estava fervendo água diante da sua cabana, com o vapor do ar e do caldeirão fazendo-a suar.

— Irmã Mefia, seu marido está? — perguntou Abena, e Mefia revirou os olhos e apontou para a porta.

As lavouras de Ohene Nyarko eram produtivas todos os anos. Apesar de sua aldeia não possuir mais do que mil e duzentos acres, apesar de não haver ninguém que chegasse a ser chamado de Chefe ou de Grande Homem, tão pequeno era seu território e tão baixo seu status, Ohene era respeitado. Era um homem que teria se saído muito bem em outro lugar, se não tivesse nascido ali.

Abena

— Sua esposa me odeia — disse Abena.

— Ela acha que eu ainda me deito com você — disse Ohene Nyarko, com malícia cintilando nos olhos. Abena teve vontade de lhe dar uns tapas.

Ela se encolheu ao pensar no que tinha acontecido entre eles. Na época, eles não eram mais que crianças. Inseparáveis e travessas. Ohene tinha descoberto que o pauzinho entre suas pernas era mágico. E enquanto o pai e a mãe de Abena estavam fora, mendigando por uma porção de alimento dos anciãos, como faziam todas as semanas, Ohene tinha mostrado a Abena a tal mágica.

— Viu? — dissera ele, enquanto os dois observavam o pauzinho crescer quando ela o tocava. Tanto ele como ela tinham visto o mesmo acontecer com o dos pais. Ohene, naquelas vezes em que seu pai saía da cabana de uma esposa para a da seguinte; e Abena, nos tempos em que não tinha sua própria cabana. Mas eles nunca tinham sabido que o de Ohene faria a mesma coisa.

— O que você está sentindo? — perguntara ela.

Ele deu de ombros, sorriu, e ela soube que a sensação era boa. Abena era filha de pais que a deixavam dizer o que pensava, perseguir o que queria, mesmo que fosse alguma coisa restrita aos meninos. Agora ela queria isso.

— Deita em cima de mim! — ordenou ela, lembrando-se do que tantas vezes tinha visto seus pais fazendo. Todos na aldeia sempre riam dos pais dela, dizendo que Azarado era pobre demais para ter uma segunda esposa, mas Abena sabia a verdade. Que, naquelas noites em que dormia no outro lado da pequena cabana, fingindo não escutar, ela podia ouvir seu pai sussurrar, "Akosua, para mim, é só você".

— Não podemos fazer isso antes da cerimônia do casamento! — disse Ohene, mortificado. Todas as crianças tinham ouvido as fábulas sobre pessoas que se deitavam juntas antes da cerimônia: uma delas, difícil de acreditar, sobre o homem cujo pênis se transformou numa árvore enquanto ele ainda estava dentro da mulher, lançando galhos dentro do ventre dela, de tal modo que ele não conseguia sair do seu corpo; as mais simples, e mais verdadeiras, sobre o banimento, multas e vergonha.

Por fim, uma noite, Abena conseguiu convencer Ohene, e ele se atrapalhou um pouco, forçando a entrada até abrir caminho; e ela sentiu dor, empurrões por dentro, uma vez, duas e depois nada. Não houve gemidos altos nem baixos, como eles tinham ouvido escapar da boca dos pais. Ele simplesmente saiu do mesmo jeito que tinha chegado.

Naquela época, ela era forte, inabalável, capaz de convencê--lo a fazer qualquer coisa. Agora Abena mantinha o olhar fixo em Ohene Nyarko, enquanto ele estava ali em pé, de ombros largos, com um sorrisinho, aguardando que ela pedisse o favor que ele sabia que estava querendo escapar da sua boca.

— Preciso que me leve a Kumasi — disse ela. Não era prudente que ela viajasse sozinha e solteira; e ela sabia que o pai não a levaria.

Ohene Nyarko deixou explodir uma forte risada.

— Minha *darling*, não posso te levar a Kumasi agora. São mais de duas semanas de viagem, e as chuvas logo vão chegar. Preciso cuidar da minha lavoura.

— Seus filhos é que fazem a maior parte do serviço — disse ela. Abena detestava quando ele a chamava de sua "*darling*", palavra sempre dita em inglês, como ela lhe ensinara, quando

Abena

os dois eram pequenos, depois que ela um dia tinha ouvido o pai usar a palavra e lhe perguntara o que significava. Ela detestava que Ohene Nyarko a chamasse de querida, enquanto sua esposa estava logo ali, preparando a refeição da noite e os filhos estavam lá fora cuidando das lavouras dele. Não parecia direito que ele a deixasse coberta de vergonha, como tinha feito todos aqueles anos, não quando ela sabia, só de olhar para os campos dele, que em breve ele teria condições para sustentar uma segunda esposa.

— É, mas quem supervisiona meus filhos? Um fantasma? Não posso me casar com você se os inhames não crescerem.

— Se você não se casou comigo até agora, não vai se casar nunca — murmurou Abena, surpresa com o nó duro que se formou tão depressa na sua garganta. Ela odiava quando ele fazia piadas sobre casar-se com ela.

Ohene Nyarko estalou a língua e puxou Abena para junto do peito.

— Não chore agora — disse ele. — Eu te levo na capital dos axântis, está bem? Não chore, minha *darling*.

Ohene Nyarko era um homem de palavra, e quando terminou aquela semana, os dois partiram rumo a Kumasi, o lar do *asantehene*.

Para Abena, tudo parecia novidade. Os *compounds* eram construídos de pedra, com cinco ou seis cabanas cada, não uma ou duas no máximo. Essas cabanas eram tão altas que fizeram ressurgir a imagem dos gigantes de três metros de altura, das histórias que sua mãe costumava lhe contar. Gigantes que se abaixavam velozes para arrancar da terra batida as criancinhas que não se comportassem. Abena imaginava as famílias de gigantes que moravam na cidade, buscando água, construindo fogueiras para pôr a ferver na sopa as crianças malcomportadas.

Kumasi estendia-se diante deles, interminável. Abena nunca estivera num lugar em que não soubesse o nome de todos. Nunca estivera numa lavoura que não pudesse medir com o olhar, tão pequenos eram os campos de cada família. Ali, as terras de cultivo eram vastas, exuberantes e cheias de trabalhadores para cuidar delas. As pessoas vendiam suas mercadorias no meio da cidade, coisas que ela nunca tinha visto, relíquias dos velhos tempos do comércio constante com os ingleses e os holandeses.

De tarde, eles passaram pelo palácio do *asantehene*. Ele era tão comprido e largo que ela achou que ali caberiam mais de cem pessoas: esposas, filhos, escravos e mais.

— Podemos ver o Tamborete Dourado? — perguntou Abena, e Ohene Nyarko a levou à sala onde ele era mantido, trancado por trás de uma parede de vidro para que ninguém tocasse nele.

Era o tamborete que continha o *sunsum*, a alma, da nação axânti inteira. Recoberto de ouro, ele tinha descido do céu, indo parar no colo do primeiro *asantehene*, Osei Tutu. Ninguém tinha permissão para se sentar nele, nem mesmo o próprio rei. Apesar de tentar se controlar, Abena sentiu que lágrimas faziam arder seus olhos. Toda a sua vida, tinha ouvido falar desse tamborete, pelos anciãos da sua aldeia, mas nunca o tinha visto com seus próprios olhos.

Depois que ela e Ohene Nyarko terminaram a visita ao palácio, eles saíram pelos portões dourados. Naquele momento,

Abena

vinha entrando um homem não muito mais velho do que o pai de Abena, envolto em *kente*, caminhando com uma bengala. Ele parou e olhou atento para o rosto de Abena.

— Você é um fantasma? — perguntou ele, quase aos gritos.

— É você, James? Disseram que você tinha morrido na guerra, mas eu sabia que não era possível que isso tivesse acontecido!

— Ele estendeu a mão direita e roçou a face de Abena, tocando nela por tanto tempo e com tanta familiaridade que Ohene Nyarko precisou por fim afastar sua mão.

— Velho, não está vendo que se trata de uma mulher? Aqui não há nenhum James.

O homem sacudiu a cabeça como se quisesse desanuviar os olhos, mas, quando voltou a olhar para Abena, só havia confusão no seu rosto.

— Desculpe — disse ele, antes de se afastar manquitolando.

Quando ele se foi, Ohene Nyarko foi empurrando Abena para sair pelos portões, até que os dois se encontrassem no meio do alvoroço da cidade.

— Esse velho deve ser meio cego — resmungou ele, conduzindo Abena pelo cotovelo.

— Fala baixo — disse Abena, embora não houvesse a menor possibilidade de que o velho ainda pudesse ouvi-los. — Vai ver que é um homem da realeza.

Ohene Nyarko bufou.

— Se ele é da realeza, então você também é — disse ele, com uma forte risada.

Os dois continuaram andando. Antes de voltarem, Ohene Nyarko queria comprar novas ferramentas para a lavoura com algumas pessoas que ele conhecia em Kumasi, mas Abena não tolerou a ideia de perder tempo com gente que não conhecia, quando poderia estar aproveitando Kumasi em si. Por isso, ela e Ohene Nyarko se separaram, com a promessa de voltar a se encontrar antes do anoitecer.

Ela andou até que a pele resistente da sola dos seus pés começou a arder e, então, parou um pouco, procurando o abrigo da sombra de uma palmeira.

— Com licença, Ma. Eu gostaria de falar do cristianismo com você.

Abena ergueu os olhos. O homem era escuro e vigoroso, com seu twi capenga ou enferrujado, ela não saberia dizer qual. Ela o observou mas não conseguiu localizar seu rosto em nenhuma das tribos que conhecia.

— Como você se chama? — perguntou ela. — Qual é seu povo?

O homem sorriu e fez que não.

— Não importa o meu nome ou de que povo sou. Venha, deixa eu te mostrar o trabalho que estamos fazendo aqui. — E como era curiosa, Abena o acompanhou.

Ele a levou a um trecho de terra batida, uma clareira que estava esperando, implorando, que alguma coisa fosse construída ali, para que a cidade que se esparramava ao redor parasse de parecer um círculo incompleto. De início, Abena não viu muita coisa, mas então mais homens escuros, de rostos não identificáveis, chegaram à clareira trazendo tocos de árvore para funcionar como bancos. Depois, surgiu um homem branco. Ele era o primeiro homem branco que Abena tinha visto na vida. Muito embora, todos cochichassem, dizendo que havia sangue branco no pai dela, ele sempre tinha lhe parecido não mais que uma versão mais clara dela mesma.

Abena

Esse era o homem de que os habitantes da aldeia realmente falavam, o homem que tinha vindo à Costa do Ouro em busca de escravos e de ouro, não importava de que modo os conseguisse. Fosse roubando, fosse mentindo, fosse prometendo aliança aos fantis e poder aos axântis, o homem branco sempre encontrava um jeito de obter o que queria. Mas o tráfico de escravos tinha finalmente terminado, e duas guerras entre os ingleses e os axântis tinham se passado. O homem branco, que eles chamavam de Abro Ni, o Perverso, por todos os problemas que ele tinha provocado, já não era bem-vindo ali.

E, no entanto, Abena o via, sentado no toco de uma árvore derrubada, conversando com os negros sem tribo.

— Quem é esse? — perguntou ela ao homem ao seu lado.

— O homem branco? — disse ele. — É o missionário.

O missionário agora estava olhando para ela, sorrindo e acenando para que eles se aproximassem. Mas o sol estava começando a se pôr, mergulhando entre as folhas das palmeiras que assinalavam o lado oeste da cidade; e Ohene Nyarko devia estar esperando por ela.

— Preciso ir — disse ela, já se afastando.

— Por favor! — disse o homem escuro. Às suas costas, o missionário levantou-se, pronto para vir atrás dela. — Estamos tentando construir igrejas por toda a região dos axântis. Por favor, venha nos procurar se um dia precisar de nós.

Abena fez que sim, mas já estava correndo. Quando chegou ao ponto do encontro, Ohene Nyarko estava comprando inhames assados de uma garota do interior. Uma garota que, como Abena, tinha vindo de alguma pequena aldeia axânti, na esperança de ver alguma coisa nova, de mudar suas circunstâncias.

— Ei, mulher de Kumasi — disse Ohene Nyarko. A garota tinha içado para o alto da cabeça seu grande caldeirão de barro cheio de inhames e estava indo embora, com os quadris mantendo um balanço uniforme. — Você está atrasada.

— Vi um homem branco — disse ela, encostando a palma da mão no muro do *compound* de alguém, enquanto tentava recuperar o fôlego. — Um homem de igreja.

Ohene Nyarko cuspiu no chão e chupou ar entre os dentes.

— Esses europeus! Será que não sabem ficar fora da terra dos axântis? Nós não acabamos de derrotá-los nessa última guerra? Não queremos saber de nada que eles estejam tentando nos trazer! Podem levar sua religião para os fantis, antes que arrasemos com todos eles.

Abena assentiu, distraída. Os homens da sua aldeia costumavam falar do conflito permanente entre os axântis e os ingleses, dizendo que os fantis eram simpatizantes dos brancos, e que nenhum homem branco poderia entrar na terra dos axântis e lhes dizer que ela já não era propriedade deles. Eram homens da aldeia, lavradores que nunca tinham visto a guerra, a maioria dos quais nunca tinha visto o litoral da Costa do Ouro que tanto queriam proteger.

Foi numa noite dessas que Papa Kwabena, um dos homens mais velhos da aldeia, tinha começado a falar do comércio de escravos.

— Sabem, eu tinha um primo no norte que foi levado da sua cabana no meio da noite. Zás! Simplesmente o levaram, e não sabemos quem o levou. Teria sido um guerreiro axânti? Teria sido um fanti? Não sabemos. Nós não sabemos para onde o levaram!

— Para o Castelo — disse o pai de Abena, e todos se voltaram para olhar para ele. Azarado. Que sempre se sentava no

Abena

fundo nas reuniões da aldeia, segurando a filha no colo como se fosse um filho. Eles permitiam isso por pena dele.

— Que castelo? — perguntou Papa Kwabena.

— Há um castelo na costa da terra dos fantis, chamado de Castelo de Cape Coast. Era lá que eles mantinham os escravos antes de mandá-los embora, para Aburokyire: a América, a Jamaica. Mercadores axântis costumavam trazer cativos. Intermediários dos fantis, jejes ou gas os prendiam e então os vendiam para os ingleses, para os holandeses ou para quem quer que pagasse mais na época. Todos eram responsáveis. Nós todos éramos... nós todos somos.

Os homens assentiram em silêncio, embora não soubessem o que era um castelo, o que era a América, mas não queriam parecer bobos diante do Azarado.

Ohene Nyarko cuspiu no chão um pedaço de inhame queimado e pôs a mão no ombro de Abena.

— Você está bem? — perguntou ele.

— Estava pensando no meu pai — disse ela.

Um sorriso surgiu no rosto de Ohene Nyarko.

— Ah, o Azarado. O que ele ia dizer se visse você aqui comigo agora, hem? Seu "filho" precioso, Abena, fazendo uma coisa que ele lhe proibiu por tanto tempo. — Ele riu. — Bem, vamos tratar de levar você de volta para casa agora.

Eles viajaram rápido e em silêncio, com Ohene Nyarko usando sua compleição sólida e grande para abrir caminho, atravessando terrenos com perigos em que Abena não se atrevia a pensar. Ao final da segunda semana, eles conseguiam avistar ao longe o contorno dos telhados da sua própria aldeia, por pequena que fosse.

— Por que não descansamos aqui? — perguntou Ohene Nyarko, apontando para um local bem diante deles. Deu para Abena ver que outros tinham descansado ali antes. Havia uma pequena gruta que tinha se formado a partir da queda de árvores, e o chão tinha sido limpo para abrir espaço para o abrigo.

— Não podemos continuar? — perguntou Abena. Ela estava começando a sentir saudade da mãe e do pai. Desde o dia em que tinha pronunciado a primeira palavra, ela lhes tinha contado tudo, e mal podia esperar para contar essa parte, mesmo sabendo que seu pai ainda ficaria com raiva. Ele ia querer ouvir o relato. Seus pais estavam ficando velhos, e ela sabia que eles não tinham tempo para guardar rancor.

Ohene Nyarko já estava pondo no chão suas coisas.

— Ainda falta um dia de viagem — disse ele. — E estou muito cansado, minha *darling*.

— Não me chame assim — disse Abena, deixando cair no chão suas próprias coisas enquanto se sentava na pequena gruta de árvores.

— Mas você é.

Ela não queria dizer aquilo. Pelo contrário, queria forçar as palavras a permanecerem dentro da boca, mas pôde sentir que elas lhe subiam pela garganta e faziam pressão contra seus lábios.

— Então por que você não quer se casar comigo?

Ohene Nyarko sentou ao lado dela.

— Nós já falamos sobre isso. Vou me casar com você quando minha próxima colheita for boa. Meus pais sempre diziam que eu não devia me casar com uma mulher cujo clã eu não conhecesse. Diziam que você só traria desonra para meus filhos, se chegássemos a ter filhos, mas eles já não falam por mim. Não me importo com o que os moradores da aldeia dizem. Não me importo se todos achavam que sua mãe era estéril até ela ter você. Não me importo por você ser a filha de um homem sem nome. Vou me casar com você assim que minha terra me disser que estou pronto para isso.

Abena não conseguia olhar para ele. Estava contemplando a casca das palmeiras, os losangos arredondados que se entrecruzavam. Cada um diferente; cada um o mesmo.

Ohene Nyarko virou o queixo dela para seu lado.

— Você precisa ter paciência — disse ele.

— Eu tive paciência enquanto você se casava com sua primeira esposa. Meus pais estão tão velhos que suas costas começaram a se encurvar. Em breve, eles cairão, como essas árvores, e aí como vai ser? — Ela não sabia se era a ideia de ficar sozinha sem os pais ou o fato da sua solidão atual, mas, antes que pudesse reprimi-las, as lágrimas já lhe escorriam pelo rosto.

Ohene Nyarko pôs as mãos nas suas faces e enxugou as lágrimas com os polegares, mas elas caíam mais rápido do que ele conseguia afastá-las, e ele usou os lábios, beijando a trilha salgada que elas tinham começado a formar.

Logo os lábios de Abena estavam se encontrando com os dele. Não eram os lábios de que se lembrava da infância: que eram finos e sempre secos porque ele se recusava a passar óleo neles. Eram mais grossos, uma armadilha para os dela, para sua própria língua.

Em pouco tempo, eles estavam deitados na penumbra da gruta. Abena tirou a roupa e ouviu Ohene Nyarko prender a respiração, ao tirar as dele. A princípio, eles simplesmente ficaram se olhando, assimilando o que viam, comparando com o que já tinham conhecido.

Ele estendeu a mão para ela, e ela se encolheu, lembrando-se da última vez que ele a tocara. Como tinha ficado deitada no chão da cabana dos pais, com os olhos fixos no telhado de palha, perguntando-se se era só aquilo, com a dor tão mais forte que o prazer que ela não conseguia entender por que aquilo acontecia em cabanas na sua aldeia inteira, na terra dos axântis, no mundo.

Agora, Ohene Nyarko prendeu os braços dela contra a terra vermelha batida. Ela lhe mordeu o braço, e ele rosnou, soltando-a, até ela o abraçar puxando-o de volta. Ele se movimentava como se conhecesse as cenas que se reproduziam dentro da cabeça de Abena. E ela deixou que ele entrasse. E se permitiu esquecer tudo que não fosse ele.

Quando terminaram, quando estavam suados, exaustos, tentando recuperar o fôlego, Abena descansou a cabeça no peito dele, aquele travesseiro arfante, sentindo o coração dele retumbar no seu ouvido.

Uma vez, Abena tinha passado um dia inteiro buscando água para a lavoura do pai: indo ao riacho, mergulhando o balde, voltando e enchendo o reservatório da família. Já estava quase escurecendo, e por mais água que ela trouxesse, parecia que nunca era suficiente. Na manhã do dia seguinte, as plantas tinham todas morrido, folhas murchas, marrons, coalhando a terra diante da sua cabana.

Naquela ocasião, ela só tinha cinco anos. Não entendia que as coisas podiam morrer apesar de todos os nossos esforços para mantê-las vivas. Tudo o que ela sabia era que, todas as manhãs, seu pai observava as plantas, rezava por elas e que, a cada estação, quando acontecia o inevitável, seu pai, um homem que ela nunca tinha visto chorar, que acolhia cada nova situação de má sorte como se fosse uma nova oportunidade, erguia mais a cabeça e começava de novo. Por isso, naquela vez, Abena tinha chorado por ele.

Ele a encontrou na cabana e se sentou ao seu lado.

— Por que está chorando? — perguntara ele.

— As plantas todas morreram, e eu podia ter ajudado! — disse ela, entre soluços.

— Abena, o que você teria feito de diferente se soubesse que as plantas iriam morrer?

Ela pensou um pouco, limpou o nariz com o dorso da mão e respondeu:

— Eu teria trazido mais água.

O pai concordou.

— Então, da próxima vez, traga mais água, mas não chore por essa vez. Não deveria haver lugar na sua vida para lamentações. Se, no momento em que fez alguma coisa, você sentia clareza, por que se lamentar mais tarde?

Ela assentiu em silêncio, muito embora não entendesse as palavras dele, porque sabia, mesmo naquela época, que ele estava falando mais por si mesmo.

Mas agora, deixando sua cabeça acompanhar o ritmo da respiração e do coração de Ohene Nyarko, o lento escorrer do suor combinado que deslizava entre eles dois, ela se lembrou daquelas palavras e não se arrependeu de nada.

No ano em que Abena visitou Kumasi, todos na sua aldeia tiveram uma colheita fraca. No ano seguinte, também. E ainda por cima por mais quatro anos. Os habitantes da aldeia começaram a se mudar dali. Alguns ficaram tão desesperados que chegaram a ir para o temido norte, atravessando o Volta, à procura de terras sem dono, terras que não os tivessem desamparado.

O pai de Abena estava tão velho que já não conseguia esticar as costas nem as mãos. Ele já não conseguia cultivar a terra. De modo que Abena fazia isso por ele, assistindo enquanto a terra devastada regurgitava a morte ano após ano. Os habitantes da aldeia não comiam. Eles diziam que era um ato de penitência, mas sabiam que não tinham escolha.

Até mesmo as terras de Ohene Nyarko, exuberantes no passado, tinham se tornado áridas. Com isso, sua promessa de se casar com Abena na próxima colheita boa tinha sido posta de lado.

Eles continuaram a se encontrar. No primeiro ano, antes de saberem o que a colheita traria, faziam isso com desfaçatez.

— Abena, tome cuidado — sua mãe lhe dizia pela manhã, depois que Ohene Nyarko saía da cabana de Abena, às escondidas. — Isso dá azar. — Mas Abena não se importava. E daí se as pessoas soubessem? E daí se ela engravidasse? Logo ela seria esposa de Ohene Nyarko, não apenas sua velha amiga transformada em amante.

Só que, naquele ano, a lavoura de Ohene Nyarko foi a primeira a adoecer, e as pessoas coçavam a cabeça, perguntando-se por quê. Até que suas próprias lavouras morreram, e elas começaram a dizer que devia haver uma feiticeira entre elas. Será que os problemas que elas achavam que o Azarado lhes traria tinham demorado tanto assim? Foi uma mulher chamada Aba a primeira que viu Ohene Nyarko passando pelo caminho de volta da cabana de Abena no final do segundo ano ruim.

Abena

— É Abena! — gritou Aba, na reunião seguinte da aldeia, irrompendo no recinto cheio de velhos, com a mão segurando o peito arquejante. — Foi ela que levou o mal a Ohene Nyarko, e esse mal está se espalhando por todos nós!

Os anciãos colheram relatos tanto de Ohene Nyarko como de Abena; e então, durante as oito horas seguintes, debateram o que fazer. Era razoável que Ohene Nyarko tivesse prometido casar-se com ela depois da próxima colheita boa. Eles não viam mal algum nisso, mas não podiam permitir que o sexo fora do casamento ficasse impune, para que as crianças não crescessem achando que esse tipo de coisa era aceitável, para que os mais supersticiosos entre eles não continuassem a culpar Abena pelos problemas da terra. Tudo o que sabiam era que a mulher tinha de ser tão estéril quanto a própria terra para ainda não ter concebido. E sabiam também que, se a banissem agora da aldeia, Ohene Nyarko ficaria com raiva demais para ajudá-los a fazer com que a terra se recuperasse depois que ela partisse. Finalmente, chegaram a uma decisão e a anunciaram a todos. Abena seria expulsa da aldeia quando concebesse ou depois de sete anos ruins. Se uma boa colheita ocorresse antes de qualquer desses dois eventos, eles permitiriam que ela ficasse.

— Seu marido está? — perguntou Abena à esposa de Ohene Nyarko no terceiro dia do sexto ano ruim. Tinha caminhado a pequena distância até ali enquanto o céu desabava sobre ela, mas, quando chegou, a chuva tinha parado.

Mefia não olhou para ela, nem falou. Na realidade, a primeira esposa de Ohene Nyarko não falava com Abena desde a noite em que brigou com o marido, implorando que ele terminasse esse caso, que acabasse com esse motivo de vergonha para a família, e ele respondeu que não voltaria atrás na palavra dada. Mesmo assim, Abena tentava ser gentil com a mulher sempre que podia.

Por fim, depois que o silêncio se tornou constrangedor demais para Abena suportar, ela entrou na cabana de Ohene Nyarko. Quando o viu, ele estava arrumando algumas coisas numa pequena bolsa de pano *kente*.

— Aonde você vai? — perguntou ela, em pé no vão da porta.

— Vou a Osu. Dizem que alguém de lá trouxe para cá uma planta nova. Dizem que ela vai se dar bem aqui.

— E o que eu vou fazer enquanto você estiver em Osu? É bem provável que me expulsem daqui no instante em que você se for — disse Abena.

Ohene Nyarko deixou suas coisas e levantou Abena nos braços para seus rostos ficarem no mesmo nível.

— E aí eles vão ter de se ver comigo quando eu voltar.

Ele a pôs no chão de volta. Lá fora, seus filhos estavam colhendo casca das árvores de cola-amarga e fazendo tirinhas de mascar para levar a Kumasi e vender a fim de comprar mantimentos. Abena sabia que isso envergonhava Ohene Nyarko — não que seus filhos tivessem encontrado algo de útil para fazer, mas que tivessem feito isso por ele não conseguir alimentá-los.

Eles fizeram amor rapidamente naquele dia, e Ohene Nyarko partiu logo depois. Abena voltou para casa e encontrou seus pais sentados diante de uma fogueira, torrando amendoins.

— Ohene Nyarko diz que há uma planta nova em Osu que está crescendo muito bem. Ele foi comprá-la para trazer para nós.

Sua mãe assentiu, calada. Seu pai deu de ombros. Abena sabia que os tinha envergonhado. Quando foi dada a sentença do seu futuro exílio, os pais tinham procurado os anciãos para tentar argumentar com eles, para que eles reconsiderassem. Naquela ocasião, e ainda agora, Azarado era o homem mais velho da aldeia. Ele ainda merecia ser tratado com deferência, mesmo que não lhe fosse permitido ser ancião por sua origem não ser dali.

"Só temos uma filha", disse o Velho, mas os anciãos simplesmente se recusaram a ouvi-lo.

"O que você foi fazer?", perguntou a mãe de Abena na hora do jantar naquela noite, chorando nas mãos antes de levantá-las para o céu. "O que eu fiz para merecer uma filha dessas?"

Mas, naquela ocasião, apenas dois anos ruins tinham se passado, e Abena garantiu-lhes que as plantas cresceriam e Ohene Nyarko se casaria com ela. Agora o único consolo dos pais estava no fato de que parecia que Abena teria herdado a suposta esterilidade da mãe, a maldição da família do Velho, ou o que quer que fosse que a impedisse de conceber.

— Aqui nada vai crescer — disse o Velho. — Esta aldeia está acabada. Ninguém pode continuar a viver assim. Ninguém vai conseguir viver mais um ano sem comer nada além de sementes e casca de árvore. Eles acham que estão exilando só você, mas, no fundo, esta terra condenou todos nós ao exílio. Fiquem atentas. É só uma questão de tempo.

Ohene Nyarko voltou uma semana depois com as novas sementes. A planta chamava-se cacau, e ele disse que ela mudaria tudo. Disse que o povo akuapem na região leste já estava colhendo os benefícios da nova planta, vendendo-a para os brancos de além-mar a um ritmo reminiscente do antigo comércio.

— Vocês não sabem quanto me custaram essas sementinhas! — disse Ohene Nyarko, estendendo a palma da mão com elas, para que todos ao redor pudessem ver, apalpar e cheirar as sementes. — Mas vai valer a pena para a aldeia. Acreditem em mim. Eles vão ter de parar de nos chamar de Costa do Ouro, para começar a nos chamar de Costa do Cacau!

E ele estava certo. Meses depois, os cacaueiros de Ohene Nyarko já tinham crescido, exibindo seus frutos dourados, verdes e da cor da laranja. Os moradores da aldeia nunca tinham visto nada parecido e estavam tão curiosos, tão ansiosos para tocar e abrir as cápsulas, antes que estivessem prontas, que Ohene Nyarko e os filhos passaram a dormir ao ar livre para poderem ficar de guarda.

— Mas será que isso vai nos alimentar? — perguntavam-se os moradores da aldeia depois de terem sido enxotados pelos filhos ou pelos gritos do próprio Ohene Nyarko.

Abena via Ohene Nyarko cada vez menos nesses primeiros meses da lavoura do cacau, mas a ausência era um consolo para ela. Quanto mais ele trabalhasse na lavoura, mais rápido ele teria uma boa colheita. E quanto mais rápido ele tivesse uma boa colheita, mais rápido eles teriam condições de casar. Nos dias em que realmente o via, ele não falava de nada a não ser do cacau e de quanto o cacau tinha lhe custado. Suas mãos tinham aquele cheiro novo, doce, escuro e terroso. E depois que ela o deixava, Abena continuava a sentir aquele cheiro nos lugares em que ele havia tocado, os círculos escuros de seus mamilos ou logo atrás das orelhas. A planta estava afetando a todos eles.

Finalmente, Ohene Nyarko disse que tinha chegado a hora da colheita, e todos os homens e mulheres da aldeia vieram para seguir suas instruções, como ele tinha aprendido com os lavradores da região leste. Eles quebraram o fruto do cacau para encontrar a polpa branca e doce que envolvia as pequenas sementes roxas, dispuseram as sementes carnudas numa camada de folhas de bananeira e então as cobriram com outras folhas de bananeira. Depois disso, Ohene Nyarko os dispensou.

— Não vamos poder viver disso — murmuravam os moradores da aldeia enquanto voltavam andando para casa. Algumas famílias já tinham começado a desmontar suas cabanas, desanimadas com o que tinham visto dentro dos frutos do cacaueiro. Mas os demais voltaram depois de cinco dias para espalhar ao sol as sementes fermentadas, para que elas secassem. Os moradores da aldeia tinham doado seus sacos de *kente*; e, quando secas, as sementes de cacau foram embaladas nesses sacos.

— E agora? — eles se perguntavam, olhando ao redor enquanto Ohene Nyarko guardava os sacos na sua cabana.

— Agora, vamos descansar — anunciou ele ao grupo que esperava do lado de fora. — Amanhã vou ao mercado para vender o que conseguir.

Naquela noite, ele dormiu na cabana de Abena, com tanta naturalidade e despudor como se os dois estivessem casados por quarenta anos ou mais, e isso deu a Abena a esperança de que logo eles se casariam. Mas o homem ao seu lado no chão não era a criatura confiante que tinha prometido a salvação para uma aldeia inteira. Nos seus braços, o homem que ela conhecia desde antes que os dois usassem panos para cobrir o sexo estava tremendo.

— E se não der certo? E se eu não conseguir vender nada? — perguntou ele, com a cabeça enfurnada nos seus seios.
— Para com isso — disse ela. — Elas vão ser vendidas. Têm de ser vendidas.

Mas ele continuou a chorar e a estremecer tanto que ela não ouviu quando ele falou.

— Tenho medo disso também. — E mesmo que tivesse ouvido, ela não teria entendido.

Quando ela acordou na manhã do dia seguinte, ele já tinha ido. Os moradores da aldeia tinham encontrado e matado um cabrito magricela, em preparação para sua volta, cozinhando a carne dura por dias, na melhor forma possível, na esperança de torná-la macia. As crianças menores, achando que eram rápidas e espertas, tentavam arrancar do animal pedacinhos de carne parcialmente cozida quando as mães não estavam olhando; mas as mulheres, nascidas com um sexto sentido para as travessuras infantis, lhes davam tapas nas mãos e depois as agarravam pelos pulsos, segurando-as acima do fogo até as crianças gritarem e jurarem se comportar.

Ohene Nyarko não voltou naquela noite nem na seguinte. Voltou na tarde do terceiro dia. Atrás dele, amarrados a uma corda vinham quatro cabritos gordos e teimosos, balindo como se já sentissem o cheiro do ferro da faca de abate. Os sacos que ele tinha levado, cheios de sementes de cacau, tinham voltado para eles, cheios de inhames e nozes-de-cola, um pouco de óleo de palma fresco e bastante vinho de palma.

Os moradores da aldeia fizeram uma comemoração como não se via igual havia muitos anos, com danças, gritos e seios nus, balouçantes. Os velhos e velhas dançaram o adowa, ondulando de leve os quadris e levantando as mãos para o alto e para trás, como que prontos para receber da Terra e depois devolver para ela.

Parecia que os estômagos tinham encolhido, de modo que o que eles comiam os saciava depressa; e os espaços que restavam entre os alimentos eles preenchiam com o doce vinho de palma.

Azarado e Akosua estavam tão felizes que os anos ruins tinham por fim terminado que ficaram ali abraçados, olhando enquanto os outros dançavam, vendo as crianças baterem no tambor da barriga cheia no mesmo compasso da música.

No meio de toda a comemoração, Abena olhou de longe para Ohene Nyarko, enquanto ele observava o povo da aldeia que eles todos amavam tanto. Seu rosto, cheio de orgulho e de alguma coisa que ela não conseguia identificar direito.

— Você se saiu muito bem — disse ela, aproximando-se dele. A noite inteira, Ohene Nyarko tinha se mantido a certa distância dela, e ela achou que era porque ele não queria chamar a atenção para eles dois no meio da comemoração, não queria que os moradores da aldeia começassem a se perguntar o que isso significava para o exílio de Abena. Mas era só nesse significado que Abena conseguia pensar. Ela ainda não tinha contado a ninguém, mas estava com quatro dias de atraso. Embora já tivesse tido quatro dias de atraso antes e imaginasse que voltaria a ter atrasos antes de morrer, ela se perguntava se essa vez seria *a* vez.

O que ela queria era que Ohene Nyarko proclamasse seu amor por ela aos quatro ventos. Que dissesse que ia se casar com ela, agora que a aldeia inteira tinha sido alimentada e festejada. Não amanhã, mas hoje. Neste mesmo dia. Esta comemoração será para nós.

— Olá, Abena — disse ele, porém. — Comeu bastante?

— Comi, obrigada.

Ele fez que sim e bebeu de uma cabaça de vinho de palma.

— Você se saiu muito bem, Ohene Nyarko — disse Abena, estendendo a mão para tocar no seu ombro, mas sua mão só roçou no ar. Ele se recusava a encará-la nos olhos. — Por que você se mexeu? — perguntou ela, recuando de junto dele.

— Como assim?

— Não diga "como assim" como se eu fosse maluca. Tentei tocar em você, e você se afastou.

— Calma, Abena. Não faça escândalo.

Ela não fez escândalo. Pelo contrário, deu meia-volta e começou a andar, passou pelas pessoas que dançavam, pelos seus pais que choravam, andou até encontrar o piso da sua cabana. Ali ela se deitou, com uma das mãos segurando o coração e a outra segurando o ventre.

Foi assim que os anciãos a encontraram no dia seguinte, quando vieram informar que ela poderia ficar na aldeia. Os anos ruins tinham terminado antes que se completasse o sétimo ano do adultério, e ela ainda não tinha concebido. E, disseram eles, a colheita de Ohene Nyarko tinha sido tão lucrativa que agora ele podia finalmente cumprir sua promessa.

— Ele não vai se casar comigo — disse Abena do seu lugar ali no piso, rolando para lá e para cá, com uma mão no ventre, a outra no coração, segurando os dois pontos que doíam.

Os anciãos coçaram a cabeça e se entreolharam. Será que ela acabara enlouquecendo depois de todos os anos de espera?

— O que isso significa? — perguntou um dos anciãos.

Abena

— Ele não vai se casar comigo — repetiu ela, e então se virou para o outro lado, simplesmente ficando de costas para eles.

Os anciãos seguiram apressados até a cabana de Ohene Nyarko. Ele já estava se organizando para a estação seguinte, preparando e separando as sementes para poder passar uma parte delas a todos os outros lavradores da aldeia.

— Quer dizer que ela já lhes contou — disse ele, sem sequer olhar para os anciãos, apenas continuando o trabalho com as sementes. Uma pilha para os Sarpong, uma para os Gyasi, uma para os Asare, outra para os Kankam.

— Do que você está falando, Ohene Nyarko?

Ele tinha arrumado todas as pilhas; e, à tarde, o chefe de cada família viria retirá-las, espalhá-las nos seus próprios lotes pequenos e esperar que as árvores novas e estranhas crescessem e vicejassem, para que em breve a aldeia voltasse a ser o que foi um dia, ou até ultrapassasse essa expectativa.

— Para conseguir as plantas de cacau, tive de prometer a um homem em Osu que me casaria com a filha dele. Vou precisar usar toda a mercadoria que sobrar da venda do cacau para pagar o preço da noiva. Não posso me casar com Abena nesta estação. Ela terá de esperar.

Lá na sua cabana, onde Abena por fim tinha se levantado do chão duro e espanado a poeira dos joelhos e das costas, ela sabia que não esperaria.

— Vou embora, Velho — disse Abena. — Não posso ficar aqui para fazer papel de boba. Já sofri o suficiente.

O pai bloqueou a saída da cabana com o próprio corpo. Estava tão velho, tão fraco, que Abena sabia que bastaria ela tocar nele para ele cair, o caminho ficar desimpedido, e ela poder seguir em frente.

— Você ainda não pode ir — disse ele. — Ainda não.

Devagar, ele recuou da soleira da porta, observando para ver se ela ficaria. Como ela não se mexeu, ele apanhou sua pá, foi a um local no limite das suas terras e começou a cavar.

— O que está fazendo? — perguntou Abena. Azarado suava. Ele se movimentava com tanta lentidão que Abena se compadeceu. Pegou a pá e começou a cavar para ele. — O que está procurando? — perguntou ela.

Seu pai ajoelhou-se no chão e começou a afastar a terra com as duas mãos, segurando-a um pouco e depois deixando que escapasse por entre os dedos. Quando ele parou, só restava nas suas palmas um colar com uma pedra negra.

Abena abaixou-se ao lado dele e olhou para o colar. O ouro tremeluzia e parecia frio ao toque.

O pai bufou alto, tentando recuperar o fôlego.

— Ele pertencia à minha avó, sua bisavó, Effia. Quem deu para ela foi a própria mãe.

— Effia — repetiu Abena. Era a primeira vez que ouvia o nome de uma das suas antepassadas; e saboreou na língua o gosto do nome. Tinha vontade de dizê-lo sem parar. Effia. Effia.

— Meu pai era mercador de escravos, um homem muito rico. Quando decidi deixar a terra dos fantis, foi porque não queria participar do trabalho ao qual minha família tinha se dedicado. Queria trabalhar por mim mesmo. Vejo que as pessoas desse povoado me chamam de Azarado, mas, em todas as estações, eu sinto que tenho a sorte de possuir esta terra, de realizar esse trabalho digno, não o trabalho vergonhoso da minha família. Quando os moradores da aldeia me deram essa pequena área de terra, fiquei tão feliz que enterrei essa pedra aqui em agradecimento.

"Se você quer ir embora, não vou impedi-la, mas, por favor, leve a pedra com você. Que ela lhe seja útil, como foi para mim."

Abena pôs o colar no pescoço e abraçou o pai. Sua mãe estava no vão da porta, olhando para eles lá fora na terra. Abena levantou-se e foi abraçar a mãe também.

No dia seguinte de manhã, Abena partiu para Kumasi. Quando chegou à igreja missionária em Kumasi, ela tocou na pedra no seu pescoço e agradeceu aos seus ancestrais.

Segunda Parte

H

Foram necessários três policiais para derrubar H no chão, quatro para acorrentá-lo.

— Eu não fiz nada! — gritou ele, quando eles o deixaram na cela da cadeia, mas estava falando só para o ar que ficara para trás. Nunca tinha visto pessoas irem embora tão depressa e soube que os tinha assustado.

H sacudia as barras da grade, certo de que poderia curvá-las ou parti-las, se tentasse.

— Para com isso antes que eles te matem — disse o companheiro de cela.

H reconheceu o homem de tê-lo visto pela cidade. Podia ser que eles tivessem trabalhado em parceria algum dia numa das *plantations* da região.

— Ninguém vai poder me matar — disse H. Ele ainda estava forçando as barras e podia ouvir o metal começar a ceder entre seus dedos. E então sentiu as mãos do companheiro de cela no seu ombro. H virou-se tão veloz que o outro homem não teve tempo de se mexer nem de pensar antes que H o tivesse levantado do chão pelo pescoço. H tinha mais de um metro e oitenta de altura e ergueu o homem tão alto que sua cabeça roçou no teto. Se H o empurrasse mais para cima, ele teria aberto um buraco no teto. — Nunca mais toque em mim — disse H.

— Tu acha que esses brancos não vão te matar? — disse o homem, falando baixo e devagar.

— Que foi que eu fiz? — perguntou H. Ele baixou até o chão o homem, que caiu de joelhos, arquejando muito.

— Disseram que tu tava olhando pruma mulher branca.

— Quem disse?

— A polícia. Ouvi eles combinando o que iam dizer antes de sair pra te pegar.

H se sentou ao lado do homem.

— Eles disseram que eu tava falando com quem?

— Cora Hobbs.

— Eu não tava olhando pra Hobbs nenhuma — disse H, voltando a se inflamar de raiva. Se houvesse qualquer boato sobre ele e uma mulher branca, ele teria esperado que fosse com alguma mais bonita do que a filha do antigo dono das terras que ele cultivava como meeiro.

— Cara, olha só pra tu — disse o companheiro de cela, com o olhar tão desdenhoso que H, de repente e sem explicação, sentiu medo do homem menor e mais velho. — Não importa se tu tava ou não tava. Eles só precisam dizer que tu tava. É só isso que eles precisam dizer. Tu acha que não corre perigo só porque é grande e cheio de músculo? Não, os brancos não suportam te ver. Andando por aí livre, livre. Ninguém tá querendo ver um negro como tu andando arrogante como um pavão. Como se tu não tivesse nem um pingo de medo. — Ele

H

encostou a cabeça na parede da cela e fechou os olhos por um segundo. — Quantos anos tu tinha quando a guerra acabou?

H tentou fazer a conta, mas nunca fora muito bom com números; e a Guerra de Secessão estava no passado tão distante que os números subiam mais alto do que H conseguia alcançar.

— Não sei. Acho que treze — disse ele.

— Hum. Viu? Foi o que eu pensei. Tu era novo. A escravidão não é nada de importante pra tu, né? Se ninguém te contou, eu vou contar. A guerra pode ter terminado, mas não acabou de verdade.

O homem fechou os olhos mais uma vez. Ele deixou a cabeça rolar encostada na parede, para lá e para cá. Parecia cansado, e H se perguntou por quanto tempo ele devia estar sentado naquela cela.

— Eu me chamo H — disse ele, por fim: uma proposta de paz.

— H não é nome que se use — disse o companheiro de cela, sem abrir os olhos.

— É o único que eu tenho — disse H.

Logo o homem adormeceu. H ficou escutando seus roncos, observando seu peito subir e descer. No dia em que a guerra terminou, H deixou a *plantation* do seu antigo senhor e começou a andar da Geórgia para o Alabama. Queria novas vistas e novos sons para combinar com a liberdade recém-obtida. Estava tão feliz por estar livre. Todo mundo que ele conhecia estava simplesmente feliz por estar livre. Mas não durou muito.

H passou os quatro dias seguintes na cadeia do condado. No segundo dia, os guardas levaram seu companheiro de cela.

Ele não soube para onde. Quando finalmente vieram buscá-lo, os guardas não lhe disseram qual era a acusação, só que ele deveria pagar uma multa de dez dólares antes do fim da noite.

— Só tenho cinco dólares de meu — disse H. Ele tinha levado quase dez anos trabalhando em meação para conseguir juntar a quantia.

— Quem sabe sua família não pode ajudar — disse o subdelegado, mas já estava indo adiante, para o preso seguinte.

— Não tenho família — disse H para ninguém. Ele havia feito a caminhada da Geórgia para o Alabama sozinho. Estava habituado a estar só, mas o Alabama transformara a solidão de H em algo semelhante a uma presença física. Ele podia abraçá-la quando ia dormir de noite. Ela estava no cabo da sua enxada, nos tufos de algodão que saíam voando.

Ele estava com dezoito anos quando conheceu sua mulher, Ethe. Àquela altura, ele já era tão grande que ninguém jamais o contrariava. Ele podia entrar num recinto e ver como o espaço se abria à medida que homens e mulheres recuavam. Mas Ethe sempre se manteve firme. Ela era a mulher mais sólida que ele tinha conhecido, e sua relação com ela foi a mais duradoura que já tivera com qualquer pessoa. Agora, ele teria pedido sua ajuda, mas ela não falava com ele desde o dia que ele a chamou pelo nome de outra mulher. A traição tinha sido um erro; um erro ainda maior tinha sido a mentira. Ele agora não poderia chamá-la, não com essa vergonha pesando nas costas. Ele ouvira falar de mulheres negras que vinham à cadeia procurar por um filho ou pelo marido e eram levadas para uma sala nos fundos, onde os policiais lhes diziam que havia outras formas de pagar uma multa. Não, pensou H, Ethe estaria melhor sem ele.

H

No amanhecer do dia seguinte, num dia escaldante de julho em 1880, H foi acorrentado a mais dez homens e entregue pelo estado do Alabama para trabalhar nas minas de carvão da periferia de Birmingham.

— O próximo — gritou o capataz da mina, e o subdelegado empurrou H para a frente. H vinha observando como eles inspecionavam cada um dos dez homens que tinham estado acorrentados a ele na viagem de trem até ali. H nem mesmo tinha certeza se poderia chamar alguns deles de homens. Viu um garoto de no máximo doze anos tremendo no canto do trem. Quando empurraram o garoto para a frente do capataz da mina, ele tinha se urinado, com as lágrimas escorrendo pelo rosto o tempo todo, até parecer que ele próprio ia se derreter na poça líquida aos seus pés. O menino era tão novo que era bem provável que nunca tivesse visto um açoite como o que o capataz da mina tinha posto em cima da mesa. Só devia ter ouvido falar deles nas histórias de pesadelo que seus pais contavam.

— Esse é dos grandes, não é? — disse o subdelegado, apertando os ombros de H, para que o capataz da mina visse como eles eram firmes. H era o homem mais alto e mais forte no recinto. Tinha passado toda a viagem de trem tentando descobrir um jeito de arrebentar as correntes.

O capataz da mina assoviou. Ele se levantou da cadeira e deu uma volta em torno de H. Agarrou o seu braço, e H investiu contra ele antes de ser impedido pelos grilhões. Ele não havia conseguido romper as correntes, mas sabia que, se suas mãos ao menos conseguissem alcançar, ele não levaria mais que um segundo para quebrar o pescoço do capataz da mina.

— Epa, epa! — disse o capataz da mina. — Parece que vamos precisar ensinar um pouco de boas maneiras para esse aí. Quanto você quer por ele?

— Vinte dólares por mês — disse o subdelegado.

— Ora, você sabe que não pagamos mais do que dezoito, mesmo por um trabalhador de primeira classe.

— Você concordou que ele é grande. Esse aí vai durar um bom tempo. Não vai morrer nas minas como os outros.

— Vocês não podem fazer isso! — gritou H. — Eu sou livre! Sou um homem livre!

— Não — disse o capataz. Ele olhou com cuidado para H e tirou uma faca do interior do casaco. Começou a afiar a faca numa pedra de amolar que mantinha sobre a mesa. — Não existe nada que se possa chamar de um negro livre. — Ele se aproximou devagar de H, encostou a faca amolada no seu pescoço de modo que H sentisse o gume frio implorando para abrir sua pele.

O capataz voltou-se para o subdelegado.

— Vamos te dar dezenove por esse aqui — disse ele, e deixou a ponta da faca passar devagar de um lado a outro do pescoço de H. Uma fina linha de sangue surgiu, lisa e reta, como que para sublinhar as palavras do capataz. — Ele pode ser grande, mas sangra como todos os outros.

Durante todos aqueles anos em que trabalhou em *plantations*, nunca ocorreu a H que existisse outra coisa além de terra e água, insetos e raízes, por baixo do solo. Agora ele via que havia uma cidade inteira no subsolo. Maior, mais espraiada do que qualquer condado em que tivesse morado ou trabalhado.

H

E essa cidade era ocupada quase por completo por homens e garotos negros. Essa cidade tinha poços no lugar de ruas; e câmaras no lugar de casas. E em cada câmara, por toda parte, havia carvão.

Os primeiros quinhentos quilos de carvão foram os mais difíceis de cavar. H passava horas, dias inteiros, de joelhos. Ao final do primeiro mês, a pá já parecia ser uma extensão do seu braço. E, de fato, suas costas tinham começado a se tornar mais musculosas em torno das omoplatas, parecendo crescer para acomodar o novo peso.

Com seu braço-pá, H e os outros homens eram baixados 200 metros para o interior da mina pelo poço. Uma vez que chegassem à cidade subterrânea, eles percorriam cinco, oito, doze quilômetros para chegar ao veio de carvão onde deveriam trabalhar naquele dia. H era grande, mas ágil. Ele conseguia se deitar de lado e se enfurnar em cantos estreitos. Conseguia andar de quatro por túneis abertos na rocha por explosões até chegar à câmara certa.

Depois que chegasse à câmara, H cavava mais de seis toneladas de carvão, o tempo todo abaixado, de joelhos, de bruços, deitado de lado. Quando ele e os outros prisioneiros saíam das minas, eles estavam sempre cobertos com uma camada de poeira preta, os braços queimando, simplesmente queimando. Às vezes, H achava que a queimação daquela dor ia incendiar o carvão, e eles todos morreriam ali, com aquela dor. Mas ele sabia que não era só a dor que podia matar um homem na mina. Mais de uma vez, um guarda da prisão tinha açoitado um mineiro por não atingir a sua cota mínima diária. H tinha visto um trabalhador de terceira classe apresentar uma produção de 5.923 quilos de carvão, pesados pelo capataz ao final do dia de trabalho. E quando o capataz viu que faltavam 77 quilos, ele fez o homem encostar as mãos no alto da parede da mina e o açoitou até a morte. Os guardas brancos não o tiraram dali naquela noite nem no dia seguinte, deixando que a poeira cobrisse seu corpo, uma advertência para os outros condenados. Em outras ocasiões, câmaras da mina tinham ruído, enterrando vivos os prisioneiros. Com enorme frequência, explosões de poeira tinham dizimado homens e crianças às centenas.

Um dia, H podia estar trabalhando ao lado de um homem ao qual ele tinha sido acorrentado na noite anterior; no dia seguinte, esse homem teria morrido só Deus sabe do quê.

H costumava ter fantasias sobre uma mudança para Birmingham. Ele tinha trabalhado como meeiro desde o fim da guerra e ouvira dizer que Birmingham era o lugar onde um negro poderia construir uma vida. Ele queria se mudar para lá e, por fim, começar a viver. Mas que tipo de vida era aquele? Pelo menos, quando era escravo, seu senhor precisava mantê-lo vivo, se quisesse obter retorno pelo dinheiro investido. Agora, se H morresse, eles simplesmente alugariam o homem seguinte. Uma mula valia mais do que ele.

H mal conseguia se lembrar do tempo em que fora livre. E não saberia dizer se sentia falta da liberdade em si ou da capacidade da memória. Às vezes, quando voltava para o alojamento que dividia com outros cinquenta homens, todos acorrentados juntos, sobre longas camas de madeira, de tal modo que não conseguiam se mexer enquanto dormiam, a menos que todos se mexessem juntos, ele tentava se lembrar de como era se lembrar. Ele se forçava a pensar em todas as coisas que sua mente ainda conseguia evocar: Ethe, principalmente. Seu corpo denso, a expressão nos seus olhos quando ele a chamou

H

pelo nome de outra, como ele teve medo de perdê-la, como ficou arrependido. Às vezes, enquanto dormia, as correntes roçavam nos seus tornozelos de um jeito que fazia com que ele se lembrasse da sensação das mãos de Ethe lá, o que sempre o surpreendia, já que o metal não era nada parecido com a pele.

Os prisioneiros que trabalhavam nas minas eram quase todos como ele. Negros, escravos um dia, livres um dia, agora escravos de novo. Timothy, um homem na mesma corrente de H, tinha sido preso diante da casa que ele havia construído depois da guerra. Um cachorro tinha passado a noite inteira uivando num campo próximo, e Timothy saiu para mandar o cachorro se calar. No dia seguinte de manhã, a polícia o prendeu por perturbar a ordem pública. Havia também Solomon, um prisioneiro detido por roubar uma moeda de cinco centavos. Sua pena foi de vinte anos.

De vez em quando, um dos guardas trazia um trabalhador branco, de terceira classe. O novo prisioneiro era acorrentado a um negro. E durante os primeiros minutos, tudo o que o prisioneiro branco faria seria se queixar. Ele diria que era melhor que os negros. Imploraria aos irmãos brancos, os guardas, que tivessem piedade dele, poupando-o de toda aquela vergonha. Ele amaldiçoava, chorava e fazia escândalo. E então eles teriam de descer para a mina, e aquele prisioneiro branco logo aprenderia que, se quisesse sobreviver, teria de confiar num homem negro.

Um dia, H tinha sido posto como parceiro de um trabalhador branco de terceira classe chamado Thomas, cujos braços começaram a tremer tanto que ele não conseguia manejar a pá. Era a primeira semana de Thomas, mas ele já tinha ouvido dizer que, se você não cumprisse sua cota, você e seu companheiro seriam açoitados, às vezes até à morte. H tinha visto os braços trêmulos de Thomas levantarem as poucas pazadas de carvão, antes de não aguentarem mais. E então Thomas tinha caído no chão, chorando, gaguejando que não queria morrer ali embaixo, sem nada a não ser negros como testemunhas. Sem uma palavra, H tinha apanhado a pá de Thomas. Com sua própria pá numa mão e a de Thomas na outra, H tinha cumprido a cota dos dois, com o capataz assistindo o tempo todo.

— Nunca vi um homem trabalhar com duas pás — disse o capataz depois que ele terminou, com um tom de respeito na voz; e H simplesmente fez que sim. Então o capataz deu um chute em Thomas no chão, onde ele ainda estava se lamuriando. — Aquele negro acabou de salvar a sua vida — disse ele. Thomas levantou os olhos para H, mas H não disse nada.

Naquela noite, num catre com dois homens acorrentados de cada lado dele e outro catre três palmos acima, H percebeu que não conseguia mexer os braços.

— O que foi? — perguntou Joecy, ao notar a imobilidade estranha de H.

— Não consigo sentir meus braços — murmurou H, assustado.

Joecy fez que sim.

— Não quero morrer, Joecy. Não quero morrer. Não quero morrer. Não quero morrer. — H não conseguia se impedir de repetir as palavras e logo se deu conta de que estava chorando também. E isso também ele não conseguia controlar. A poeira de carvão abaixo dos seus olhos começou a escorrer pelo rosto, e ele continuou, baixinho: — Não quero morrer. Não quero morrer.

H

— Fica calmo — disse Joecy, abraçando H da melhor forma possível, com as correntes chocalhando e retinindo quando ele se mexeu. — Ninguém vai morrer hoje. Hoje não. — Os dois homens olharam ao redor para ver se outros tinham acordado com o barulho. Todos tinham ouvido a história de como H salvara a vida do trabalhador branco de terceira classe, mas todos eles sabiam, também, que isso não significava que o capataz se compadeceria dele. No dia seguinte, H precisaria cumprir sua cota ainda mais uma vez.

No dia seguinte, H foi designado para o turno da manhã, novamente tendo Thomas como parceiro. Ele e os outros trabalhadores do turno da manhã acordaram enquanto a lua ainda brilhava no céu, numa fatia fina, formando um arco para cima, como se fosse o sorriso torto, de dentes brancos, da cara escura da noite. Eles foram ao refeitório para uma caneca de café e uma fatia de carne. Pegaram um farnel para o dia e então foram levados 60 metros abaixo da superfície da mina. De lá, H e Thomas continuaram descendo a pé por mais de três quilômetros, parando por fim na câmara da mina onde deveriam trabalhar naquele dia. Normalmente, eram designados somente dois homens para uma câmara, mas aquela era de uma dificuldade especial, e o capataz tinha juntado H e Thomas a Joecy e seu trabalhador de terceira classe, um prisioneiro com o apelido de Touro, que tinha recebido esse nome não por conta do seu físico, forte, atarracado e autoritário, mas porque os homens da Ku Klux Klan tinham queimado seu rosto numa noite — diziam que o tinham marcado a ferro quente — para que todos soubessem que ele não valia nada.

Naquela manhã, H tinha fingido seguir a rotina, com os braços doloridos, presos às laterais do corpo, enquanto recusava o café e a carne, não conseguia pegar nem segurar o farnel e se enfiava no elevador. Ele tinha conseguido passar a manhã sem atrair atenção, tentando poupar sua energia para quando precisasse começar a trabalhar.

Naquele dia, Joecy era o cortador. Era um homem pequeno, de 1,62 m de altura, mas conhecia as peculiaridades da rocha como nenhum outro com quem H já tivesse trabalhado. Joecy era um mineiro de primeira classe que todos respeitavam e estava cumprindo o sétimo dos oito anos da sua pena com o mesmo entusiasmo que tinha no primeiro ano. Ele costumava dizer que ia voltar a ser livre e começar a trabalhar nas minas, sendo remunerado por isso, como alguns dos outros negros tinham feito. Não era permitido açoitar um mineiro livre.

Naquele dia, o espaço aberto na rocha tinha só um palmo e meio de altura. H tinha visto homens se forçarem a penetrar em espaços tão estreitos e começarem a tremer e a hiperventilar tanto que precisavam sair. Uma vez, tinha visto um homem chegar bem no meio e depois parar, com medo demais para avançar ou mesmo para voltar, com medo demais para respirar. Então chamaram Joecy até lá para tentar puxá-lo dali, mas, quando Joecy chegou, o homem já tinha morrido.

Joecy não titubeou diante do espaço apertado. Ele espremeu o corpo pequeno por baixo da rocha, ficou deitado de costas e começou a cortar por baixo o fundo do veio. Quando terminou essa parte, ele abriu um furo na rocha, escutando-a, como ele gostava de dizer, para poder encontrar o ponto que não desmoronasse por cima dele e o matasse de cara. Assim que determinou o local do furo, Joecy pôs dinamite ali e a acendeu. O carvão se separou com a explosão, e Thomas e Touro pegaram as picaretas e começaram a quebrar a rocha

H

em pedaços manejáveis para que todos eles pudessem começar a carregar o vagonete.

H tentou levantar a pá, mas seus braços não se mexiam. Ele tentou de novo, concentrando todo o poder e energia da mente no ombro, no antebraço, no pulso, nos dedos. Não aconteceu nada.

De início, Touro e Thomas só ficaram olhando para ele, mas, num piscar de olhos, Joecy estava contribuindo para sua pilha; e depois Touro. E então, finalmente, depois do que pareceram horas, Thomas também estava colaborando, até que todos naquela câmara da mina tinham feito sua própria pilha e a de H também.

— Obrigado pela ajuda de ontem — disse Thomas, quando eles terminaram.

Os braços de H ainda doíam nos lados do corpo. Eles pareciam ser de pedra irremovível, forçados contra seus flancos por algum tipo de força da gravidade. H aceitou em silêncio o agradecimento de Thomas. Antes, ele costumava sonhar em matar homens brancos do jeito que eles matavam negros. Costumava sonhar com cordas, açoites, árvores e poços de minas.

— Ei, por que é que te chamam de H?

— Não sei — disse H. Ele costumava pensar só em escapar das minas, em mais nada. Às vezes, estudava a cidade subterrânea e se perguntava se, em algum lugar ali, haveria algum jeito de fugir dela, de sair do outro lado.

— Ora. Alguém deve ter te dado o nome.

— Meu antigo senhor disse que era assim que minha mãe me chamava. Eles pediram pra ela me dar um nome direito antes de eu nascer, mas ela não quis. Ela se matou. O senhor disse que tiveram que cortar a barriga dela pra me tirar antes de ela morrer.

Thomas não disse nada naquela hora, só repetiu seu gesto de "muito obrigado". Daí a um mês, quando Thomas morreu de tuberculose, H não conseguia se lembrar do nome dele, só da cara que ele tinha feito quando H pegou a pá no seu lugar.

Era assim que as coisas aconteciam nas minas. H não sabia onde Touro estava agora. Tantos eram transferidos a certa altura, contratados por uma das empresas novas ou absorvidos por outra empresa. Era fácil fazer amigos, mas era impossível mantê-los. Pela última notícia que tinha ouvido, Joecy tinha cumprido sua pena; e, agora, todos os condenados contavam histórias sobre como seu velho amigo tinha por fim se tornado um desses mineiros livres de que todos eles tinham ouvido falar, mas que nunca imaginavam que um dia se tornariam.

Em 1889, H carregou seus últimos quinhentos quilos de carvão, como prisioneiro condenado. Ele vinha trabalhando em Rock Slope por quase todo o seu período de encarceramento; e seu trabalho duro e habilidade tinham reduzido sua pena em um ano. No dia em que o elevador o levou para a luz e o guarda da prisão desacorrentou seus pés, H olhou diretamente para o sol, absorvendo os raios, só para a eventualidade de alguma reviravolta cruel o mandar de novo para a cidade subterrânea. Ele só parou de olhar quando o sol se transformou numa dúzia de manchas amarelas nos seus olhos.

Pensou em voltar para casa, mas se deu conta de que não sabia o que poderia chamar de casa. Não restava nada para ele nas velhas *plantations* em que havia trabalhado, e ele não tinha família de que se pudesse falar. Na primeira noite da sua segunda libertação, ele andou até onde conseguiu, andou

H

até não haver nenhuma mina à vista, nenhum cheiro de carvão grudado nas suas narinas. Entrou no primeiro bar que viu com negros dentro, e, com o pouco dinheiro que tinha, pediu uma bebida.

Naquela manhã, tinha tomado um banho de chuveiro, esfregando bem para tentar fazer sair dos tornozelos as marcas do aperto dos grilhões, a fuligem por baixo das unhas. Tinha olhado para si mesmo no espelho até se sentir seguro de que ninguém pudesse dizer que ele um dia tinha estado numa mina.

Bebericando seu drinque, H percebeu uma mulher. Tudo em que conseguia pensar era que a pele dela era da cor das hastes do algodoeiro. E ele sentia falta desse negrume, tendo conhecido somente o verdadeiro negror do carvão por quase dez anos.

— Com licença, moça. Pode me dizer onde estou? — perguntou ele. Não falava com uma mulher desde o dia em que chamou Ethe pelo nome de outra.

— Não olhou a placa antes de entrar, não? — perguntou ela, sorrindo.

— Acho que não — disse ele.

— No bar do Pete, Sr....

— H é o meu nome.

— Sr. H é o meu nome.

Eles conversaram por uma hora. Ele descobriu que ela se chamava Dinah e morava em Mobile, mas estava visitando uma prima ali em Birmingham, uma mulher muito cristã que não estava interessada em ver a parenta beber. H tinha acabado de pôr na cabeça que ia pedir que ela se casasse com ele quando outro homem veio se unir a eles.

— Você parece ser forte pra burro — disse o homem.

H fez que sim.

— Acho que sou.

— Como conseguiu ficar tão forte? — perguntou o homem, e H deu de ombros. — Vamos — disse o homem. — Arregaça essa manga. Mostra esses músculos.

H começou a rir. Mas aí olhou para Dinah, e os olhos dela estavam cintilando, como se dissessem que podia ser que ela não se importasse de ver. E ele arregaçou a manga.

A princípio, os dois estavam apreciando o que viam, mas então o homem se aproximou.

— O que é isso? — disse ele, dando um puxão no lugar em que a manga encontrava as costas de H, até abrir um rasgão no tecido, e a camisa barata se desfazer.

— Meu Deus! — disse Dinah, cobrindo a boca.

H torceu o pescoço, tentando olhar para suas próprias costas, mas então ele se lembrou e soube que não precisava enxergar. Já tinham se passado quase vinte e cinco anos desde o fim da escravidão; e homens livres supostamente não deveriam ter cicatrizes recentes nas costas, provas de açoitamentos.

— Eu sabia! — disse o homem. — Eu sabia que ele era um desses presidiários de lá das minas. Era impossível ele ser outra coisa! Dinah, não perca mais tempo jogando conversa fora com esse negro!

Ela não perdeu. Foi embora com o homem para ficar na outra ponta do balcão. H abaixou a manga da camisa e soube que não poderia voltar para o mundo livre, marcado como estava.

Ele se mudou para Pratt City, a cidadezinha constituída por ex-presidiários, tanto brancos como negros. Mineiros condenados que agora eram mineiros livres. Na sua primeira noite

H

por lá, passou alguns minutos fazendo perguntas até conseguir encontrar Joecy, com sua mulher e filhos, que tinham se mudado para Pratt City, para poder morar com ele.

— Você não tem ninguém? — perguntou a mulher de Joecy, fritando uma carne de porco salgada para H, empenhando-se para compensar o fato de que ele não fazia uma boa refeição havia dez anos, talvez mais.

— Faz muito tempo eu tive uma mulher chamada Ethe, mas acho que ela não ia querer saber de mim agora.

A mulher olhou para ele com pena, e H achou que ela estava pensando que conhecia toda a história de Ethe, só por ela mesma ter se casado com um homem antes que o homem branco chegasse e o rotulasse de presidiário.

— Lil Joe! — chamou a mulher, repetidas vezes, até uma criança aparecer. — Esse é nosso filho, Lil Joe — disse ela. — Ele sabe escrever.

H olhou para o menino. Ele não podia ter mais de onze anos de idade. Tinha os joelhos protuberantes e os olhos límpidos. Era muito parecido com o pai, mas era diferente também. Podia ser que ele não acabasse sendo o tipo de homem que fosse precisar usar o corpo para trabalhar. Talvez ele viesse a ser um novo tipo de homem negro, um tipo diferente, que viesse a usar a cabeça.

— Ele vai escrever pra tua mulher — disse a mulher de Joecy.

— Não — disse H, pensando em como Ethe tinha saído do quarto na última vez em que estiveram juntos, como tinha fugido como se um espírito a estivesse perseguindo. — Não tem necessidade.

A mulher do amigo estalou a língua duas, três vezes.

— Não diga isso — disse ela. — Alguém precisa saber que agora você é um homem livre. Alguma pessoa neste mundo precisa saber pelo menos isso.

— Com todo o respeito, senhora, eu tenho a mim mesmo. E é só disso que já precisei um dia.

A mulher de Joecy ficou olhando firmemente para ele, por um bom tempo, e H pôde ver toda a pena e toda a raiva naquele olhar, mas não se importou. Ele não recuou, e assim ela acabou tendo de ceder.

No dia seguinte de manhã, H foi até a mina com Joecy para procurar serviço como trabalhador livre.

O chefe se chamava sr. John. Ele pediu a H que tirasse a camisa. Examinou os músculos das costas e dos braços, e assoviou.

— É bom ficar de olho em qualquer homem que consiga passar dez anos em Rock Slope e sobreviva para contar a história. Fez algum pacto com o demônio, hem? — perguntou o sr. John, olhando para H com seus penetrantes olhos azuis.

— É só um bom trabalhador, senhor — disse Joecy. — Forte e inteligente, também.

— Você põe a mão no fogo por ele, Joecy? — perguntou o sr. John.

— Melhor que ele, só eu — disse Joecy.

H saiu dali com uma picareta nas mãos.

A vida em Pratt City não era fácil, mas era melhor do que a vida que H tinha conhecido em qualquer outro lugar. Ele nunca tinha visto nada semelhante. Brancos e suas famílias, vizinhos de negros com as deles. Homens das duas cores

H

pertencendo aos mesmos sindicatos, lutando pelas mesmas coisas. As minas tinham lhes ensinado que eles precisavam contar uns com os outros se quisessem sobreviver; e eles tinham levado essa mentalidade junto, quando criaram o acampamento, porque sabiam que ninguém, a não ser um mineiro como eles, um ex-presidiário como eles, sabia como era morar em Birmingham e tentar fazer alguma coisa a partir de um passado que se preferiria esquecer.

O trabalho de H era o mesmo, só que agora ele era remunerado. Um salário decente, pois ele tinha sido um trabalhador de primeira classe, tirado do presídio estadual, contratado pelas empresas do setor do carvão por dezenove dólares por mês. Agora, esse dinheiro ia para seu próprio bolso, às vezes até quarenta dólares num único mês. Ele se lembrava de como tinha poupado pouco, trabalhando como meeiro por dois anos na *plantation* de Hobbs, e sabia que, de algum modo sombrio e tortuoso, a mina era uma das melhores coisas que lhe tinham acontecido. Ela lhe ensinou um novo ofício, um trabalho digno, e suas mãos nunca mais colheriam algodão ou lavrariam a terra.

Joecy e a mulher, Jane, tiveram a bondade de permitir que H fosse morar com eles, mas H estava cansado de morar com outras pessoas e suas famílias, mantendo-se à custa delas. Por isso, ele passou a maior parte do seu primeiro mês em Pratt City, voltando da mina direto para o terreno vizinho ao de Joecy, para começar a construir sua própria casa.

H estava lá fora uma noite, martelando madeira, quando Joecy chegou para conversar com ele.

— Por que você ainda não entrou pro sindicato? — perguntou Joecy. — Até que seria bom se a gente tivesse alguém com seu gênio.

H tinha conseguido madeira boa com outro velho amigo da mina, e o único tempo que tinha para trabalhar na construção da casa era entre as oito da noite e as três da manhã. Todas as outras horas em que estava acordado, ele passava lá embaixo na mina.

— Não sou mais desse jeito — disse H. Apesar de não haver no seu pescoço nenhuma cicatriz daquele dia em que o capataz o tinha arranhado com a faca, H, de vez em quando, ainda passava as mãos ali, como um lembrete de que um homem branco ainda poderia matá-lo por nada.

— Ah, não é mais assim, hem? Ora, vamos, H. A gente luta por coisas que também podem te ajudar. Até parece que tem alguém pra te fazer companhia nessa casa que tu tá construindo. O sindicato podia te fazer bem.

Na primeira reunião à qual compareceu, H se sentou no fundo, de braços cruzados. Na frente do salão, um médico falava sobre a doença do pulmão negro.

— A poeira de minério que cobre a pele do corpo quando vocês saem da mina, bem, essa poeira também consegue entrar no corpo. Ela provoca doenças. Turnos mais curtos, melhor ventilação: é por essas coisas que vocês deveriam lutar.

Tinha demorado mais ou menos um mês, mas não foi só o papo de Joecy que acabou convencendo H a entrar para o sindicato. A verdade era que ele tinha pavor de morrer na mina; e sua liberdade não tinha extirpado esse medo. Toda vez que H era baixado para o interior da mina, ele visualizava sua própria morte. Homens estavam pegando doenças que ele nunca tinha visto e das quais nunca tinha ouvido falar. Mas, agora que era livre, podia fazer o perigo valer alguma coisa.

H

— É por mais dinheiro que a gente devia lutar — disse H.
Um murmúrio começou a percorrer a sala, enquanto as pessoas viravam o pescoço para ver quem tinha falado.

— H Duas-Pás está aqui.

— Será que esse foi H Duas-Pás?

Ele demorou muito tempo para comparecer à primeira reunião.

— Não tem como não respirar a poeira, doutor — disse H.

— Ora, quase todos os homens aqui na sala já tão meio mortos mesmo. Melhor ganhar mais antes de ir embora.

Atrás de H, a porta do local de reunião começou a estalar, e uma criança que tinha tido a perna amputada numa explosão entrou mancando. O garoto não podia ter mais de catorze anos, mas H já sentia que podia imaginar toda a trajetória da vida dele. Podia ser que ele tivesse começado na britagem, sentado encurvado sobre toneladas de carvão, tentando separá-lo de outras pedras. Depois, podia ser que os patrões o tivessem promovido a travador, porque o viram correndo lá fora um dia e souberam que ele era veloz. O garoto precisava correr ao lado dos vagonetes, empurrando travas nas rodas para baixar a velocidade deles, mas podia ser que um vagonete não tivesse desacelerado. Podia ser que aquele vagonete tenha descarrilado e arrancado a perna do garoto, e com isso estragado todo o seu futuro. Podia ser que o que mais tenha entristecido o garoto depois que o médico amputou sua perna fosse o fato de que agora ele nunca mais conseguiria ser um mineiro de primeira classe, como seu pai.

O médico olhou de H para o menino aleijado, e de novo para H.

— Dinheiro é bom, não me levem a mal. Mas a mineração pode ser muito mais segura do que é. Também vale a pena lutar por vidas. — Ele pigarreou e continuou a falar sobre os sinais do pulmão negro.

Enquanto voltava a pé para casa naquela noite, H começou a pensar no menino aleijado, em como tinha sido fácil para H compor sua história. Como era fácil para uma vida ir por um caminho em vez de por outro. Ele ainda se lembrava de como tinha dito ao companheiro de cela que nada poderia matá-lo; e agora via sua mortalidade em toda a sua volta. E se não tivesse sido tão arrogante quando jovem? E se não tivesse sido preso? E se tivesse tratado direito sua mulher? A esta altura já teria tido seus próprios filhos. Já teria uma fazendola e uma vida plena.

De repente, H teve a sensação de que não conseguia respirar, como se a poeira acumulada naquela década estivesse subindo dos seus pulmões, para sua garganta, para sufocá-lo. Ele se dobrou ao meio e tossiu, tossiu sem parar. E quando a tosse terminou, foi cambaleando até a casa de Joecy e bateu na porta.

Lil Joe atendeu, com os olhos cheios de sono.

— Meu pai não voltou da reunião, tio H — disse ele.

— Não vim ver teu pai, garoto. Eu... eu preciso que você escreva uma carta pra mim. Dá pra fazer isso?

Lil Joe fez que sim. Entrou na casa e voltou lá para fora com o material necessário. Ele escreveu enquanto H ditava:

Querida Ethe. Aqui é o H. Agora estou livre e moro em Prat City.

H enviou a carta no dia seguinte de manhã.

— O que precisamos fazer é entrar em greve — disse um membro branco do sindicato.

H

H estava sentado na primeira fileira do salão da igreja, onde se realizavam as reuniões do sindicato. Havia uma lista interminável de problemas, e a greve era a primeira solução. H escutou com atenção enquanto um murmúrio de concordância começou a percorrer a sala, abafado como um zumbido.

— Quem vai prestar atenção à nossa greve? — perguntou H. Ele estava participando mais das reuniões.

— Bem, nós dizemos a eles que só vamos trabalhar quando eles aumentarem nosso salário ou nos derem mais segurança. Eles têm que escutar — disse o homem branco.

H bufou.

— Quando foi que um homem branco escutou um negro?

— Eu estou aqui, não estou? Estou escutando — disse o branco.

— Você é ex-presidiário.

— E você também é.

H olhou em volta da sala. Havia ali cerca de cinquenta homens, mais da metade era de negros.

— O que você fez de errado? — perguntou ele, encarando o homem branco.

De início, o branco não quis falar. Ele manteve a cabeça baixa e pigarreou tantas vezes que H se perguntou se restou alguma coisa na sua boca. Por fim, vieram as palavras.

— Eu matei um homem.

— Matou um homem, hem? Sabe por que prenderam meu amigo Joecy aqui? Ele não atravessou a rua quando tava vindo uma mulher branca. Por isso, sua pena foi de nove anos. Por matar um homem, lhe deram a mesma pena. Nós não somos como vocês.

— Mas agora precisamos trabalhar juntos — disse o homem branco. — Igual como na mina. Não podemos ser de um jeito lá embaixo e de outro aqui em cima.

Ninguém disse nada. Todos simplesmente se voltaram para olhar para H, ver o que ele ia dizer ou fazer. Todos conheciam a história da vez em que ele pegou a tal segunda pá. Ele acabou fazendo que sim, e, no dia seguinte, a greve começou.

Somente cinquenta trabalhadores apareceram naquele primeiro dia. Eles entregaram aos chefes uma lista com suas exigências: aumento de salário, melhor atendimento para os enfermos e turnos mais curtos. Os membros brancos do sindicato tinham elaborado a lista, e Lil Joe, o filho de Joecy, a tinha lido em voz alta para que todos os membros negros se certificassem de que ela dizia o que achavam que dizia. Os chefes responderam dizendo que mineiros livres podiam ser substituídos facilmente por prisioneiros; e uma semana depois, chegou uma carruagem cheia de presos negros, todos com menos de dezesseis anos e com um ar tão apavorado, que H teve vontade de abandonar a greve, se ao menos isso significasse que menos pessoas seriam presas para preencher a falta de trabalhadores. Ao final da semana, a única coisa em que os dois lados tinham concordado foi que não haveria assassinatos.

E, ainda assim, mais prisioneiros eram arrebanhados e trazidos para as minas. H se perguntava se restava um homem negro no sul que não tivesse sido preso em alguma ocasião, tantos eram os que vinham encher as minas. Até mesmo trabalhadores livres que não estavam em greve estavam sendo substituídos, de modo que logo havia mais gente unida na

H

luta. H passava horas na casa de Joecy e Jane, preparando cartazes com Lil Joe.

— O que esse diz? — perguntou H, indicando a tábua pintada de piche do lado de Lil Joe.

— Diz: salários maiores — respondeu o garoto.

— E aquela?

— Diz: chega de tuberculose.

— Onde aprendeu a ler assim? — perguntou H. Ele tinha se afeiçoado muito a Lil Joe, mas ver o filho do amigo só o deixava ansiando por um filho seu.

O cheiro do piche que Lil Joe estava usando para escrever grudou nos pelos das narinas de H. Ele tossiu um pouco, e um filete de muco negro escorreu da sua boca.

— Eu tinha uma escolinha em Huntsville antes de prenderem meu pai. Quando ele foi preso, disseram que ele e minha família inteira tava se achando melhor que os outros. Disseram que foi por isso que meu pai não atravessou a rua quando a mulher branca estava passando.

— E o que você acha? — perguntou H.

Lil Joe deu de ombros.

No dia seguinte, Joecy e H levaram os cartazes com eles, para a greve. Havia cerca de 150 homens, parados, ali no frio. Todos ficaram olhando quando passou uma nova safra de presidiários, esperando para descer para dentro da mina.

— Solta essas crianças! — gritou H, bem alto. Um garoto tinha se urinado enquanto esperava o elevador; e H de repente se lembrou daquele que estava acorrentado a ele durante a viagem de trem, que tinha se molhado e chorava sem parar, quando eles ficaram diante do capataz da mina. — Eles são só crianças. Solta eles.

— Vocês vão parar com essa palhaçada e voltar pro trabalho? — foi a resposta que lhe deram.

E então, de repente, o garoto que tinha se molhado começou a correr. Ele não passava de um borrão no canto do olho de H quando um tiro foi disparado.

E os trabalhadores em greve romperam o cordão de isolamento, aglomerando-se em torno dos poucos chefes brancos que estavam de guarda. Eles destruíram os elevadores e despejaram o carvão dos vagonetes antes de quebrá-los também. H agarrou um homem branco pelo pescoço e o segurou acima do enorme poço da mina.

— Um dia, o mundo vai saber o que vocês fizeram aqui — disse ele ao homem, cujo medo estava nítido nos olhos azuis, muito arregalados, agora que a mão de H o apertava com mais força.

H teve vontade de jogar o homem lá embaixo, fazê-lo cair até encontrar a cidade por baixo da terra, mas se conteve. Ele não era o condenado que eles lhe diziam que era.

Foram necessários mais seis meses de greve para os patrões cederem. Todos eles receberiam cinquenta centavos a mais. O garoto que saiu correndo foi o único a morrer na luta. O aumento no pagamento foi uma vitória pequena, mas todos eles a aceitaram. Depois do dia em que o garoto em fuga morreu, os grevistas ajudaram a arrumar a bagunça que a briga tinha causado. Eles pegaram suas pás, encontraram o garoto que o tiro tinha abatido e o enterraram na vala comum. H não sabia ao certo o que os outros estavam pensando quando por fim enterraram o garoto entre as centenas de outros presidiários

H

que tinham morrido ali, anônimos, mas sabia que ele próprio estava grato.

Depois da reunião do sindicato em que o aumento foi anunciado, H voltou para casa com Joecy. Ele deixou o amigo em casa e foi para a sua, vizinha. Ao chegar lá, viu que a porta da frente estava aberta, e um cheiro estranho vinha lá de dentro. Ele ainda estava com a picareta, suja de terra e carvão da mina. H ergueu a picareta acima da cabeça, certo de que um capataz da mina tinha vindo vê-lo. E entrou sorrateiro, pronto para o que desse e viesse.

Era Ethe. Com o avental amarrado na cintura e um lenço envolvendo a cabeça. Ela deu as costas ao fogão, onde estava refogando verduras, e o encarou.

— Melhor baixar esse troço — disse ela.

H olhou para as mãos. A picareta estava erguida só um pouco acima da sua cabeça, e ele a baixou para o lado do corpo e então para o chão.

— Recebi tua carta — disse Ethe, e H fez que sim. Os dois ficaram ali parados, olhando um para o outro por um instante, até Ethe conseguir falar de novo.

— Precisei pedir à dona Benton de mais adiante na rua pra ler pra mim. Primeiro, deixei a carta ali na minha mesa. Todo dia, eu passava por ela e pensava no que ia fazer. Desse jeito, deixei passar dois meses.

O toucinho no fundo da panela começou a espocar. H não sabia se Ethe estava ouvindo o ruído porque ela não tinha tirado os olhos de cima dele, nem ele de cima dela.

— Você precisa entender, H. No dia em que me chamou pelo nome daquela mulher, eu pensei: *Será que já não sofri o suficiente?* Será que tudo o que eu um dia tive não foi tirado de mim? Minha liberdade. Minha família. Meu corpo. E agora não posso nem mesmo ter meu nome? Será que não mereço ser Ethe, pelo menos pra você, se pra mais ninguém? Minha mãe foi quem me deu esse nome. Passei seis bons anos com ela antes que me vendessem pra Louisiana, pra ir trabalhar na cana-de-açúcar. Naquela época, tudo o que eu tinha dela era meu nome. Isso também era tudo o que eu tinha de meu. E você nem mesmo isso quis me dar.

Começou a se criar uma fumaça acima da panela. Ela subia cada vez mais, até que uma nuvem estava dançando em torno da cabeça de Ethe, beijando sua boca.

— Eu não me senti pronta pra te perdoar por muito tempo. E quando me senti, os brancos já tavam te fazendo pagar por alguma coisa que eu sei que você não fez, mas ninguém quis me dizer como eu podia te tirar de lá. E o que eu podia fazer então, H? Me diz. O que eu podia fazer?

Ethe deu as costas a ele e foi cuidar da panela. Ela começou a raspar o fundo, e o que ela levantou com a colher era mais preto que qualquer coisa que H já tivesse visto.

Ele se aproximou dela, enlaçou seu corpo nos braços, permitiu-se sentir todo o peso dela. Não era o mesmo peso do carvão, aquela montanha de rocha negra que ele tinha passado quase um terço da vida erguendo. Ethe não se submeteu com tanta facilidade. Ela só relaxou nos braços dele quando acabou de limpar a panela.

Akua

Cada vez que Akua deixava um pedaço de inhame cair no óleo de palma fervente, o som lhe dava um sobressalto. Era um som faminto, o som do óleo engolindo qualquer coisa que lhe dessem.

A orelha de Akua estava crescendo. Tinha aprendido a distinguir sons que nunca escutara antes. Akua fora criada na escola missionária, onde ensinavam que eles deveriam levar a Deus todos os seus problemas, temores e preocupações. No entanto, quando chegou a Edweso e viu e ouviu um homem branco sendo devorado vivo pelo fogo, ela limpou os joelhos, ajoelhou-se no chão e entregou esse som e essa imagem a Deus, mas Deus se recusou a ficar com eles. Ele lhe devolvia esse seu medo todas as noites em pesadelos horríveis, em que o fogo consumia tudo, em que o fogo subia desde o litoral da terra dos fantis até o interior da terra dos axântis. Nos seus sonhos, o fogo tinha a forma de uma mulher segurando dois bebês junto ao peito. A mulher-fogo levava consigo essas duas menininhas até o interior da floresta, e depois os bebês desapareciam. E a tristeza da mulher-fogo lançava uma invasão de vermelhos, laranja e toques de azul para cercar todas as árvores e todos os arbustos à vista.

Akua não conseguia se lembrar da primeira vez que tinha visto fogo, mas se lembrava da primeira vez que sonhara com fogo. Foi em 1895, dezesseis anos depois que sua mãe, Abena, a levara no ventre crescido até os missionários em Kumasi, quinze anos depois Abena morreria. Naquela época, o fogo no sonho de Akua não era mais do que um breve lampejo ocre. Agora, a mulher-fogo ardia furiosamente.

A orelha de Akua estava crescendo, por isso, à noite, ela agora dormia deitada de costas ou de bruços, nunca de lado, com medo de esmagar esse novo peso. Akua tinha certeza de que os sonhos entravam pela orelha em crescimento, que, durante o dia, eles se agarravam aos sons crepitantes de frituras e à noite se alojavam na sua mente. Por isso, ela dormia deitada de costas para que eles pudessem passar. Porque, apesar de ter medo dos novos sons, ela sabia que precisava ouvi-los também.

Akua soube que tinha tido o sonho de novo naquela noite quando acordou gritando. O som escapou de sua boca como a respiração, como a fumaça de um cachimbo. Seu marido, Asamoah, acordou ao seu lado e estendeu rapidamente a mão para pegar o machete que mantinha ali perto, olhando para o chão para verificar as crianças, depois para a porta para ver se havia algum intruso e, por fim, olhando para a mulher.

— O que está acontecendo? — perguntou ele.

Akua estremeceu, de repente sentindo frio.

— Foi o sonho — disse ela. Só percebeu que estava chorando quando Asamoah a puxou para abraçá-la. — Você e os outros líderes não deviam ter queimado aquele homem branco — disse ela, falando para o peito dele. E ele a afastou de si.

— Você defende o homem branco? — perguntou ele.

Ela negou de imediato. Desde que o tinha escolhido para se casar, ela sabia que o marido temia que o tempo passado entre os missionários brancos a tivesse enfraquecido, de algum modo a tivesse tornado menos axânti.

— Não é isso — disse ela. — É o fogo. Não paro de sonhar com fogo.

Asamoah estalou a língua. Tinha morado em Edweso a vida inteira. No rosto, ele trazia a marca dos axântis, e a nação era seu orgulho.

— O que me importa o fogo se eles exilaram o *asantehene*?

Akua não sabia responder. Havia anos que o rei Prempeh I se recusava a permitir que os ingleses conquistassem o reino dos axântis, insistindo que o povo axânti permanecesse soberano. Por isso, ele foi preso e exilado, e a raiva que estava fermentando por toda a nação axânti se acirrou. Akua sabia que seus sonhos não impediriam essa raiva de crescer no coração do marido. E, assim, ela resolveu guardá-los para si, dormir de bruços ou de costas, nunca mais deixar Asamoah ouvi-la gritar.

Akua passava os dias no *compound* com sua sogra, Nana Serwah, e suas filhas, Abee e Ama Serwah. Ela começava todas as manhãs varrendo, uma tarefa que sempre tinha apreciado por ser repetitiva, tranquila. Aquela tinha sido sua tarefa na escola missionária também, mas lá o missionário ria enquanto a observava, assombrado com o fato de o chão da escola ser de terra batida. "Quem já ouviu falar de varrer terra da terra?", dizia ele, e Akua se perguntava como seriam os pisos no lugar de onde ele vinha.

Depois de varrer, Akua ajudava as outras mulheres a cozinharem. Abee tinha só quatro anos, mas gostava de segurar o pilão gigantesco e fingir que estava ajudando.

— Mama, olha! — dizia ela, abraçando junto ao corpinho o pilão alto. Ele era muito mais alto que ela, e seu peso ameaçava desequilibrá-la. Ama Serwah, o bebê ainda aprendendo a andar, tinha olhos grandes, brilhantes, que passavam de relance do alto do pilão de *fufu* para a irmã trêmula antes de chegarem à mãe.

— Como você é forte! — dizia Akua, e Nana Serwah estalava a língua.

— Ela vai cair e se machucar — dizia a sogra, arrancando o pilão de *fufu* das mãos de Abee, com um gesto de censura. Akua sabia que Nana Serwah não aprovava a escolha do filho, muitas vezes dizendo que uma mulher cuja mãe a tivesse deixado para ser criada por homens brancos nunca saberia criar os próprios filhos. Era mais ou menos nessa hora que Nana Serwah mandava Akua ir à feira comprar mais ingredientes para a refeição que mais tarde elas prepariam para Asamoah e os outros homens que passavam os dias fora, reunindo-se, planejando.

Akua gostava de ir à feira. Finalmente, ela conseguia pensar, sem o olhar penetrante das mulheres e dos homens idosos, que ficavam por ali pelo *compound*, zombando dela por todo o tempo que ela passava com os olhos fixos no mesmo ponto da parede de uma cabana.

— Ela não é bem certa — diziam eles, em voz alta, sem dúvida perguntando-se por que Asamoah teria decidido se ca-

Akua

sar com ela. Mas Akua não estava simplesmente com os olhos perdidos. Estava escutando todos os sons que o mundo tinha a oferecer, todas as pessoas que habitavam aqueles espaços que os outros não podiam ver. Ela era uma caminhante.

No caminho até a feira, costumava parar no local onde os habitantes da cidadezinha tinham ateado fogo ao homem branco. Um homem sem nome, ele mesmo um caminhante que acabou indo parar na cidade errada, na hora errada. De início, ele estava em segurança, deitado à sombra de uma árvore, protegendo o rosto do sol com um livro, mas então Kofi Poku, uma criança de apenas três anos, surgiu na frente de Akua, que estava prestes a perguntar ao homem se ele estava perdido ou se precisava de ajuda, apontou para o homem seu indicador minúsculo e gritou: "*Obroni!*"

As orelhas de Akua formigaram com a palavra. Ela estava em Kumasi quando a ouviu pela primeira vez. Uma criança que não frequentava a escola missionária tinha chamado o missionário de "*obroni*", e o homem tinha ficado vermelho como o sol em chamas e ido embora dali. Akua só tinha seis anos na ocasião. Para ela, a palavra sempre significara apenas "homem branco". Ela não entendeu por que o missionário tinha se irritado, e, em momentos como esse, ela desejava poder se lembrar da mãe. Talvez a mãe tivesse uma resposta. Em vez disso, Akua saiu sorrateira naquela noite e foi aos limites da aldeia, à cabana de um feiticeiro, que se dizia que já era vivo quando o homem branco chegou pela primeira vez à Costa do Ouro.

— Pense bem — disse o homem, depois que ela lhe contou o que tinha acontecido. Na escola missionária, eles chamavam os brancos de professor, reverendo ou senhora. Quando Abena morreu, Akua foi deixada para ser criada pelo missionário. Ele foi o único que se dispôs a aceitá-la. — Não começou como *obroni*. Começou com duas palavras. *Abro ni*.

— Homem mau? — perguntou Akua.

O feiticeiro assentiu.

— Entre os akans, ele é homem mau, o que fere. Entre os jejes do sudeste, seu nome é Cão Esperto, o que se finge de bonzinho e depois morde.

— O missionário não é mau — disse Akua.

O feiticeiro tinha nozes no bolso. Foi assim que Akua o conheceu. Depois que a mãe morreu, ela estava chorando na rua à procura dela. Akua ainda não sabia o que era a perda. Chorar era o que ela fazia sempre que a mãe a deixava, para ir à feira, para ir ao mar. Chorar pela ausência da mãe era comum, mas, dessa vez, a ausência tinha durado a manhã inteira. E sua mãe não tinha ressurgido para acalmá-la, abraçá-la, beijar seu rosto. O feiticeiro a viu chorando naquele dia e lhe deu uma noz-de-cola. Mascar a noz a tranquilizara por um tempo.

Agora, ele lhe dava uma noz mais uma vez.

— Por que o missionário não é mau?

— Ele é um homem de Deus.

— E os homens de Deus não são maus? — perguntou ele.

Akua concordou em silêncio.

— Eu sou mau? — perguntou o feiticeiro, e Akua não soube como responder. Naquele primeiro dia, quando o conheceu e ele lhe deu a noz-de-cola, o missionário tinha saído e a viu com ele. O branco agarrou a sua mão e a afastou dali, dizendo-lhe para não falar com feiticeiros. Eles o chamavam de feiticeiro porque era isso o que ele era, porque ele não tinha desistido de rezar para seus ancestrais, de dançar ou colher

Akua

plantas, pedras, ossos e sangue, com os quais pudesse fazer suas oferendas. Ele não tinha sido batizado. Ela sabia que supostamente ele era mau, que ela ia se descobrir mergulhada num mar de problemas, se os missionários soubessem que ela ainda ia vê-lo. No entanto, ela reconhecia que a bondade e o amor dele eram diferentes da bondade e do amor das pessoas da escola. Tinham mais calor humano e, de algum modo, eram mais verdadeiros.

— Não, o senhor não é mau — disse ela.

— Você só pode concluir que um homem é mau pelo que ele faz, Akua. O homem branco fez por merecer esse nome aqui. Lembre-se disso.

E ela não deixou de se lembrar. Lembrou-se até mesmo quando Kofi Poku apontou para o homem branco dormindo à sombra da árvore e gritou: "*Obroni!*" Lembrou-se de quando a multidão se formou e de quando, de repente, estourou a cólera que vinha se acumulando na aldeia havia meses. Os homens acordaram o homem branco quando o amarraram à árvore. Eles construíram uma fogueira e então o queimaram. O tempo todo ele gritava em inglês: "Por favor, se alguém aqui me entender, me solte! Sou só um viajante. Não sou do governo! Não sou do governo!"

Akua não era a única pessoa na multidão que entendia inglês. Ela não foi a única pessoa na multidão que não fez nada para ajudar.

Quando Akua voltou para o *compound*, todos estavam em alvoroço. Ela podia sentir o caos no ar, que parecia estar mais denso e mais pesado, com o barulho e o medo, a fumaça da comida chiando no fogo e o zumbido das moscas. Nana Serwah estava coberta por uma película de suor, com as mãos enrugadas enrolando *fufu* rapidamente para empilhar no prato para o grande grupo de homens que tinha chegado. A mulher ergueu os olhos e avistou Akua.

— Akua, qual é o seu problema? Por que está simplesmente parada aí? Venha ajudar. Precisamos alimentar esses homens antes da próxima reunião.

Akua se sacudiu para sair do atordoamento em que se encontrava e se sentou ao lado da sogra, enrolando em rodelinhas perfeitas a mandioca esmagada, antes de passá-las para a mulher seguinte, que enchia as cumbucas com sopa.

Os homens gritavam alto, tão alto que era quase impossível distinguir o que um estava dizendo do que os outros estavam dizendo. Pelo som, era tudo igual. Indignação. Cólera. Akua podia ver o marido, mas não se atrevia a olhar para ele. Ela sabia que seu lugar era com a sogra, com as outras mulheres, com os velhos, não implorando com os olhos para ele lhe dar respostas.

— O que está acontecendo? — sussurrou Akua para Nana Serwah. A sogra estava lavando as mãos com a cabaça de água que ficava ao seu lado, para depois secá-las no pano.

Ela falou num tom abafado, quase sem mover os lábios.

— O governador britânico, Frederick Hodgson, esteve em Kumasi hoje. Ele disse que não vão permitir que o rei Prempeh I volte do exílio.

Akua sugou o ar por entre os dentes. Era isso o que todos eles vinham temendo.

— É pior que isso — continuou a sogra. — Ele disse que devemos lhe dar o Tamborete Dourado para ele poder sentar-se nele ou dá-lo de presente à sua rainha.

Akua

As mãos de Akua começaram a tremer na panela, fazendo um barulho baixo, chocalhante, e prejudicando a forma do *fufu*. Quer dizer que era pior do que o que eles todos estavam temendo, pior do que outra guerra, pior do que mais algumas centenas de mortos. Eles eram um povo guerreiro, e a guerra era o que eles sabiam fazer. Mas, se um homem branco levasse o Tamborete Dourado, o espírito dos axântis sem dúvida morreria, e isso eles não poderiam tolerar.

Nana Serwah estendeu a mão e tocou na de Akua. Foi uma das poucas demonstrações de generosidade que a mãe de Asamoah tivera para com Akua desde os tempos da corte que Asamoah lhe fizera e do seu casamento. As duas sabiam o que estava por vir e o que aquilo significaria.

Na semana seguinte, já tinha havido uma reunião entre líderes axântis em Kumasi. As histórias que se seguiram falavam de como os homens da reunião estavam muito tímidos, discordando sobre o que dizer aos ingleses, sobre o que fazer. Foi Yaa Asantewaa, a própria rainha-mãe de Edweso, quem se levantou e exigiu que lutassem, dizendo que, se os homens não quisessem lutar, as mulheres lutariam.

Ao amanhecer, a maior parte dos homens já tinha partido. Asamoah beijou as filhas e a beijou também, abraçando-a só um instante. Akua ficou observando enquanto ele se vestia. Viu quando ele saiu. Outros vinte homens do lugar foram com ele. Alguns ficaram, sentando-se no *compound*, à espera da refeição.

O marido de Nana Serwah, sogro de Akua, tinha mantido um machete com cabo dourado ao seu lado todas as noites da sua vida. Depois que ele morreu, Nana Serwah manteve o machete no lugar onde o marido costumava dormir. Um machete em troca de um corpo. Depois que a convocação da rainha-mãe chegou a Edweso, Nana Serwah tinha tirado o machete da cama e o levado para o *compound*. E todos os homens que ainda não tinham ido lutar pelos axântis deram uma única olhada na velha segurando aquela arma enorme e partiram. Foi assim que a guerra começou.

O missionário mantinha uma chibata longa e fina em cima da mesa de trabalho.

— Você não vai mais estudar com as outras crianças — disse ele. Somente poucos dias tinham se passado desde que uma criança tinha chamado o missionário de *obroni*, mas Akua mal se lembrava disso. Tinha acabado de aprender a escrever seu nome inglês, Deborah, naquela mesma manhã. Era o nome mais comprido entre todas as crianças da turma, e Akua tinha se esforçado muito para escrevê-lo. — De agora em diante — disse o missionário — você terá aulas comigo. Entendeu?

— Entendi — respondeu ela. Devia ter chegado a ele a notícia de que ela havia aprendido a escrever o nome. Ia receber tratamento especial.

— Sente-se — disse o missionário.

Ela se sentou.

O missionário pegou a chibata da mesa e a apontou para Akua. A ponta da chibata estava a poucos centímetros do seu nariz. Quando ela envesgou os olhos, pôde vê-la com nitidez, e foi só então que o medo a dominou.

— Você é uma pecadora e uma pagã — disse ele. Akua fez que sim. Os professores já lhes tinham dito isso. — Sua mãe não tinha marido quando veio me procurar aqui, grávida, implorando ajuda. Eu a ajudei porque foi isso o que Deus queria que eu fizesse. Mas ela era uma pecadora e uma pagã, como você.

Mais uma vez, Akua assentiu. O medo começou a se acomodar em algum lugar do seu estômago, fazendo com que ela sentisse náuseas.

— Todas as pessoas no continente negro devem abandonar o paganismo e se voltar para Deus. Sejam gratos pela presença dos ingleses aqui para ensiná-los a levar uma vida digna e virtuosa.

Dessa vez, Akua não fez que sim. Ela olhou para o missionário, mas não saberia descrever o olhar que ele lhe deu em troca. Depois que ele a mandou se levantar e se curvar, depois que lhe deu cinco chibatadas e lhe ordenou que se arrependesse dos pecados e repetisse "Deus abençoe a rainha", depois que ela teve permissão para sair, depois que ela finalmente vomitou seu medo, a única palavra que lhe ocorreu foi "faminto". O missionário parecia faminto, como se fosse devorá-la, caso pudesse.

Todos os dias, Akua acordava as filhas enquanto o sol ainda estava dormindo. Ela enrolava seu pano em volta do corpo e então saía andando com as meninas para as ruas de terra batida, onde Nana Serwah, Akos, Mambee e todas as outras mulheres de Edweso já tinham começado a se reunir. A voz de Akua era a mais forte. Por isso, era ela quem puxava a cantoria:

Awurade Nyame kum dom
Oboo adee Nyame kum dom

> *Ennee yerekokum dom afa adee*
> *Oboo adee Nyame kum dom*
> *Soso be hunu, megyede be hunu.*

Rua acima e rua abaixo, elas cantavam. A menorzinha de Akua, Ama Serwah, era quem cantava mais alto e mais desafinado, engrolando as palavras até a música chegar à sua parte preferida, e nesse ponto ela mais berrava do que cantava: "DEUS CRIADOR, DERROTE OS SOLDADOS!" Às vezes, as mulheres a punham bem na frente, e suas perninhas pisavam com vigor para lá e para cá até Akua a pegar no colo para carregá-la pelo resto do caminho.

Depois da cantoria, Akua voltava para lavar-se e às filhas, aplicar barro branco no corpo, como um símbolo do seu apoio aos esforços de guerra, comer e então cantar de novo. Elas cozinhavam em turnos, para que sempre houvesse alguma comida para mandar para os homens. De noite, Akua dormia sozinha, ainda sonhando com o fogo. Gritando de novo, agora que Asamoah não estava ali.

Fazia cinco anos que Akua e Asamoah tinham se casado. Ele era mercador e tinha negócios em Kumasi. Um dia, ele a tinha visto na escola missionária e tinha parado para conversar com ela. Daquele dia em diante, ele parava para conversar com ela todos os dias. Duas semanas depois, ele voltou ali para perguntar se ela queria se casar com ele e ir morar em Edweso, pois ele sabia que ela era órfã, sem nenhum outro lugar para viver.

Akua não viu nada digno de nota em Asamoah. Ele não era bonito como o homem chamado Akwasi, que ia à igreja todos os domingos, ficando parado, tímido, no fundo, fingindo não perceber quando as mães jogavam as filhas para cima dele. Asamoah também parecia possuir pouca inteligência mental, pois sua vida inteira tinha girado em torno da inteligência do corpo: o que ele poderia capturar, construir ou erguer para poder levar à feira. Uma vez ela o tinha visto vender dois panos *kente* pelo preço de um porque ele não sabia contar direito o dinheiro. Asamoah não era a melhor escolha, mas era a segura; e Akua aceitou de bom grado sua proposta. Até aquela ocasião, ela achava que teria de permanecer com o missionário para sempre, participando daquele jogo estranho de aluna/professor, pagã/salvador, mas, com Asamoah, ela viu que talvez sua vida pudesse se tornar algo diferente do que sempre tinha imaginado que seria.

— Eu proíbo — disse o missionário, quando ela lhe contou.

— O senhor não tem como proibir — disse Akua. Agora que dispunha de um plano, de uma esperança de sair daquela situação, ela se sentia fortalecida.

— Você... você é uma pecadora — murmurou o missionário, com a cabeça escondida nas mãos. — É uma pagã — disse ele, com a voz mais alta. — Deve pedir a Deus perdão pelos seus pecados.

Akua não respondeu. Por quase dez anos, ela saciara a fome do missionário. Agora queria saciar a sua própria.

— Peça a Deus que perdoe os seus pecados! — gritou o missionário, lançando a chibata contra ela.

A chibata atingiu Akua no ombro esquerdo. Akua ficou olhando a chibata cair ao chão e, então, calmamente, saiu dali. Às suas costas, ela ouviu o que o missionário dizia.

— Ele não é um homem de Deus. Não é um homem de Deus.

Mas Akua pouco se importava com Deus. Estava com dezesseis anos, e o feiticeiro tinha morrido um ano antes. Ela costumava procurá-lo sempre que conseguia se afastar do missionário. Ela lhe dizia que, quanto mais aprendia sobre Deus com o missionário, mais perguntas lhe ocorriam. Perguntas importantes como, por exemplo, se Deus era tão importante, tão poderoso, por que ele precisava que o homem branco o trouxesse a eles? Por que ele não se anunciava sozinho? Por que não dava a conhecer sua presença como tinha feito nos tempos dos quais o Livro tratava, com sarças ardentes e mortos que andam? Por que sua mãe tinha procurado esses missionários, essas pessoas brancas, com tantos outros a escolher? Por que ela não tinha família? Nem amigos? Sempre que fazia essas perguntas ao missionário, ele se recusava a responder. O feiticeiro lhe disse que talvez o Deus cristão *fosse* em si mesmo uma pergunta, um enorme turbilhão de porquês. Essa resposta nunca satisfez Akua, e quando o feiticeiro morreu, Deus já não a satisfazia também. Asamoah era real. Tangível. Seus braços eram grossos como inhames, e sua pele, tão marrom quanto eles. Se Deus era um porquê, Asamoah era um sim, sim, sim.

Agora que a guerra tinha chegado até elas, Akua percebia que Nana Serwah era mais simpática com ela do que jamais chegara a ser. Notícias da morte de um homem ou de outro chegavam todos os dias, e as duas prendiam a respiração, com a certeza de que seria apenas uma questão de tempo para que o nome que saísse da boca do mensageiro fosse o de Asamoah.

Edweso estava vazia. A ausência dos homens parecia ter uma presença própria. Às vezes, Akua achava que não tinha havido tanta mudança assim, mas então ela via os campos vazios, os inhames apodrecendo, as mulheres se lamentando. Os sonhos de Akua estavam ficando piores também. Neles, a mulher-fogo vociferava pela perda das filhas. Às vezes, ela falava com Akua, dando a impressão de chamá-la. Ela parecia conhecida, e Akua queria lhe fazer perguntas. Queria saber se a mulher-fogo conhecia o branco que tinha sido queimado. Se todos os que fossem tocados pelo fogo faziam parte do mesmo mundo. Se ela estava sendo chamada. Em vez disso, ela não falava. Acordava aos gritos. No meio de toda essa agitação, Akua descobriu que estava grávida. Pelo menos de seis meses, ela calculou pela forma e pelo peso firme da barriga.

Um dia, já passado um bom tempo do início da guerra, Akua estava cozinhando inhames para mandar para os guerreiros e não conseguia tirar os olhos do fogo.

— Isso de novo? — disse Nana Serwah. — Achei que tínhamos acabado com a sua indolência. Será que nosso povo está longe de casa lutando para você poder ficar com os olhos perdidos no fogo e de noite berrar para suas filhas ouvirem?

— Não, Ma — disse Akua, se sacudindo para sair do estupor. Mas, no dia seguinte, ela fez a mesma coisa. E mais uma vez a sogra a repreendeu. O mesmo aconteceu no dia que se seguiu àquele, e depois no outro, até Nana Serwah decidir que Akua estava doente e que devia ficar na cabana até a doença sair do seu corpo. As filhas ficariam com Nana Serwah até Akua se recuperar totalmente.

No primeiro dia do seu exílio na cabana, Akua ficou grata pela pausa. Ela não tivera descanso desde que os homens partiram para a guerra, sempre marchando pela cidade entoando cantos de guerra, ou em pé, se derretendo de suor diante de um caldeirão. Ela pretendia só dormir depois que tivesse anoitecido. Deitar-se no lado da cabana onde Asamoah costumava se deitar, tentando invocar o cheiro dele para lhe fazer companhia até a noite cair, lançando sua escuridão medonha no quarto. Mas, em questão de horas, Akua já estava dormindo, e a mulher-fogo tinha ressurgido.

Ela estava crescendo; seu cabelo, um matagal rebelde em tons de ocre e azul. Estava ficando mais audaciosa. Já não queimava simplesmente as coisas que estavam ao seu redor, mas agora reconhecia a presença de Akua. Ela a via.

— Onde estão suas filhas? — perguntou ela. Akua estava com medo demais para responder. Sentia que seu corpo estava no catre. Sentia que estava sonhando e, no entanto, não conseguia exercer controle sobre essa sensação. Não conseguia mandar que aquela sensação ganhasse mãos, cutucasse seu corpo até ela acordar. Ela não conseguia mandar aquela sensação jogar água na mulher-fogo, apagá-la, fazendo com que sumisse dos seus sonhos.

— Você precisa sempre saber onde suas filhas estão — continuou a mulher-fogo, e Akua estremeceu.

No dia seguinte, ela tentou sair da cabana, mas Nana Serwah fez o Gordo se sentar à sua porta. O corpo do homem, gordo demais para lutar na guerra em que estavam seus companheiros, era exatamente do tamanho para manter Akua presa.

— Por favor! — gritou Akua. — Só me deixe ver minhas filhas!

Mas o Gordo não se mexeu do lugar. Nana Serwah, em pé ao lado dele, respondeu, também gritando:

— Vai poder ver as meninas quando não estiver mais doente!

Akua

Akua lutou pelo resto daquele dia. Ela empurrava, mas o Gordo não saía do lugar. Ela berrava, mas ele não respondia. Ela socava a porta, mas os ouvidos dele se recusavam a ouvir. De vez em quando, Akua ouvia Nana Serwah vir até ele, trazendo-lhe comida e água para beber. Ele agradecia, mas não dizia mais nada. Era como se ele sentisse que tinha encontrado uma forma de servir. A guerra tinha chegado à porta de Akua. Ao anoitecer, Akua já estava com medo de falar. Ela se agachou no canto da cabana, rezando para todos os deuses que tinha conhecido. O Deus cristão, que os missionários sempre descreveram como ao mesmo tempo colérico e amoroso. Nyame, o Deus do povo akan, que tudo sabia e tudo via. Ela rezou para Asase Yaa e seus filhos Bia e Tano. Ela chegou a rezar para Anansi, embora ele não fosse mais do que o trapaceiro que as pessoas punham nas histórias para se divertirem. Ela rezou alto, com fervor, para não dormir, e de manhã estava fraca demais para lutar contra o Gordo, fraca demais para saber se ele sequer ainda estava lá.

Por uma semana, ela ficou assim. Nunca tinha entendido os missionários quando eles diziam que poderiam, às vezes, passar um dia inteiro rezando, mas agora entendia. A prece não era uma coisa sagrada nem santa. Não era pronunciada simplesmente, em twi ou em inglês. Não precisava ser dita enquanto a pessoa estivesse ajoelhada ou de mãos postas. Para Akua, a prece era um canto arrebatado, uma linguagem para aqueles desejos do coração cuja existência nem mesmo a mente reconhecia. Era arranhar o chão de terra batida, colhendo-a nas palmas escuras. Era ficar agachada na penumbra do quarto. Era a palavra de duas sílabas que lhe escapava pelos lábios sempre, sempre e sempre. Fogo. Fogo. Fogo.

* * *

O missionário não queria permitir que Akua saísse do orfanato para se casar com Asamoah. Desde o dia em que ela lhe falou do pedido de casamento de Asamoah, o missionário tinha interrompido suas aulas, parado de lhe dizer que ela era uma pagã e de lhe pedir que se arrependesse dos seus pecados, que repetisse: "Deus abençoe a rainha." Ele só a observava.

— O senhor não pode me prender aqui — disse Akua. Ela estava recolhendo suas últimas coisas, tirando-as do alojamento. Asamoah voltaria antes do entardecer para buscá-la. Edweso estava à espera.

O missionário estava parado na soleira da porta, com a chibata na mão.

— O quê? Vai me espancar até eu ficar? — perguntou ela.

— O senhor teria que me matar para me manter aqui.

— Vou lhe contar a história da sua mãe — disse por fim o missionário. Ele deixou a chibata cair no chão e andou na direção de Akua, até chegar tão perto que ela conseguia sentir o leve fedor de peixe no hálito dele. Havia dez anos que ele não se aproximava dela mais do que o comprimento daquela chibata. Havia dez anos que ele se recusava a responder a suas perguntas sobre a própria família. — Vou lhe falar da sua mãe. Qualquer coisa que você queira saber.

Akua recuou um passo, e ele fez o mesmo. Ele baixou os olhos.

— Sua mãe, Abena, não quis se arrepender — disse o missionário. — Ela veio nos procurar, grávida de você, seu pecado, mas mesmo assim se recusava a se arrepender. Ela desprezava os ingleses. Era brigona e colérica. Acredito que estava satisfeita com seus pecados. Não se lamentava de nada em relação a você ou ao seu pai, muito embora ele não se importasse com ela como um homem deveria.

O missionário falava baixinho, tão baixo que Akua não sabia ao certo se o estava escutando ou não.

— Depois que você nasceu, eu a levei até as águas para ser batizada. Ela não queria ir, mas eu... eu a forcei. Ela se debatia enquanto eu a carregava através da floresta, até o rio. Ela se debatia quando eu a baixei para dentro da água. Ela se debatia sem parar e, então, ficou imóvel. — O missionário ergueu a cabeça e, por fim, olhou para Akua. — Eu só queria que ela se arrependesse. Eu... eu só queria que ela se arrependesse...

O missionário começou a chorar. Não foi a visão das lágrimas que chamou a atenção de Akua, mas, sim, o som. O ruído terrível, arquejante, como se alguma coisa estivesse sendo arrancada de sua garganta.

— Onde está o corpo dela? — perguntou Akua. — O que o senhor fez com o corpo dela?

O som parou. O missionário falou:

— Eu o queimei na floresta. Eu o queimei junto com todos os seus pertences. Que Deus me perdoe! Que Deus me perdoe!

O som voltou. Dessa vez, vieram junto tremores, um sacolejar tão violento que logo o missionário desabou no chão.

Akua precisou passar por cima do corpo para sair.

Asamoah voltou no final da semana. Com sua orelha em crescimento, Akua pôde ouvi-lo chegar, embora ainda não conseguisse vê-lo. Ela se sentia presa ao chão pelo próprio peso, com os membros parecendo toras pesadas no solo de alguma floresta escura.

À porta, Nana Serwah soluçava e gritava:

— Meu filho! Meu fiiilho! Meu fiiilho! Meu filho!

E, então, a orelha em crescimento de Akua ouviu um som novo. Passo forte. Espaço. Passo forte. Espaço.

— O que o Gordo está fazendo aqui? — perguntou Asamoah. Sua voz foi tão alta que Akua pensou em se mexer, mas era como se ela estivesse no mundo dos sonhos de novo, sem conseguir forçar o corpo a fazer o que a mente queria.

Nana Serwah não podia responder ao filho, de tão ocupada que estava com suas lamúrias. O Gordo mexeu-se: sua enorme circunferência, uma rocha que rolou para revelar a porta. Asamoah entrou no quarto, mas Akua ainda não conseguia se levantar.

— O que significa isso? — vociferou Asamoah, e Nana Serwah, abalada, parou com suas lamúrias.

— Ela estava doente. Estava doente, então nós...

Sua voz foi sumindo. Akua pôde ouvir o som de novo. Passo forte. Espaço. Passo forte. Espaço. E, então, Asamoah estava parado diante dela, mas, em vez de duas pernas, ela só viu uma.

Ele se abaixou com cuidado, para que seus olhos pudessem se encontrar melhor, equilibrando-se tão bem que Akua se perguntou quanto tempo teria se passado desde que ele tinha visto pela última vez a perna que faltava. Ele parecia tão à vontade com o espaço vazio.

Ele percebeu a barriga volumosa e estremeceu. Estendeu a mão. Akua ficou olhando. Ela não dormia havia uma semana. Formigas tinham começado a passar pelos seus dedos, e ela teve vontade de se livrar delas, sacudindo, ou de dá-las para Asamoah, entrelaçar seus dedos pequenos entre os grandes dedos dele.

Asamoah levantou-se e se dirigiu à mãe.

—Onde estão as meninas? — perguntou ele, e Nana Serwah, que tinha recomeçado a chorar, dessa vez ao ver Akua presa ao chão, correu para buscá-las.

Ama Serwah e Abee entraram. Para Akua elas pareciam as mesmas. As duas ainda chupavam o dedo, apesar de Nana Serwah passar pimenta ardida nas pontas todos os dias de manhã, ao meio-dia e à noite, para fazer com que largassem o hábito. As meninas estavam desenvolvendo uma predileção pelo sabor ardido. De mãos dadas com a avó, com o polegar enfiado na boca, elas olharam de Asamoah para Akua. E então, sem dizer nada, Abee envolveu seu corpinho inteiro em torno da perna do pai, como se a perna fosse um tronco de árvore, como se fosse o pilão de bater *fufu* que ela gostava tanto de segurar, mais forte do que ela, mais resistente. A menorzinha, Ama Serwah, foi se aproximando de Akua, que pôde ver que ela estivera chorando. Do seu nariz, um muco espesso vinha escorrendo até lamber seu lábio superior, com a boca muito aberta ali abaixo. Parecia uma lesma que saía de uma pequena gruta para entrar numa vasta caverna. Ela tocou no joelho do pai, mas continuou avançando para ir pousar onde Akua estava. Então deitou-se ao lado da mãe. Akua podia sentir o coraçãozinho batendo no mesmo compasso do seu próprio coração partido. Ela estendeu a mão para tocar a filha, para puxá-la num abraço. E então se levantou e examinou o quarto.

A guerra terminou em setembro, e a terra ao redor deles começou a registrar a perda dos axântis. Longas fissuras no barro vermelho abriram-se em torno do *compound* de Akua, tão seca foi a estação. Lavouras morreram, e os alimentos foram limitados, pois eles tinham dado tudo aos homens que lutavam. Deram tudo o que tinham, na certeza de que seriam recompensados na abundância da liberdade. Yaa Asantewaa, a rainha-mãe guerreira de Edweso, foi exilada para as Seichelles e nunca mais foi vista pelos que moravam na aldeia. Às vezes, Akua passava pelo palácio durante suas caminhadas e se perguntava: E se?

No dia em que havia se levantado do chão, ela não quis falar, nem quis deixar que as filhas ou Asamoah se afastassem. E, assim, a família destroçada se aninhava uns nos outros, cada um na esperança de que a presença do outro curasse a ferida que sua própria guerra pessoal tinha deixado para trás.

A princípio, Asamoah não quis tocar nela, e ela não queria ser tocada. O vazio onde antes estava a perna dele a desafiava. Ela não conseguia imaginar como ajeitar seu corpo ao lado do dele quando eles estavam deitados de noite. No passado, ela se enroscaria nele, com uma perna entrelaçada nas dele, mas agora não conseguia encontrar uma posição confortável, e a inquietação de Akua alimentava a inquietação de Asamoah. Akua já não dormia a noite inteira, mas Asamoah detestava vê-la acordada e atormentada. Por isso, ela fingia dormir, permitindo que as ondas dos seus seios subissem e caíssem com a corrente da respiração. Às vezes, Asamoah se virava e ficava olhando para ela. Akua podia sentir como ele a examinava enquanto ela fingia dormir. E se ela falhasse, abrisse os olhos ou perdesse o compasso da respiração, o vozeirão dele ordenava que ela adormecesse. Se conseguisse convencê-lo, ela esperaria até que a respiração real dele acompanhasse sua respiração simulada e, então, simplesmente, ficava ali deitada, torcendo

Akua

para a mulher-fogo não aparecer. Quando adormecia, só o fazia de leve, mergulhando a concha do sono no poço raso da terra dos sonhos, na esperança de não ver por lá a mulher-fogo antes de voltar a despertar.

E então, um dia, Asamoah já não queria dormir. Ele começou a roçar o nariz no seu pescoço.

— Sei que você está acordada — disse ele. — Sei que você não dorme todos esses dias, Akua.

E, ainda assim, ela tentou fingir, ignorando o hálito quente dele na sua pele, respirando tranquila no mesmo ritmo.

— Akua. — Ele tinha virado o corpo para que sua boca estivesse junto da orelha da mulher, e o som do seu nome era como uma baqueta forte batendo num tambor oco.

Ela não respondeu enquanto ele continuava a dizer seu nome. No primeiro dia em que saiu da casa, depois da sua semana de exílio, os moradores da cidade tinham desviado o olhar quando ela passava, embaraçados e envergonhados por terem permitido que Nana Serwah a tratasse daquele modo. A sogra também não podia vê-la sem romper em lágrimas, com seus pedidos de perdão abafados pelo som do choro. Era só Kofi Poku, a criança que havia apontado para o homem branco, o homem mau, condenando-o com isso a morrer queimado, que via Akua calada e sussurrava: "Mulher Maluca." Mulher Maluca. Esposa do Aleijado.

Naquela noite, o Aleijado virou a Mulher Maluca na cama e a penetrou; de início, com vigor e, depois, com mais timidez. Ela abriu os olhos para vê-lo se movimentando mais devagar do que antes, usando os braços para o movimento de vaivém, com o suor gotejando devagar da ponta do nariz para cair na sua testa e escorrer até o chão.

Quando terminou, Asamoah deu-lhe as costas e chorou. Suas filhas estavam dormindo do outro lado da cabana, chupando dedo. Akua também se virou para o outro lado. Exausta, ela adormeceu. E de manhã, quando percebeu que não tinha sonhado com o fogo, achou que tudo ia dar certo. Semanas mais tarde, quando Nana Serwah arrancou o bebê Yaw do meio das pernas de Akua com a mão e cortou o cordão com a outra, quando Akua ouviu seu vagido alto, ela soube que tudo ia dar certo para seu filho também.

Aos poucos, Akua começou a falar mais. Ela dormia raramente, mas, quando dormia, saía andando. Alguns dias, ela acordava junto da porta; em outros, toda encolhida entre as filhas. O tempo do sono era curto, rápido, de modo que, assim que se movimentava, descobria que estava acordada outra vez. Ela voltava para seu lugar ao lado de Asamoah, ficava olhando para o telhado de palha e barro acima deles até que o sol começasse a espiar pelas fendas. Era muito raro que Asamoah a apanhasse nos seus passeios de sonâmbula enquanto ele próprio estivesse mergulhado no sono. Ele estendia a mão para o machete, lembrava-se então da perna que lhe faltava e desistia. Derrotado, pensava Akua, pela esposa e pela sua própria desgraça.

Akua desconfiava dos moradores da aldeia, e as únicas pessoas que lhe traziam alegria eram seus filhos. Ama Serwah estava falando palavras de verdade agora, deixando para trás a fala rápida, nervosa e sem sentido, de quando tinha acabado de completar dois anos. Agora ninguém questionava Akua quando ela queria dar longos passeios com as crianças. Não a questiona-

Akua

vam quando ela achava que um pau era uma cobra ou quando deixava a comida queimar no fogo. Quando murmuravam "Mulher Maluca", tinham de fazê-lo pelas costas de Nana Serwah, porque, se a mulher os ouvisse, ela lhes daria uma surra verbal que machucaria quase tanto quanto uma surra de verdade.

Akua costumava começar cada passeio perguntando às filhas aonde elas queriam ir. Ela amarrava o bebê Yaw num pano nas suas costas e esperava que as meninas lhe dessem a direção. Muitas vezes, elas diziam as mesmas coisas. Queriam passar pelo palácio de Yaa Asantewaa. O lugar tinha sido conservado em sua homenagem, e as meninas gostavam de ficar em pé do lado de fora do portão, cantando as canções do pós-guerra. Sua preferida era assim:

> *Koo koo hin koo*
> *Yaa Asantewaa ee!*
> *Obaa basia*
> *Ogyina apremo ano ee!*
> *Waye be egyae*
> *Na Wabo Mmoden*

Às vezes, Akua cantava junto, baixinho, balançando Yaw para lá e para cá, no ritmo da música, enquanto louvava a mulher que lutou contra canhões.

As meninas costumavam precisar descansar, e seu local preferido para isso era à sombra de árvores. Akua passava longas tardes com elas, cochilando nas pequenas faixas de sombra proporcionadas por árvores de uma altura incrível.

— Eu quero ser como Yaa Asantewaa quando ficar velha! — declarou Ama Serwah num dia daqueles. As meninas estavam cansadas demais para continuar andando, e a única árvore ali por perto era aquela em que o homem branco tinha sido queimado. O negrume da casca calcinada parecia subir se arrastando a partir das raízes na direção dos galhos mais baixos. Akua, a princípio, resistiu a parar ali, mas o peso do bebê fez com que ela se sentisse como se estivesse carregando dez punhados de inhames. Por fim, ela parou, deitando-se de costas, com a pequena montanha da barriga ainda não totalmente de volta ao normal escondendo da sua visão as meninas deitadas aos seus pés. O bebê Yaw, ao seu lado.

— Será que cantarão canções sobre você, meu amor? — perguntou Akua, e Ama Serwah caiu em risinhos.

— Sim! — disse ela. — Eles vão dizer: "Olhem para a velhinha, Ama Serwah. Ela não é forte, e bonita também?"

— E você, Abee? — perguntou Akua, protegendo os olhos do sol forte do meio-dia.

— Yaa Asantewaa era rainha-mãe, filha de um Grande Homem — disse Abee. — É por isso que cantam para ela. Ama Serwah e eu somos só as filhas de uma Mulher Maluca criada pelos brancos.

Akua não conseguia se movimentar com tanta agilidade quanto no passado. Ela não sabia se isso decorria do bebê que tinha crescido na sua barriga, exigindo alimento e energia, ou se era consequência daquela semana passada no exílio no chão da cabana. Ela quis pôr-se de pé de um salto, olhar nos olhos da filha, mas tudo o que conseguiu foi um movimento suave da parte inferior das costas, primeiro para a esquerda, depois para a direita, até ter reunido força suficiente para se sentar e ver Abee, que estava brincando com a casca solta da árvore.

— Quem lhe disse que eu sou maluca? — perguntou ela, e a criança, que ainda não sabia dizer se estava ou não a ponto de se encrencar, deu de ombros. Akua queria sentir mais raiva, mas não conseguia encontrar a energia para isso em lugar nenhum do seu corpo. Ela precisava dormir. Dormir de verdade. Dois dias antes, tinha se esquecido dos inhames que pusera no óleo. Tinha se esquecido deles enquanto seus olhos dormiam. Quando Nana Serwah a acordou com umas sacudidas, os inhames já estavam pretos de tão queimados. A sogra não dissera nada.

— Todo mundo diz que você é maluca — disse a menina.

— Às vezes, Nana grita com eles, quando eles falam assim, mas eles continuam falando.

Akua descansou a cabeça numa pedra e não falou até ouvir a respiração suave e sonolenta das meninas cercá-la como borboletas minúsculas.

Naquela noite, Akua levou as crianças para casa. Asamoah estava comendo no centro do *compound* quando elas chegaram.

— Como vão minhas meninas? — perguntou ele, enquanto as filhas corriam até ele para receber abraços. Akua ficou para trás, seguindo as filhas com os olhos, enquanto elas iam entrando na cabana. Tinha sido um dia quente, e Ama Serwah já estava tirando o pano que a envolvia enquanto entrava correndo. Ele ondulou atrás dela como uma bandeira.

— E como vai meu filho? — perguntou Asamoah para as costas de Akua, onde Yaw estava suspenso, enrolado no tecido. Akua aproximou-se do marido para ele poder tocar no bebê.

— Pela vontade de Nyame, ele está bem — disse ela, e Asamoah concordou, com um resmungo.

— Venha comer um pouco — disse Asamoah. Ele chamou a mãe, e ela apareceu em questão de segundos. Sua velhice não tinha diminuído sua presteza, nem sua capacidade de distinguir o tom de carência na voz do filho mais velho. Ela saiu e cumprimentou Akua. Havia apenas alguns dias que tinha parado de chorar ao vê-la.

— Você precisa comer para seu leite ser forte — disse ela, mergulhando as mãos na tigela de água para poder começar o *fufu*.

Akua comeu até sua barriga crescer. Parecia que ela podia ser furada, que um leite doce jorraria do seu umbigo, e isso era tudo o que ela conseguia imaginar enquanto limpava as mãos. O leite correndo como um rio aos seus pés. Ela agradeceu a Nana Serwah e se contorceu para se levantar do banquinho em que estava sentada. Ela estendeu as mãos para Asamoah para ele também poder se levantar, pegou o bebê e, então, entrou na sua cabana.

As meninas já estavam dormindo. Akua sentiu inveja delas. A facilidade com que entravam no mundo dos sonhos. Elas ainda chupavam dedo, sem se deixar perturbar pela pimenta que sua avó aplicava todas as manhãs.

Ao seu lado, Asamoah rolou uma vez, duas vezes. Ele também vinha dormindo melhor do que nos primeiros dias depois da sua volta. Às vezes, no meio da noite, ele estendia as mãos para a perna fantasma e, então, ao descobrir as mãos vazias, chorava baixinho. Akua nunca mencionava isso quando ele acordava.

Agora, deitada de costas na sua cabana, Akua se permitiu fechar os olhos. Imaginou que estava deitada na areia das praias

Akua

de Cape Coast. O sono veio buscá-la em ondas. Primeiro, lambendo os dedos dos pés, que ela encolhia, os pés inchados, os tornozelos doloridos. Quando alcançou a boca, o nariz, os olhos, ela já não sentia medo dele.

Ao entrar na terra dos sonhos, ela estava na mesma praia. Só tinha estado lá uma vez, com os missionários da escola. Eles queriam fundar uma nova escola numa aldeia próxima, mas descobriram que os moradores do local não aceitaram bem a ideia. Akua tinha ficado fascinada pela cor da água. Era uma cor para a qual ela nunca encontrou uma palavra, porque, no seu mundo, nada se assemelhava a ela. Nenhum verde de árvore, nenhum azul do céu, nenhuma pedra, inhame ou barro conseguia captá-la. Na terra dos sonhos, Akua andou até a beira do mar agitado. Molhou o dedão do pé na água tão fria que achou que podia sentir seu gosto, como uma brisa que atingia o fundo da garganta. Depois, a brisa ficou quente quando o oceano pegou fogo. A brisa que vinha do fundo da garganta de Akua começou a girar num turbilhão, ganhando velocidade até não poder mais ser contida dentro da boca de Akua, e, assim, ela a lançou de si como um jato. E a brisa cuspida começou a fazer mover o oceano de fogo, mergulhando nas profundezas para ganhar corpo, até que o vento em turbilhão e o mar em chamas se tornaram a mulher que Akua agora achava que conhecia tão bem.

Dessa vez, a mulher-fogo não estava zangada. Ela acenou para Akua, chamando-a para o mar, e Akua, apesar de sentir medo, deu o primeiro passo. E queimou os pés. Quando levantou um pé, pôde sentir o cheiro da própria carne, vindo lá de baixo. Mesmo assim, ela avançou, acompanhando a mulher-fogo até ser levada a um lugar que parecia ser a própria cabana de Akua. Agora, nos braços da mulher-fogo, estavam as duas crianças do fogo que a mulher segurava na primeira vez em que Akua sonhara com ela. Elas estavam presas a cada braço, com a cabeça pousada em cada seio. Seus gritos eram mudos, mas Akua podia ver o som, saindo flutuando pelas bocas, como sopros de fumaça do cachimbo favorito do feiticeiro. Akua sentiu o impulso de abraçá-las e estendeu as mãos para elas. Suas mãos pegaram fogo, mas, ainda assim, ela tocou nas crianças. Logo, ela as aninhou com suas próprias mãos em chamas, brincando com as cordas trançadas de fogo que constituíam o cabelo delas, com seus lábios negros como carvão. Akua estava calma, até feliz com o fato de a mulher-fogo ter finalmente encontrado suas filhas. E enquanto Akua as abraçava, a mulher-fogo não protestava. Não tentava tirá-las do seu colo. Em vez disso, ela olhava, chorando de alegria. E suas lágrimas eram da cor da água do oceano na terra dos fantis, aquela cor nem verde, nem azul, da qual Akua se lembrava da sua juventude. A cor começou a se firmar. Um azul mais azul. Um verde mais verde. Até que a corrente de lágrimas começou a apagar o fogo nas mãos de Akua. Até as crianças começarem a desaparecer.

— Akua, a Mulher Maluca! Akua, a Mulher Maluca!

Ela sentiu o som do seu nome na boca cada vez maior do seu estômago, o peso como uma preocupação. Seus olhos começaram a se abrir, e ela viu Edweso ao seu redor. Estava sendo carregada. Dez homens no mínimo, erguendo-a acima das cabeças. Tudo isso ela registrou antes de perceber a dor que sentia. Olhou para ver as mãos e os pés queimados.

As mulheres vinham se lamuriando atrás dos homens.

Akua

— Mulher ruim! — gritavam algumas.

— Perversa — diziam outras.

Asamoah vinha atrás das mulheres chorosas, dando pulinhos com sua bengala, tentando alcançar os outros.

Eles, então, a estavam amarrando à árvore do fogo. Akua conseguiu falar.

— Por favor, irmãos. Me digam o que está acontecendo!

Antwi Agyei, um ancião, começou a berrar.

— Ela quer saber o que está acontecendo? — gritou ele para os homens que tinham se reunido.

Eles enrolaram a corda nos pulsos de Akua. Suas queimaduras berraram, e ela também.

— Que tipo de demônio não conhece a si mesmo? — continuou Antwi Agyei. E a multidão bateu os pés na terra compactada.

Eles passaram a corda em torno da cintura de Akua.

— Nós a conhecemos como a Mulher Maluca, e agora ela se mostrou para nós. Mulher perversa. Mulher maligna. Criada pelos brancos, pode morrer como um branco também.

Asamoah abriu caminho até a frente da multidão.

— Por favor — disse ele.

— Você vai ficar do lado dela? Da mulher que matou seus filhos? — berrou Antwi Agyei. Sua raiva teve eco nos gritos da multidão, nos pés que batiam no chão, nas pancadas das mãos, nas línguas que não paravam de se mexer.

Akua não conseguia pensar. A mulher que matou seus filhos? A mulher que matou seus filhos? Ela estava dormindo. Devia ainda estar dormindo.

Asamoah começou a chorar. Ele olhou nos olhos de Akua, e ela, com os próprios olhos, implorou que ele respondesse.

— Yaw ainda está vivo. Eu o agarrei antes que ele morresse, mas só consegui carregar um — disse ele, ainda olhando para Akua, mas se dirigindo à multidão. — Meu filho vai precisar dela. Vocês não podem tirá-la de mim.

Ele olhou para Antwi Agyei e depois para o povo de Edweso. Os que ainda tinham estado dormindo, agora estavam acordados e tinham vindo se juntar aos outros, esperando para ver a mulher perversa ser queimada.

— Será que já não perdi carne suficiente? — perguntou-lhes Asamoah.

Em pouco tempo, eles cortaram as cordas que prendiam Akua. Deixaram que ela e Asamoah voltassem sozinhos para a cabana. Nana Serwah e o curandeiro estavam cuidando dos ferimentos de Yaw. O bebê gritava, com o som parecendo vir de algum lugar fora dele mesmo. Não quiseram contar a Akua onde tinham posto Abee e Ama Serwah. Não quiseram lhe dizer absolutamente nada.

Willie

ERA UM SÁBADO DE outono. Willie estava em pé no fundo da igreja, segurando o hinário aberto numa das mãos para poder bater o ritmo na perna com a outra. A irmã Bertha e a irmã Dora eram o primeiro soprano e o primeiro contralto, mulheres generosas, de busto volumoso, que acreditavam que o Arrebatamento estava para acontecer a qualquer dia agora.

— Willie, o que você precisa fazer é soltar a voz, garota — disse a irmã Bertha. Willie tinha vindo direto de uma faxina. Tinha se apressado a tirar o avental enquanto ia entrando, mas, embora ela não soubesse, sua testa ainda estava suja com um resíduo de gordura de galinha.

Carson estava sentado entre os fiéis. Entediado, calculou Willie. Ele não parava de lhe fazer perguntas sobre a escola, mas Willie só poderia deixá-lo entrar para a escola quando a pequena Josephine tivesse idade suficiente para ir também. Ele franziu os olhos para ela quando ela lhe disse isso; e às vezes ela sonhava em mandá-lo para o sul para morar com sua irmã, Hazel. Talvez ela não se importasse com uma criança com tanto ódio transparecendo nos olhos. Mas Willie sabia que nunca poderia chegar a fazer isso. Nas cartas que mandava para casa, ela escrevia sobre como as coisas iam bem, como Robert estava progredindo. Hazel escreveria em resposta, dizendo que em breve faria uma visita, mas Willie sabia que ela nunca viria. O sul era seu chão. Ela não queria ter nada a ver com o norte.

— Isso mesmo — disse a irmã Dora. — O que você precisa fazer é deixar que o Senhor pegue essa cruz que você está carregando.

Willie sorriu e cantarolou a melodia dos contraltos.

— Tá pronto pra ir? — perguntou ela a Carson, quando saiu do tablado.

— Faz tempo — disse ele.

Ela e Carson deixaram a igreja. Era um dia frio de outono, com um vento firme, vindo do rio na direção deles. Havia poucos carros na rua e Willie viu uma mulher rica, da cor de mogno, passar por eles usando um casaco de guaxinim que parecia macio como uma nuvem. Na Lenox, metade dos letreiros anunciava que Duke Ellington iria se apresentar ali: na quinta, na sexta, no sábado.

— Vamos andar um pouquinho mais — disse Willie, e Carson deu de ombros, mas ele tirou as mãos dos bolsos e seu passo ganhou novo ânimo, então ela pôde ver que finalmente tinha acertado na sugestão.

Eles pararam para deixar passar alguns carros, e Willie levantou os olhos para ver seis criancinhas olhando para ela da janela de um prédio de apartamentos. Era uma pirâmide de crianças, a mais velha, mais alta, na fileira de trás, as mais novas, na frente. Willie ergueu a mão e acenou, mas, nesse

Willie

instante, uma mulher arrancou as crianças dali e fechou as cortinas. Ela e Carson atravessaram a rua. Parecia que havia centenas de pessoas ali fora no Harlem naquele dia. Até milhares. As calçadas estavam afundando com o peso, rachando-se de verdade abaixo deles. Willie viu um homem da cor de chá com leite, cantando na rua. Ao lado dele, uma mulher da cor de casca de árvore batia palmas e balançava a cabeça. O Harlem parecia uma enorme banda de negros, com tantos instrumentos pesados que o palco da cidade estava desabando.

Eles viraram para o sul na Seventh, passaram pela barbearia que Willie varria de tempos em tempos para ganhar alguns centavos, passaram por alguns bares e por uma sorveteria. Willie enfiou a mão na bolsa e ficou remexendo até encontrar algum metal. Ela jogou uma moeda de cinco centavos para Carson pegar e o garoto sorriu para ela pelo que pareceu ser a primeira vez em anos. A doçura do sorriso também era amarga, porque fazia Willie se lembrar dos tempos de choro interminável do filho. Os tempos quando não havia ninguém no mundo a não ser eles dois, e ela não era suficiente para ele. Ela mal era suficiente para si mesma. Ele entrou correndo para comprar uma casquinha e, quando voltou com o sorvete, os dois continuaram a andar.

Se Willie pudesse ter seguido pela avenida Seventh, na direção sul até chegar a Pratt City, era provável que tivesse feito isso. Carson lambia seu sorvete de casquinha com delicadeza, esculpindo aquela forma redonda com a própria língua. Ele lambia toda a volta do sorvete e então o examinava com cuidado. Lambia de novo. Ela não conseguia se lembrar da última vez que o tinha visto tão feliz e de como era fácil criar essa situação. Bastavam cinco centavos e um passeio a pé. Se eles caminhassem para sempre, talvez ela também começasse a se sentir feliz. Poderia conseguir se esquecer de como tinha acabado no Harlem, longe de Pratt City, longe de casa.

Willie não era negra como carvão. Tinha visto carvão suficiente na vida para ter certeza disso. Mas, no dia em que Robert Clifton foi com o pai à reunião do sindicato para ouvir Willie cantar, tudo em que ela conseguia pensar era que ele era o garoto negro mais branco que ela já tinha visto. E por ter pensado isso, sua própria pele tinha começado a lhe parecer cada vez mais com a coisa que seu pai trazia das minas para casa, por baixo das unhas, como um pó nas roupas, todo santo dia.

Willie vinha cantando o hino nacional nas reuniões do sindicato havia um ano e meio. Seu pai, H, era o chefe do sindicato, por isso não foi difícil convencê-lo a deixar que ela cantasse.

No dia em que Robert veio, Willie estava na sala dos fundos da igreja, treinando escalas.

— Pronta? — perguntou o pai. Antes que Willie implorasse para cantar, não se cantava o hino nas reuniões do sindicato.

Willie assentiu e saiu para o templo, onde todos os membros do sindicato estavam esperando. Ela era jovem, mas já sabia que era a melhor cantora de Pratt City, talvez até mesmo de toda a Birmingham. Todo mundo, mulheres e crianças também, comparecia às reuniões só para ouvir aquela voz cansada do mundo ser emitida por seu corpo de dez anos de idade.

— Por favor, levantem-se para o hino — disse H para o grupo ali reunido, e eles se levantaram. O pai de Willie ficou com os olhos marejados na primeira vez em que ela cantou.

Willie

Depois, Willie ouviu um homem comentar: "Olha só pro Duas-Pás. Tá ficando de coração mole, não tá?"

Agora Willie cantava o hino e a multidão assistia, vibrando. Ela imaginava que o som vinha de uma caverna bem no fundo das suas entranhas, que, como seu pai e todos os homens diante dela, ela era uma mineira descendo no fundo de si para extrair alguma coisa valiosa. Quando terminou, todos no recinto se levantaram, bateram palmas e assoviaram. E era assim que ela sabia que tinha alcançado a rocha lá no fundo da caverna. Depois, os mineiros seguiam adiante com sua reunião e Willie ficava sentada no colo do pai, entediada, desejando poder cantar de novo.

— Willie, você cantou muito bem mesmo — disse um homem, depois que a reunião terminou. Willie estava em pé com sua irmãzinha, Hazel, na frente da igreja, olhando as pessoas voltarem para casa enquanto H fechava tudo. Willie não reconheceu o homem. Ele era novo, um ex-presidiário que tinha trabalhado nas ferrovias antes de vir trabalhar como homem livre nas minas.

— Eu gostaria de te apresentar meu filho, Robert — disse o homem. — Ele é tímido, mas, puxa, como ele gosta de te ouvir cantar.

Robert saiu de trás do pai.

— Vocês tratem de brincar um pouco — disse o homem, dando um empurrãozinho em Robert antes de começar a andar para casa.

O pai era da cor de café, mas Robert era da cor de leite. Willie estava habituada a ver brancos e negros juntos em Pratt City, mas nunca tinha visto as duas cores numa única família, as duas numa única pessoa.

— Você tem uma voz bonita — disse Robert. Ele olhava para o chão enquanto falava e levantou um pouco de poeira com um chute. — Tenho vindo te ouvir cantar.

— Obrigada — disse Willie. Finalmente, Robert olhou para ela e sorriu, aparentando sentir alívio por ter falado. Willie ficou assombrada com os olhos dele.

— Por que teus olhos são assim? — perguntou Willie, enquanto Hazel se escondia atrás da sua perna, espiando Robert por trás da curva do joelho de Willie.

— Assim como? — perguntou Robert.

Willie procurou a palavra certa, mas percebeu que não havia uma palavra única que pudesse descrever o que via. Os olhos dele eram parecidos com um monte de coisas. Como as poças de água limpa que se formavam acima da lama, onde ela e Hazel gostavam de pular, ou como o corpo tremeluzente de uma formiga dourada, que ela um dia tinha visto carregando uma folha de grama de um lado ao outro de um monte. Os olhos dele mudavam de aspecto bem diante dela, e ela não sabia como lhe dizer isso. Por isso, preferiu dar de ombros.

— Você é branco? — perguntou Hazel, e Willie lhe deu um empurrão.

— Não. Mas mamãe diz que temos muito sangue branco no nosso. Às vezes, ele demora pra aparecer.

— Isso não tá certo — disse Hazel, fazendo que não.

— E o teu pai é velho como ele só. Isso também não tá certo — disse Robert. E antes que Willie se desse conta do que estava fazendo, ela lhe deu um empurrão. Ele tropeçou e caiu sentado no chão, olhando para Willie com surpresa nos olhos castanhos, verdes, dourados, mas ela não se importava. Seu pai era um dos melhores mineiros que Birmingham tinha visto um dia. Ele era o sol da vida de Willie, e ela era o da vida dele. Ele lhe contava o tempo todo como tinha esperado tanto, tanto tempo, para tê-la, e, quando ela chegou, ele ficou tão feliz que seu grande coração de carvão tinha se derretido.

Robert levantou-se do chão e espanou a roupa.

— Uuuui — disse Hazel, voltando-se para Willie, nunca perdendo uma oportunidade de envergonhar a irmã. — Vou contar pra mamãe!

— Não — disse Robert. — Está tudo bem. — Ele olhou para Willie. — Tudo bem.

O empurrão tinha rompido algum tipo de barreira entre eles e, daquele dia em diante, Robert e Willie passaram a ser unha e carne. Quando completaram dezesseis anos, já estavam namorando; aos dezoito estavam casados; e aos vinte, tinham um filho. As pessoas de Pratt City se referiam aos dois numa palavra só: os nomes, um único nome. RoberteWillie.

No mês em que Carson nasceu, o pai de Willie morreu. E no mês seguinte, sua mãe o acompanhou. Não se esperava que os mineiros vivessem muito. Willie tinha amigos cujos pais tinham morrido quando esses amigos ainda estavam na barriga das mães, mas saber isso não diminuía a dor.

Ela ficou inconsolável naqueles primeiros dias. Não queria olhar para Carson, não queria segurá-lo no colo. Robert a aninhava nos braços de noite, beijando suas lágrimas intermináveis enquanto o bebê dormia.

— Eu te amo, Willie — sussurrava ele. E, de algum modo, aquele amor também a feria, fazia com que chorasse ainda mais, porque ela não queria acreditar que ainda pudesse existir alguma coisa boa no mundo depois que seus pais tinham partido.

Willie foi a solista no cortejo fúnebre, com o choro e as lamentações de todos os acompanhantes chegando ao fundo das próprias minas. Ela nunca tinha sentido uma tristeza semelhante, nem tinha imaginado a vastidão de centenas de pessoas reunidas para dar adeus aos seus pais. Quando começou a cantar, sua voz estremeceu. Aquilo lhe deu uma sacudida.

— *I shall wear a crown* — cantou Willie, com a voz retumbante, reverberando no fundo do poço para voltar ao encontro deles todos, enquanto caminhavam em torno das minas. Logo, eles passaram pela antiga vala comum, onde estavam enterrados centenas de homens e meninos sem nome, sem rosto. E Willie ficou feliz porque, pelo menos, seu pai tinha morrido livre. Pelo menos, isso.

— *I shall wear a crown* — cantou Willie, mais uma vez, levando Carson nos braços. O vagido do menino era seu acompanhamento, as batidas do coraçãozinho, seu metrônomo. Enquanto cantava, ela via as notas saindo da sua boca, adejando como pequenas borboletas, levando embora parte da sua tristeza, e ela soube, por fim, que haveria de sobreviver.

Logo, Pratt City começou a dar a impressão de ser um cisco no olho de Willie. Ela não conseguia se livrar da sensação. Dava para ela ver que Robert estava louco para ir embora também. Ele sempre tinha sido delicado demais para a mineração de carvão. Pelo menos, era isso o que os patrões achavam cada vez que ele cismava de ir lhes pedir emprego, o que era mais ou menos uma vez por ano, desde que tinha completado treze anos. Em vez disso, ele trabalhava como balconista na loja de Pratt City.

Willie

E então, depois que Carson nasceu, a loja de repente parecia não ser suficiente para Robert. Ele passava semanas inteiras queixando-se dela.

— Não tem dignidade lá — disse Robert uma noite para Willie. Ela estava sentada com o pequeno Carson no colo, voltado para ela, enquanto ele tentava pegar a luz que se refletia nos brincos da mãe. — Na mineração, tem dignidade.

Willie sempre tinha achado que o marido morreria nas minas se um dia ele tivesse a oportunidade de descer. O pai dela tinha parado de trabalhar nas minas muitos anos antes de morrer. Ele tinha o dobro do tamanho de Robert e era dez vezes mais forte. Mesmo assim, quase nunca parava de tossir. E, às vezes, quando tossia, um cordão de muco negro lhe escapava da boca, seu rosto se contorcia, e seus olhos ficavam esbugalhados; tanto que, para Willie, parecia que algum homem invisível estava atrás dele, com as mãos envolvendo o grande tronco do seu pescoço forte, tentando esganá-lo. Embora ela amasse Robert mais do que jamais tinha pensado ser possível amar alguém, quando olhava para ele, Willie não via um homem que pudesse lidar com mãos a lhe apertar o pescoço. Isso ela nunca disse a ele.

Robert começou a andar para lá e para cá. O relógio na parede estava cinco minutos atrasado, e o tique do ponteiro dos segundos parecia a Willie o som de alguém batendo palmas fora do ritmo num avivamento da igreja. Desagradável, mas firme.

— A gente devia se mudar. Ir pro norte, pra algum lugar onde eu possa aprender um novo ofício. Agora que seus pais se foram, não tem mais nada em Pratt City pra nós.

— Nova York — disse Willie, no exato instante em que isso lhe ocorreu. — Harlem. — A palavra a atingiu como uma memória. Embora ela nunca tivesse estado lá, podia sentir aquela presença na sua vida. Uma premonição. Uma lembrança do futuro.

— Nova York, é? — disse Robert, com um sorriso. Ele pegou Carson nos braços e o menino protestou, assustado, sentindo falta da luz.

— Você podia encontrar algum tipo de trabalho. Eu podia cantar.

— Você vai cantar, é? — Ele balançou um dedo diante dos olhos de Carson, e eles o acompanharam. Para lá e para cá. — O que acha, Sonny? Da mamãe cantando? — Robert baixou o dedo até a barriga macia de Carson e fez cócegas. O bebê gritou de tanto rir.

— Acho que ele gostou da ideia, mamãe — disse Robert, rindo também.

Todo mundo conhecia alguém que estava indo para o norte, e todo mundo conhecia alguém que já estava lá. Willie e Robert conheciam Joe Turner, desde quando ele era só Lil Joe, o filho esperto de Joecy, em Pratt City. Agora ele trabalhava como professor numa escola no Harlem. Ele os hospedou em casa na rua 134 Oeste.

Enquanto vivesse, Willie nunca se esqueceria da sensação de estar no Harlem pela primeira vez. Pratt City era uma cidadezinha mineira, e tudo nela estava voltado para o que ficava abaixo do chão. O Harlem tinha a ver com o céu. Os prédios eram mais altos do que qualquer construção que Willie tivesse visto na vida, e eram mais numerosos, tensos, ombro a ombro. A primeira inspiração do ar do Harlem foi limpa, sem nenhum pó de carvão penetrando pelo nariz para atingir o fundo da garganta, com um gosto. Só respirar já era empolgante.

— A primeira coisa que a gente precisa fazer é arrumar um lugar pra eu cantar, Lil Joe. Ouvi umas moças cantando na esquina da rua, e sei que sou melhor do que elas. Simplesmente sei. — Eles tinham trazido para dentro a última das três malas e estavam finalmente se acomodando no pequeno apartamento. Joe não tinha conseguido bancá-lo sozinho e disse que estava muito feliz por ter velhos amigos para dividir o apartamento com ele.

Joe riu.

— Você devia é ter esperança de cantar melhor que uma garota na esquina da rua, Willie. De que outro modo ia conseguir sair da rua e entrar num prédio?

Robert estava com Carson no colo, balançando o menino um pouquinho para ele não criar caso.

— Essa não é a primeira coisa que a gente precisa fazer. A primeira é arrumar um emprego pra mim. Eu sou o homem, lembra?

— Ah, tu é o homem, sim — disse Willie, piscando um olho, enquanto Joe revirava os dele.

— Agora, tratem de não me trazer mais nenhuma criança pra esta casa — disse ele.

Naquela noite, e por muitas outras noites, Willie, Robert e Carson dormiram os três no mesmo colchão, estendido na sala de estar minúscula, no quarto andar do prédio alto de tijolos. No teto acima da cama, havia uma grande mancha marrom e, naquela primeira noite que passaram ali, Willie achou que até mesmo aquela mancha parecia bonita.

O prédio em que Lil Joe morava era lotado de negros, quase todos recém-chegados da Louisiana, do Mississípi, do Texas. Quando estavam chegando, Willie ouviu a nítida fala arrastada do Alabama. O homem estava tentando empurrar um sofá largo por uma porta estreita. Do outro lado da porta, havia uma voz semelhante, dando instruções: mais para a esquerda, um pouquinho para a direita.

No dia seguinte de manhã, Willie e Robert deixaram Carson com Lil Joe para poderem dar uma volta pelo Harlem, talvez ver se havia algum cartaz oferecendo serviço ali pela vizinhança. Eles perambularam por horas, olhando as pessoas e falando, absorvendo tudo o que era diferente no Harlem e tudo o que era igual.

Quando deram a volta no quarteirão depois de uma sorveteria, eles viram um cartaz de oferta de emprego na porta de uma loja e resolveram entrar para Robert poder falar com alguém. Quando iam entrando, Willie tropeçou na beira do degrau da entrada e Robert a segurou antes que caísse. Ele a ajudou a se equilibrar e sorriu para ela quando ela voltou a ficar em pé, dando um beijo rápido no rosto de Willie. Quando os dois estavam lá dentro, os olhos de Willie encontraram os do balconista da loja, e ela sentiu um vento gelado percorrer aquela linha de visão, dos olhos dele para os dela, descendo então até a boca da mina do seu estômago.

— Com licença, senhor — disse Robert. — Vi o cartaz ali fora.

— Você é casado com uma negra? — perguntou o balconista, sem tirar os olhos dos de Willie.

Robert olhou para Willie e falou calmamente.

— Já trabalhei numa loja. Lá no sul.

Willie

— Não tem trabalho aqui — disse o homem.

— Estou dizendo que tenho experiência com...

— Não tem trabalho aqui — repetiu o homem, dessa vez com mais grosseria.

— Vamos embora, Robert — disse Willie. Ela já estava saindo pela porta, quando o homem abriu a boca pela segunda vez.

Eles não se falaram por dois quarteirões. Passaram por um restaurante com um cartaz, mas Willie não precisou olhar para Robert para saber que eles iam passar direto por ali. Em pouco tempo, estavam de volta ao apartamento de Lil Joe.

— Já voltaram? — perguntou Joe, quando eles entraram. Carson estava dormindo no colchão, com o corpinho enrodilhado com perfeição.

— Willie só quis dar uma olhada no bebê. Quis que você tivesse uma chance de descansar. Não é mesmo, Willie?

Willie pôde sentir Joe olhando para ela quando ela respondeu.

— É, é isso mesmo.

Robert deu meia-volta e saiu pela porta, rápido como um raio.

Willie sentou-se ao lado do bebê. Ficou observando enquanto ele dormia. Perguntou-se se conseguiria vê-lo dormir o dia inteiro, e foi o que tentou fazer. Mas, depois de um tempo, instalou-se nela um pânico estranho e impotente, sobre o que ela não sabia. Que, na realidade, ele não estava respirando. Que ele não reconhecia a própria fome e por isso não gemeria pedindo que ela o alimentasse. Que ele não saberia distingui-la de qualquer outra mulher nessa cidade grande, desconhecida. Ela o acordou só para ouvi-lo chorar. E foi só então, quando o choro se firmou, baixinho de início e depois um som de berros, a plenos pulmões, que ela por fim conseguiu relaxar.

— Acharam que ele era branco, Joe — disse Willie. Ela podia sentir que ele a observava enquanto ela observava Carson.

Joe fez que sim.

— Entendi — disse ele, sensato, e então se afastou, deixando-a em paz.

Willie esperou ansiosa pela volta de Robert. Ela se perguntou, na realidade pela primeira vez, se sair de Pratt City não tinha sido um erro. Pensou em Hazel, de quem não tinha recebido notícias desde sua partida, e uma onda de saudade a atingiu, triste e desesperançada. Ela teve mais uma lembrança do futuro. Dessa vez, de solidão. Podia sentir sua aproximação, um estado com o qual ela precisaria aprender a conviver.

Robert voltou ao apartamento. Ele tinha ido ao barbeiro, cortado o cabelo bem curto. Tinha comprado roupas novas com o que restava das suas economias, sem dúvida, pensou Willie, e a roupa que estava usando quando saiu não estava em parte alguma. Ele se sentou na cama ao lado de Willie, massageou as costas de Carson. Ela olhou para ele. Ele não parecia o mesmo.

— Você gastou o dinheiro? — perguntou Willie. Robert não a encarava nos olhos, e ela não conseguia se lembrar da última vez que Robert agira assim. Mesmo naquele primeiro dia em que ela fora brincar com ele, mesmo quando ela o empurrou, mesmo quando ele caiu, Robert tinha sempre mantido os olhos firmes, quase vorazes, fixos nos dela. Os olhos de Robert foram o objeto das primeiras perguntas que ela fez a respeito dele e a primeira coisa que ela amou.

Willie

— Não vou ser como meu pai, Willie — disse Robert, ainda olhando para Carson. — Não vou ser o tipo de homem que só sabe fazer uma coisa. Vou construir uma vida para nós. Sei que posso fazer isso.

Por fim, ele olhou para ela. Acariciou o rosto de Willie e pôs a mão em concha na sua nuca.

— A gente tá aqui agora, Willie — argumentou ele. — Vamos ficar aqui.

O que "ficar aqui" significou para Willie: todos os dias de manhã, ela e Robert acordavam. Ela arrumava Carson para levá-lo ao andar de baixo para uma senhora de idade, chamada Bess, que cuidava de todos os bebês do prédio por um pequeno pagamento. Robert se barbeava, penteava o cabelo, abotoava a camisa. Depois, os dois saíam a andar pelo Harlem em busca de trabalho. Robert, com suas roupas elegantes, e Willie, com as dela, simples.

Ficar aqui significava que eles já não andavam juntos na calçada. Robert sempre andava um pouco mais à frente, e eles nunca se tocavam. Ela nunca mais chamou seu nome. Mesmo que estivesse caindo na rua, que um homem a estivesse assaltando ou que um carro estivesse vindo atropelá-la, ela sabia que não devia chamar seu nome. Uma vez ela o chamou, Robert se virou, e todos olharam espantados.

A princípio, os dois procuravam trabalho no Harlem. Uma loja até chegou a contratar Robert, mas, depois de uma semana, houve um constrangimento quando um freguês branco se inclinou para bem perto de Robert e lhe perguntou como ele conseguia resistir a pegar para si mesmo qualquer uma das negras que frequentavam a loja. E Robert voltou para casa naquela noite chorando, dizendo a Willie que poderia ter sido a ela que o homem estava se referindo. E, por isso, ele largou o emprego.

No dia seguinte, os dois saíram de novo à procura. Dessa vez, eles só andaram na direção sul até uma certa altura, antes de se separarem. E Willie perdeu Robert para o resto de Manhattan. Ele agora parecia tão branco que bastaram alguns segundos para ela perdê-lo totalmente, só mais um rosto branco entre os inúmeros, todos apressados, para lá e para cá, nas calçadas. Depois de duas semanas em Manhattan, Robert conseguiu um emprego.

Willie levou mais três meses para encontrar trabalho, mas, em dezembro, ela já era governanta dos Morris, uma família negra de dinheiro, que morava no limite sul do Harlem. A família ainda não tinha se resignado à sua própria negritude e tentava ficar tão perto dos brancos quanto a cidade permitisse. Dali, eles não podiam passar, por sua pele ser escura demais para eles comprarem um apartamento apenas uma rua mais ao sul.

Durante o dia, Willie cuidava do filho dos Morris. Ela o alimentava, dava-lhe banho e o punha na cama para sua soneca. Limpava o apartamento de uma ponta à outra, certificando-se de passar um pano por baixo dos candelabros porque a sra. Morris sempre verificava. Ao entardecer, ela começava a cozinhar. Os Morris estavam em Nova York desde antes da Grande Migração, mas eles comiam como se o sul fosse um lugar na sua cozinha, em vez de estar a muitos quilômetros de distância. A sra. Morris geralmente chegava em casa primeiro. Ela trabalhava como costureira, e muitas vezes suas mãos

Willie

tinham marcas de alfinetadas e sangravam. Uma vez que ela estivesse em casa, Willie saía para fazer testes como cantora. Ela era escura demais para cantar na Jazzing. Foi o que lhe disseram na noite em que chegou lá, pronta para o teste. Um homem alto e muito esguio segurou um saco de papel junto do rosto dela.

— Escura demais — disse ele.

Willie fez que não.

— Mas eu sei cantar, sabe? — Ela abriu a boca e respirou fundo, enchendo o balão do seu ventre, mas então o homem empurrou dois dedos contra ela, expulsando o ar.

— Escura demais — repetiu ele. — A Jazzing é só para as garotas claras.

— Eu vi um homem escuro como a meia-noite entrando aqui com um trombone.

— Eu disse garotas, querida. Se você fosse um homem, quem sabe?

Se ela fosse Robert, pensou Willie. Robert podia conseguir o emprego que quisesse, mas ela sabia que ele tinha medo demais para tentar. Tinha medo de ser desmascarado, ou de não ter instrução suficiente. Numa noite daquelas, ele lhe tinha contado que um homem lhe perguntou por que ele falava "daquele jeito", e ele tinha ficado com pavor de falar. Robert não lhe dizia exatamente o que fazia como meio de vida, mas voltava para casa com cheiro de mar e de carne. E ele ganhou mais dinheiro num mês do que ela havia visto na vida inteira.

Robert era cauteloso, mas ela era impetuosa. Sempre tinha sido assim. Na primeira noite em que foi para a cama com ela, ele estava tão ansioso que seu pênis ficou pousado na perna esquerda, uma tora no rio da sua coxa trêmula.

— Seu pai vai me matar — dissera ele. Eles estavam com dezesseis anos, os pais, numa reunião sindical.

— Robert, neste instante, não estou pensando no meu pai — disse ela, tentando pôr a tora em pé. Tinha posto cada um dos dedos de Robert na boca, mordendo a ponta de cada um, enquanto o observava o tempo todo. Tinha conseguido fazer com que ele se encaixasse nela e se deitou por cima dele até Robert ficar implorando: que parasse, que não parasse, mais depressa, mais devagar. Quando ele fechou os olhos, ela lhe pediu que ficasse de olhos abertos, que olhasse para ela. Willie gostava de ser a atração principal.

Era o que ela queria agora, também, agora que ainda estava pensando em Robert. Como ela poderia tirar proveito da pele dele, ser menos cautelosa, se ela fosse ele. Se pudesse, ela poria a própria voz no corpo dele, na pele dele. Iria se apresentar no palco da Jazzing e ouvir os elogios do público voltando na sua direção, como acontecia muitas vezes nas recordações do tempo em que cantava em cima da mesa dos pais. Ela é boa demais.

— Olha só, nós temos uma vaga para fazer limpeza de noite, se você quiser — disse o homem alto e esguio, despertando Willie dos seus pensamentos antes que eles azedassem. — Eles pagam direito. Você até que podia conseguir coisa melhor daqui a um tempo.

Ela aceitou o emprego de imediato e, quando chegou em casa naquela noite, disse a Robert que os Morris precisavam dela no período da noite. Ela não saberia dizer se ele acreditou ou não, mas ele fez que sim. Naquela noite, eles dormiram com o pequeno Carson entre os dois. O bebê estava começando a dizer algumas palavras. No outro dia, quando o apanhou

Willie

no apartamento de Bess, para levá-lo para o de Joe, Willie ouviu o próprio filho chamar a velha de mamãe e um bolo terrível, irremovível, se formou na sua garganta enquanto ela abraçava o menino junto ao corpo e o levava escada acima.

— O salário é razoável — disse ela a Robert na ocasião, tirando o polegar de Carson da boca. Carson começou a chorar.

— Não! — gritou ele para ela.

— Epa, epa, Sonny — disse Robert. — Não fale com a mamãe desse jeito. — Carson voltou a enfiar o polegar na boca e ficou olhando firmemente para o pai. — Não precisamos do dinheiro. Estamos nos saindo muito bem, Willie. Logo, vamos poder até alugar um apartamento só pra nós. Você não precisa trabalhar.

— E onde a gente ia morar? — retrucou Willie, irritada. Não era sua intenção parecer tão cruel. Ela gostava da ideia: seu próprio apartamento, mais tempo para passar com Carson. Mas sabia que esse estilo de vida não era para ela. Sabia que esse estilo de vida não era para eles.

— Lugar é que não falta, Willie.

— Que lugar? Em que mundo você acha que a gente vive, Robert? É incrível que consiga sair por essa porta e entrar *nesse* mundo sem alguém te dar uma surra por dormir com a neg...

— Para! — disse Robert. Willie nunca tinha ouvido tanta força na voz dele. — Não é por aí.

Ele se virou para olhar para a parede, e Willie continuou deitada de costas, olhando para o teto lá em cima. A grande mancha marrom no teto estava começando a lhe parecer mole, como se aquilo tudo fosse desabar sobre eles a qualquer instante.

— Eu não mudei, Willie — disse Robert para a parede.

— Não, mas também não é o mesmo — respondeu ela.

Os dois não falaram pelo resto da noite. Entre eles, Carson começou a roncar, cada vez mais alto, como se um ruído do seu estômago estivesse saindo pelo nariz. Parecia a música de fundo para o desabamento do teto, e aquilo começou a apavorar Willie. Se o menino ainda fosse um bebê, se eles ainda estivessem em Pratt City, ela o teria acordado. Ali, no Harlem, ela não podia se mexer. Tinha de ficar deitada, imóvel, com o ronco, o desabamento, o pavor.

Limpar a Jazzing não era muito difícil. Willie deixava Carson no apartamento de Bess antes da hora do jantar, e então se encaminhava para o número 644 da avenida Lenox.

O trabalho era o mesmo que ela fazia para os Morris, mas também era diferente. A Jazzing era exclusivamente para frequentadores brancos. Quem se apresentava no palco todas as noites era como o homem esguio tinha dito: mulheres altas, bronzeadas, maravilhosas. O que queria dizer, até onde Willie pudesse ver, jovens, de um metro e sessenta e poucos, de pele clara. Willie levava o lixo lá para fora, varria, limpava o piso e observava os homens enquanto eles olhavam para as pessoas no palco. Tudo era muito estranho para ela.

Num dos quadros, um ator fingia que estava perdido na selva da África. Ele usava uma saia de palha e tinha marcas pintadas na cabeça e nos braços. Em vez de falar, ele grunhia. A intervalos, ele flexionava os músculos peitorais e esmurrava o tórax. Ele apanhou nos braços uma das garotas altas, bronzeadas e maravilhosas e a jogou sobre o ombro como se fosse uma boneca de pano. A plateia ria sem parar.

Willie

Uma vez, por trás do disfarce do seu trabalho, Willie assistiu a um número que supostamente deveria retratar o sul. Os três atores, os homens mais escuros que Willie já tinha visto na boate, colhiam algodão no palco. Então, um deles começou a se queixar. Disse que o sol estava quente demais, que o algodão era branco demais. Ele se sentou na beira do palco, indolente, balançando as pernas para a frente e para trás, para a frente e para trás.

Os outros dois foram até onde ele estava e se postaram ali com as mãos nos ombros dele. Começaram a cantar uma música que Willie nunca tinha ouvido antes, uma que falava sobre como eles todos deviam ser gratos por terem senhores tão bondosos para cuidar deles. Quando terminaram a música, os três já estavam em pé novamente, de volta à colheita do algodão.

Esse não era o sul que Willie conhecia. Também não era o sul que seus pais tinham conhecido, mas ela podia ver, pela voz dos homens na plateia, que nenhum deles jamais tinha pisado naquele sul. Tudo o que eles queriam era rir, beber e assoviar para as moças. Willie quase ficou feliz por ser a que fazia a limpeza em vez de ser a que cantava naquele palco.

Fazia dois meses que Willie trabalhava ali. Ela e Robert não estavam se dando tão bem desde a noite em que ela lhe perguntou onde eles iriam morar. Na maioria das noites, Robert não voltava para casa. Quando chegava da boate, poucas horas antes do amanhecer, ela encontrava Carson dormindo sozinho no colchão. Joe tinha se habituado a apanhar o menino no apartamento de Bess depois que acabava de dar aulas e o punha para dormir todas as noites. Willie entrava debaixo das cobertas ao lado de Carson e esperava, de olhos abertos, pelo som das botas de Robert vindo pelo corredor, as batidas que significavam que, naquela noite, ela estaria com o marido. Se ela ouvisse o barulho, se ele realmente viesse, ela fechava os olhos depressa, e eles dois brincavam de faz de conta, representando papéis como as pessoas no palco da boate representavam. O papel de Robert consistia em entrar sorrateiro ao lado dela. E o dela consistia em não questionar, em deixar que ele acreditasse que ela ainda acreditava nele, neles dois.

Willie saiu da boate para pôr o lixo lá fora e, quando voltou, seu chefe começou a vir na sua direção. Ele parecia irritado, mas Willie nunca o tinha visto com outro tipo de expressão. Ele tinha estado na guerra e andava mancando de um jeito titubeante que ele gostava de dizer que o impedia de conseguir um emprego mais respeitável. A única coisa que parecia deixá-lo feliz era dar uma saidinha para se encostar nos tijolos irregulares do prédio e fumar um cigarro atrás do outro.

— Alguém vomitou no banheiro masculino — disse ele, saindo.

Willie apenas fez que sim. Isso acontecia pelo menos uma vez por semana, e ela sabia o que fazer sem que lhe precisassem dizer. Pegou o balde e o esfregão e se dirigiu para o sanitário. Bateu na porta uma vez, depois duas vezes. Não houve resposta.

— Estou entrando — disse ela, com vigor. Tinha descoberto, semanas antes, que era melhor entrar em ambientes com uma atitude decidida, do que entrar com timidez, já que os bêbados apresentavam uma tendência a perder a audição.

O homem que estava no banheiro sem dúvida tinha perdido a dele. Estava encurvado, com a cara na pia, resmungando sozinho.

Willie

— Ah, desculpe — disse Willie. Quando deu meia-volta para sair, o homem olhou para cima e viu o olhar dela no espelho.

— Willie? — perguntou ele.

Ela conheceu a voz de primeira, mas não se virou. Não respondeu. Só conseguia pensar no fato de que não o tinha reconhecido.

Houve uma época, quando ainda eram só namorados e no início do casamento, em que Willie achava que conhecia Robert melhor do que a si mesma. Era mais do que uma questão de saber qual era sua cor preferida ou o que ele queria para jantar sem que ele precisasse lhe dizer. Era uma questão de saber as coisas que ele próprio ainda não tinha se permitido saber. Como ele não ser o tipo de homem que conseguiria lidar com mãos invisíveis apertando seu pescoço. Que o nascimento de Carson o tinha transformado, mas não para melhor. Ele tinha se tornado profundamente temeroso de si mesmo, sempre questionando suas escolhas, nunca atingindo um padrão criado por ele mesmo, um padrão que se apoiava no amor generoso do próprio pai dele, um amor que tinha aberto um caminho para ele e para a mãe, mesmo quando o custo tinha sido enorme. O fato de Willie poder reconhecer essas coisas em Robert, mas ser incapaz de reconhecer suas costas encurvadas, sua cabeça baixa, a deixou apavorada.

Dois homens brancos entraram no banheiro, sem perceber a presença de Willie. Um usava um terno cinza, e o outro, um azul. Willie prendeu a respiração.

— Você ainda está aqui, Rob? As garotas já estão quase subindo no palco — disse o de terno azul.

Robert lançou um olhar de desespero para Willie, e o de terno cinza, que ainda não tinha falado, acompanhou o olhar até o corpo dela. Ele a avaliou dos pés à cabeça, com um sorriso se abrindo lentamente pelo rosto.

Robert fez que não.

— Ok, rapazes. Vamos indo — disse ele, tentando sorrir, mas os cantos da sua boca foram puxados para baixo quase de imediato.

— Parece que o Robert já conseguiu uma garota — disse o cara de cinza.

— Ela só está aqui pra fazer a limpeza — disse Robert. Willie viu que os olhos dele começaram a implorar, e foi só então que ela soube que estava correndo perigo.

— Pode ser que a gente nem precise sair daqui — disse o cara de cinza. Com os ombros relaxados, o corpo encostado na parede.

O cara de azul também abriu um sorriso.

Willie agarrou o esfregão.

— Preciso ir. Meu chefe deve estar me procurando — disse ela, tentando modificar a voz, como Robert fazia. Tentando falar como eles.

O cara de cinza afastou o escovão sem esforço.

— Você ainda tem de fazer a limpeza — disse ele, acariciando o rosto de Willie. As mãos começaram a descer para o corpo, mas, antes que ele pudesse chegar aos seios, ela cuspiu na cara dele.

— Willie, não!

Os dois caras se voltaram para olhar para Robert, o de cinza limpando o cuspe do rosto.

— Você a conhece? — perguntou o cara de azul, mas o de cinza tinha o raciocínio mais rápido. Dava para Willie vê-lo recolhendo mentalmente todas as dicas: o tom opaco da pele de Robert, o sotaque forte, as noites passadas fora de casa. Ele lançou um olhar fulminante para Robert.

— Ela é sua mulher? — perguntou ele.

Os olhos de Robert estavam marejados. Sua pele já estava descorada por ele ter vomitado, e agora ele dava a impressão de que ia passar mal de novo a qualquer instante. Ele assentiu.

— Bem, por que você não vem aqui e lhe dá um beijo? — disse o cara de cinza. Ele já tinha aberto a calça com a mão esquerda. Com a direita, estava afagando o pênis. — Não se preocupe, não vou tocar nela.

E cumpriu a palavra. Foi Robert quem fez todo o trabalho naquela noite, enquanto o cara de azul vigiava a porta. Não foram mais do que alguns beijos manchados de lágrimas e mãos aplicadas com cuidado. Antes que pudesse dizer a Robert para penetrar nela, o cara de cinza gozou, num espasmo resfolegante. E então, no instante seguinte, ele se desinteressou da brincadeira.

— Não precisa vir trabalhar amanhã, Rob — disse, enquanto ele e o cara de azul saíam dali.

Willie sentiu uma leve brisa entrar pela porta que foi se fechando. Ela arrepiou os pelos da sua pele. Seu corpo inteiro estava rígido como uma tábua. Robert estendeu a mão para ela, e ela demorou um segundo para perceber que ainda controlava o próprio corpo. Ele já a estava tocando quando ela se afastou.

— Vou embora nesta noite mesmo — disse ele. Estava chorando de novo, com seus olhos castanhos, verdes, dourados, tremeluzindo por trás das lágrimas.

Ele saiu dali antes que Willie pudesse lhe dizer que ele já tinha ido embora.

Carson ainda estava lambendo o sorvete. Ele o segurava com uma mão. A outra segurava a mão de Willie, e a sensação da pele do seu filho na dela era suficiente para lhe trazer lágrimas aos olhos. Ela queria continuar andando. O tempo todo até chegar ao centro se fosse necessário. Ela não conseguia se lembrar da última vez que tinha visto o filho tão feliz.

Depois daquele dia com Robert, Joe se ofereceu para se casar com ela, mas Willie não pôde suportar a ideia. Pegou Carson e foi embora no meio da noite. Na manhã do dia seguinte, encontrou um lugar para ficar. Imaginou que fosse longe o suficiente para não ver mais ninguém que conhecesse. Mas não podia sair do Harlem, e aquele pequeno canto da cidade grande tinha começado a lhe dar uma sensação sufocante. Todos os rostos eram de Robert, e nenhum era dele.

Carson não parava de chorar. Parecia que, durante semanas inteiras, o menino não parava de chorar. No novo apartamento, Willie não tinha uma Bess com quem deixá-lo. Assim, ela o deixava sozinho nos dias em que ia trabalhar, certificando-se de fechar as janelas, trancar as portas e esconder objetos afiados. De noite, ela descobria que ele tinha adormecido sozinho, com o colchão empapado com suas lágrimas incessantes.

Ela fazia biscates, principalmente de limpeza, embora de vez em quando ainda saísse para algum teste. Os testes todos terminavam do mesmo jeito. Ela subia ao palco, sentindo-se confiante. Sua boca se abria, mas nenhum som saía dali. E logo ela estava chorando, pedindo perdão à pessoa diante dela. Uma dessas pessoas disse-lhe que seria melhor ela procurar uma igreja, se perdão era o que queria.

Foi o que ela fez. Willie não ia a uma igreja desde que saiu de Pratt City, mas agora parecia que, quanto mais ia, mais queria ir. Todos os domingos, ela arrastava Carson, que tinha acabado de completar cinco anos, até a igreja batista na 128 Oeste, entre as avenidas Lenox e Seventh. Foi lá que conheceu Eli.

Ele era um frequentador esporádico da igreja, mas a congregação ainda o chamava de irmão Eli, por acreditar que ele possuía um fruto do espírito. Qual fruto, Willie não sabia. Ela vinha frequentando a igreja havia cerca de um mês, sentando-se na última fileira, com Carson no colo, apesar de ele já ser grande demais para ser um bebê de colo e de suas pernas doerem com o peso do menino. Eli entrou trazendo um saco de papel com maçãs. E se encostou na porta dos fundos.

— O fogo de Deus caiu do Céu, queimou e consumiu as ovelhas e os escravos. E só eu escapei para te trazer a notícia — disse o pastor.

— Amém — disse Eli.

Willie olhou para ele e então voltou o olhar para o pastor que estava continuando.

— E, vejam, um furacão levantou-se de repente do deserto, abalou os quatro cantos da casa, e esta desabou sobre os jovens. Morreram todos. Só eu escapei para te trazer a notícia.

— Deus seja louvado — disse Eli.

O saco fez barulho e Willie olhou para ver Eli tirando dele uma maçã. Ele piscou um olho para ela enquanto dava uma mordida. E ela voltou a cabeça depressa, enquanto o pastor prosseguia.

— O Senhor deu, o Senhor tirou. Louvado seja o nome do Senhor.

— Amém — murmurou Willie. Carson começou a ficar inquieto, e ela o balançou um pouquinho na perna, mas isso só o fez se debater mais. Eli deu-lhe uma maçã, e o menino a segurou, abrindo muito a boca para dar uma mordidinha de nada.

— Obrigada — disse Willie.

Eli inclinou a cabeça na direção da porta.

— Vem dar um passeio comigo — sussurrou ele. Ela não lhe deu atenção, ajudando Carson a segurar a maçã para ele não a deixar cair no chão.

— Vem dar um passeio comigo — disse Eli, um pouco mais alto dessa vez. Um auxiliar da igreja pediu que ele se calasse, e Willie ficou preocupada com medo de que ele dissesse a mesma coisa novamente, só que mais alto, e, assim, ela se levantou do banco e saiu com ele.

Eli segurava a mão de Carson enquanto eles andavam. No Harlem, era impossível evitar a avenida Lenox. Era ali que estavam todas as coisas sujas, feias, honradas e belas. A Jazzing ainda estava lá, e, quando eles passaram, Willie estremeceu.

— Qual é o problema? — perguntou Eli.

— De repente tive um calafrio, só isso — disse Willie.

Willie teve a impressão de que eles tinham percorrido o Harlem inteiro. Ela não conseguia se lembrar da última vez que tinha andado tanto e não conseguia acreditar que tivessem ido tão longe sem Carson chorar. Enquanto andavam, o menino não parou de comer a maçã, e ele parecia tão contente que Willie teve vontade de abraçar Eli por lhe proporcionar aquele tantinho de paz.

— Você trabalha no quê? — perguntou Willie a Eli, quando eles finalmente encontraram um lugar para se sentar.

— Eu sou poeta — disse ele.

— Você escreve alguma coisa boa? — perguntou Willie.

Eli sorriu para ela e pegou o centro da maçã que Carson estava balançando com a mão.

— Não, em compensação escrevo muita coisa ruim.

Willie riu.

— Qual é o teu poema preferido? — perguntou ela. Ele chegou mais para perto dela no banco, e Willie sentiu que mal conseguia respirar, algo que um homem não provocava nela desde o dia em que beijou Robert pela primeira vez.

— A Bíblia é a melhor poesia que existe — disse Eli.

— Bem, então por que não te vejo na igreja mais vezes? Parece que deveria estar estudando a Bíblia.

Foi a vez de Eli rir.

— Um poeta deve passar mais tempo vivendo do que estudando — disse ele.

Willie descobriu que Eli fazia muito do que ele chamava de "viver". No início, ela também chamava assim a atividade. Estar com ele era uma agitação só. Ele a levou por toda a cidade de Nova York, a lugares aos quais ela nunca tinha sonhado em ir, antes dele. Ele queria comer de tudo, experimentar de tudo. Não se importava com o fato de eles não terem dinheiro. Quando ela engravidou, o espírito aventureiro de Eli só pareceu crescer. Ele era o contrário de Robert. O nascimento de Carson tinha feito Robert querer lançar raízes, enquanto o nascimento de Josephine fez Eli querer ganhar asas.

O bebê mal tinha saído da sua barriga, quando Eli levantou voo. Da primeira vez, foi por três dias.

Ele voltou para casa cheirando a bebida.

— Como é que vai o meu bebê? — disse ele, remexendo os dedos diante do rosto de Josephine, e ela os acompanhou com os olhos arregalados.

— Por onde andou, Eli? — disse Willie, tentando não aparentar raiva, embora raiva fosse tudo o que estava sentindo. Ela se lembrou de como permanecia calada nas noites em que Robert voltava para casa, depois de não aparecer por um tempo, e não pretendia cometer o mesmo erro dessa vez.

— Ai, tá com raiva de mim, Willie? — perguntou Eli.

Carson deu um puxão na perna da calça de Eli.

— Trouxe maçã, Eli? — perguntou Carson. Ele estava começando a ficar parecido com Robert, e Willie não suportava essa semelhança. Bem naquela manhã, tinha cortado o cabelo do menino, e a impressão era de que, quanto mais cabelo ele perdia, mais Robert começava a transparecer. Carson tinha esperneado, gritado e chorado o tempo todo enquanto ela cortava. Por isso, ela lhe deu umas palmadas, o que o acalmou, mas então ele lhe lançou um olhar cruel, e ela não sabia ao certo o que era pior. Parecia que seu filho estava começando a detestá-la tanto quanto ela se esforçava para não detestá-lo.

— Claro que te trouxe uma maçã, Sonny — disse Eli, tirando uma do bolso.

— Não chame ele assim — disse Willie, sibilando, lembrando-se mais uma vez do homem que estava tentando esquecer.

A expressão de Eli ficou um pouco desapontada. Ele tentou limpar os olhos.

— Desculpa, Willie. Está bem? Desculpa.

Willie

— Meu nome é Sonny! — gritou Carson, dando uma mordida na maçã. — Eu gosto de ser Sonny! — disse ele, com o sumo da maçã esguichando da boca.

Josephine começou a chorar e Willie a pegou no colo para embalá-la.

— Viu o que você fez? — disse ela, e Eli só continuou a enxugar os olhos.

As crianças foram crescendo. Às vezes, Willie via Eli todos os dias por um mês. Isso era quando os poemas jorravam, e o dinheiro não era tão ruim assim. Willie voltava para casa depois de fazer a limpeza de uma casa ou outra, e encontrava pedaços e pilhas de papel pelo apartamento inteiro. Alguns desses papéis poderiam ter só uma palavra, como "Voo" ou "Jazz". Outros poderiam ter poemas inteiros. Willie encontrou um que tinha seu nome no alto, e aquilo fez com que ela pensasse que talvez Eli estivesse ali para ficar.

Mas, depois, ele desaparecia. O dinheiro sumia. No começo, Willie levava a pequena Josephine para o trabalho com ela, mas perdeu dois empregos desse jeito, então começou a deixar a menina com Carson, que parecia que ela nunca conseguia manter numa escola. Eles foram despejados três vezes em seis meses, embora, àquela altura, todo mundo que ela conhecia estivesse sendo despejado também, morando com vinte desconhecidos num único apartamento, dividindo uma única cama. Cada vez que eles eram despejados, ela fazia a mudança dos poucos pertences para não mais do que um quarteirão adiante. Willie dizia ao novo senhorio que o marido era um poeta famoso, sabendo perfeitamente que ele não era nem marido, nem famoso. Uma vez, quando ele veio para casa para passar uma noite, ela gritou com ele. "Poesia não enche barriga, Eli", disse ela. E só foi vê-lo de novo quase três meses depois.

E então, quando Josephine estava com quatro anos e Carson com dez, Willie entrou para o coro da igreja. Vinha querendo fazer isso desde o primeiro dia em que os ouviu cantar, mas palcos, mesmo os que eram altares, faziam com que se lembrasse da Jazzing. Depois que conheceu Eli, ela parou de ir à igreja. Só que Eli sumia, e ela voltava a comparecer. Por fim, ela foi a um ensaio, mas ficou lá atrás, quieta, mexendo com os lábios, mas sem deixar escapar um som.

Willie e Carson estavam se aproximando dos limites do Harlem. Carson deu uma mordida ruidosa na casquinha do sorvete e olhou para ela, com ar desconfiado. Ela lhe deu um sorriso tranquilizador, mas ela sabia, e ele também sabia, que eles precisariam dar meia-volta logo, logo. Quando as cores começassem a mudar, eles teriam de voltar.

Mas não voltaram. Agora, havia tanta gente branca em torno deles que Willie começou a sentir medo. Pegou a mão de Carson. Os tempos de mistura racial de Pratt City estavam no passado tão distante que ela quase achava que só tinham existido em sonhos. Ali, agora, ela tentava se fazer pequena, fechando os ombros para a frente, mantendo a cabeça baixa. Dava para ela sentir que Carson estava fazendo o mesmo. Eles caminharam dois quarteirões dessa maneira, depois do lugar em que o mar negro do Harlem se transformava nas ondas brancas do resto do mundo. E, então, pararam num cruzamento.

Willie

Havia tanta gente andando em torno deles que Willie ficou surpresa por ter chegado a perceber, mas percebeu, sim.

Era Robert. Ele estava abaixado, apoiado num único joelho, amarrando o cadarço do sapato de um menininho de talvez três ou quatro anos. Uma mulher segurava a mão do menino, logo ali do outro lado. A mulher tinha o cabelo louro frisado, tão curto que os fios mais longos mal lhe tocavam na ponta do queixo. Robert voltou a ficar em pé. Deu um beijo na mulher, com o menino esmagado entre eles só por um instante. Robert então levantou a cabeça e olhou para o outro lado do cruzamento. Os olhos de Willie encontraram os dele.

Os automóveis passaram e Carson puxou a ponta da camisa de Willie.

— Vamos atravessar, mamãe? — perguntou ele. — Os carros já se foram. Nós podemos passar.

Do outro lado da rua, os lábios da mulher loura estavam se movimentando. Ela tocou no ombro de Robert.

Willie sorriu para Robert, e foi só quando sorriu que ela percebeu que lhe perdoava. Teve a impressão de que o sorriso abriu uma válvula, como se a pressão da raiva, tristeza, confusão e perda estivesse saindo dela em disparada, para o céu e para longe. Para longe.

Robert retribuiu o sorriso, mas logo se voltou para falar com a mulher loura, e os três seguiram adiante em outra direção.

Carson acompanhou o olhar de Willie até o lugar onde Robert tinha estado.

— Mamãe? — disse ele, de novo.

Willie fez que não.

— Não, Carson. Não podemos continuar. Acho que chegou a hora de voltar.

Naquele domingo, a igreja estava lotada. O livro de poemas de Eli estava programado para ser publicado na primavera, e ele estava tão feliz que tinha ficado em casa mais tempo do que Willie conseguia se lembrar de ele já ter ficado. Ele se sentou num banco do centro, com Josephine no colo e Carson ao lado. O pastor subiu ao púlpito.

— Igreja, Deus não é maravilhoso?
— Amém — respondeu a igreja.
— Igreja, Deus não é maravilhoso?
— Amém — respondeu a igreja.
— Igreja — disse ele —, eu lhes digo que Deus me trouxe até o outro lado hoje. Igreja, eu larguei minha cruz e nunca mais vou pegá-la nos ombros.
— Glória, aleluia! — veio o grito.

Willie estava em pé no fundo do coro, segurando o hinário, quando suas mãos começaram a tremer. Ela pensou em H vindo da mina para casa todas as noites com sua picareta e sua pá. Ele punha as ferramentas no chão do alpendre e descalçava as botas antes de entrar, porque Ethe ia reclamar a valer se ele levasse pó de carvão para dentro da casa que ela mantinha tão limpa. Ele costumava dizer que a melhor parte do dia era quando ele podia largar de mão a pá e entrar em casa para ver suas meninas à espera dele.

Willie olhou para os bancos. Eli estava sacudindo Josephine nos joelhos e a menininha estava dando aquele seu sorriso que expunha muita gengiva. As mãos de Willie ainda tremiam e, num instante de silêncio total, ela deixou o hinário cair no tablado com um forte baque. E todos no templo, a congregação e o pastor, as irmãs Dora e Bertha, e o coro inteiro, se voltaram para olhar para ela. Ela avançou, ainda trêmula, e cantou.

Yaw

O HARMATÃ ESTAVA CHEGANDO. Yaw podia ver a poeira erguendo-se da terra batida e sendo levada até a janela da sala de aula no segundo andar da escola em Takoradi, onde ele vinha lecionando nos dez últimos anos. Ele se perguntava com que força os ventos viriam nessa estação. Quando estava com cinco anos, ainda morando em Edweso, os ventos foram tão fortes que partiram troncos de árvores. A poeira era tão densa que, quando ele estendia os dedos à sua frente, eles sumiam diante dos olhos.

Yaw arrumou os papéis. Tinha vindo à sala de aula no fim de semana antes do início do segundo semestre para pensar, talvez escrever. Ficou olhando para o título do seu livro, *Deixem a África para os africanos*. Já tinha escrito duzentas páginas e jogado fora quase outras tantas. Agora, até mesmo o título o insultava. Guardou o livro, sabendo que, se não o guardasse, poderia cometer alguma insensatez. Abrir a janela, talvez, deixar que os ventos levassem as folhas embora.

— O que o senhor precisa, sr. Agyekum, é de uma esposa. Não desse livro bobo.

Yaw

Yaw estava jantando na casa de Edward Boahen pela sexta noite naquela semana. No domingo, ele comeria lá pela sétima vez. A mulher de Edward gostava de se queixar de que estava casada com dois homens, mas Yaw elogiava sua comida com tanta frequência que sabia que ela continuaria a lhe dar uma boa acolhida.

— Para que eu preciso de uma esposa quando tenho a senhora? — perguntou Yaw.

— Ei, cuidado com o que fala — disse Edward, parando pela primeira vez seus movimentos regulares de enfiar comida na boca desde que sua mulher tinha posto a tigela diante dele.

Edward era professor de matemática na mesma escola católica romana de Takoradi onde Yaw ensinava história. Os dois tinham se conhecido na Achimota, renomada faculdade em Acra, e Yaw valorizava sua amizade mais do que valorizava a maioria das coisas.

— A independência está chegando — disse Yaw, e a sra. Boahen deu um daqueles seus suspiros do fundo do peito.

— Se ela está chegando, que venha. Estou farta de ouvir vocês falarem nela — disse ela. — De que adianta a independência quando não se tem quem prepare o jantar para a gente? — Ela entrou apressada na pequena casa de pedra para buscar mais água para eles, e Yaw riu. Ele podia imaginar a legenda que seria posta sob o nome dela nos jornais revolucionários: "Típica mulher da Costa do Ouro, mais preocupada com o jantar do que com a liberdade."

— O que você devia fazer é economizar para ir à Inglaterra ou aos Estados Unidos para estudar mais. Não se pode liderar uma revolução a partir de uma mesa de professor — disse Edward.

— Estou velho demais para ir aos Estados Unidos. Velho demais para uma revolução, também. Além do mais, se procurarmos o homem branco para obter mais instrução, aprenderemos somente o que o homem branco quiser que aprendamos. Voltaremos para cá e construiremos o país que o homem branco quer que construamos. Um país que continue a servir aos interesses deles. Nunca nos tornaremos livres.

Edward balançou a cabeça.

— Você é inflexível demais, Yaw. Precisamos começar em algum ponto.

— Então comecemos com nós mesmos. — Era disso que seu livro tratava, mas ele não disse mais nada, pois já conhecia a discussão que se desenvolveria a partir dali. Os dois homens tinham nascido mais ou menos na época em que os axântis foram absorvidos na colônia britânica. Tanto o pai de um como o do outro tinham lutado nas diversas guerras pela liberdade. Eles queriam as mesmas coisas, mas tinham ideias diferentes sobre como obtê-las. A verdade era que Yaw não acreditava que pudesse liderar uma revolução onde quer que estivesse. Ninguém leria seu livro, mesmo que ele o terminasse.

A sra. Boahen voltou com uma grande tigela de água, e os dois homens começaram a lavar as mãos ali.

— Sr. Agyekum, conheço uma boa moça. Ela ainda está em idade de ter filhos, de modo que não é preciso se preocupar...

— Eu já vou andando — disse Yaw, interrompendo-a. Ele sabia que era uma grosseria. Afinal de contas, a sra. Boahen não estava errada. Não era sua atribuição cozinhar para ele, mas ele achava que também não era atribuição dela lhe passar sermões. Ele deu um aperto de mão em Edward e na sra. Boahen também. E, então, voltou para sua pequena casa no terreno da escola.

Yaw

Enquanto percorria a distância de mais de um quilômetro até a escola, ele viu os garotos jogando futebol. Eram ágeis, com pleno domínio do corpo. Tinham uma ousadia nos movimentos que Yaw nunca possuíra na idade deles. Ele parou e ficou observando um pouco. E logo a bola veio voando na sua direção. Ele a apanhou e ficou grato por essa pequena atividade atlética. Eles acenaram para ele e mandaram um aluno novo pegar a bola. O menino veio se aproximando, sorrindo de início, mas, à medida que chegou mais perto, o sorriso sumiu do seu rosto e uma expressão de medo o substituiu. Ele ficou parado diante de Yaw, sem dizer nada.

— Quer a bola? — perguntou Yaw, e o menino fez que sim depressa, ainda com o olhar espantado.

Yaw lançou a bola para ele, com mais força do que pretendia, e o menino a apanhou e saiu correndo.

— O que aconteceu com o rosto dele? — Yaw ouviu o garoto perguntar quando voltou para perto dos colegas. Mas, antes que eles respondessem, Yaw já estava se afastando dali.

Era o décimo ano em que Yaw ensinava naquela escola. Todos os anos eram iguais. A nova safra de alunos começava a adornar o recinto da escola, com o cabelo recém-cortado, o uniforme escolar recém-passado. Eles traziam consigo seus horários, seus livros, o pouco dinheiro que seus pais ou suas aldeias tivessem conseguido recolher para eles. Eles perguntavam uns aos outros quem seria o professor de qual matéria e quando um dizia "o sr. Agyekum", outro contava a história que seu irmão ou primo mais velho tinha ouvido acerca do professor de história.

No primeiro dia do segundo semestre, Yaw ficava olhando os novos alunos entrarem, descontraídos. Eles sempre eram bem-comportados, esses meninos, tendo sido selecionados por sua inteligência ou pela riqueza da família para frequentar a escola, aprender o livro do homem branco. Nos passadiços, a caminho da sua sala de aula, eles costumavam ser tão turbulentos que dava para imaginar como deviam ter sido nas suas aldeias, brigando, cantando e dançando, antes que soubessem o que era um livro, antes que as famílias soubessem que um livro era uma coisa que uma criança poderia querer, até mesmo precisar ter. E então, uma vez que chegassem à sala, uma vez que os livros didáticos fossem postos sobre as pequenas carteiras de madeira, eles se aquietavam, fascinados. Naquele primeiro dia, estavam tão calados que Yaw pôde ouvir os filhotes de passarinho no peitoril da janela implorando para ser alimentados.

— O que está escrito no quadro? — perguntou Yaw. Ele ensinava aos alunos do primeiro ano do nível médio, em sua maioria garotos de catorze e quinze anos, que já tinham aprendido a ler e escrever em inglês nas séries anteriores. Quando Yaw conseguiu o posto, ele tinha levado ao diretor a ideia de que deveria poder ensinar os meninos nas línguas locais, mas o diretor riu dele. Yaw sabia que era uma esperança tola. Havia línguas demais para ele sequer tentar.

Yaw os observava. Ele sempre podia dizer qual menino levantaria a mão primeiro pelo jeito com que ele se inclinava para a frente no banco e passava os olhos da esquerda para a direita para ver se mais alguém desafiaria seu desejo de falar primeiro. Dessa vez, um menino muito pequeno chamado Peter levantou a mão.

— Está escrito "A História são histórias que se contam" — respondeu Peter. Ele sorriu, liberando a empolgação acumulada.

— "A História são histórias que se contam" — repetiu Yaw. Ele caminhou entre as fileiras de carteiras, certificando-se de olhar nos olhos de cada aluno. Quando parou de andar e se postou no fundo da sala, onde os garotos precisariam virar o pescoço para vê-lo, ele perguntou: — Quem gostaria de contar a história de como eu fiquei com esta cicatriz?

Os alunos começaram a se remexer, com os braços ficando sem vontade, trêmulos. Eles se entreolhavam, tossiam, olhavam para o outro lado.

— Não fiquem acanhados — disse Yaw, sorrindo agora, procurando encorajá-los com gestos de cabeça. — Peter? — perguntou ele. O menino, que apenas segundos antes tinha mostrado tanta disposição para falar, começou a suplicar com os olhos. O primeiro dia com uma turma nova era sempre o preferido de Yaw.

— Sr. Agyekum? — disse Peter.

— Que história você ouviu... sobre a minha cicatriz? — perguntou Yaw, ainda sorrindo, agora na esperança de amenizar o medo crescente do garoto.

Peter pigarreou e olhou para o chão.

— Dizem que o senhor nasceu do fogo — começou Peter. — Que é por isso que o senhor é tão inteligente. Porque foi iluminado pelo fogo.

— Mais alguém?

Tímido, um garoto chamado Edem ergueu a mão.

— Dizem que sua mãe estava lutando contra espíritos malignos de Asamando.

E então veio William.

— Ouvi dizer que seu pai ficou tão triste com a derrota dos axântis que ele amaldiçoou os deuses e os deuses se vingaram.

— Eu soube — disse mais um, chamado Thomas — que o senhor fez isso de propósito, para ter alguma coisa para falar no primeiro dia de aula.

Todos os alunos riram, e Yaw precisou reprimir seu próprio riso. Ele sabia que tinha se espalhado a história da sua aula. Os mais velhos contavam aos mais novos o que esperar dele.

Mesmo assim ele continuou, voltando para a frente da sala para olhar para os alunos, os meninos brilhantes da incerta Costa do Ouro, aprendendo o livro dos brancos com um homem marcado por cicatrizes.

— Qual dessas histórias é a certa? — perguntou-lhes Yaw.

Eles olharam em volta para os meninos que tinham falado, como se estivessem tentando selar alianças enquanto se encaravam, dando um voto ao lançar um olhar.

Por fim, quando se acalmaram os murmúrios, Peter ergueu a mão.

— Sr. Agyekum, não podemos saber qual história é a certa. — Ele olhou para o resto da turma, dando-se conta aos poucos. — Não temos como saber qual é a certa porque não estávamos lá.

Yaw assentiu. Sentou-se na cadeira na frente da sala e olhou para todos os garotos.

— É esse o problema da História. Não temos como saber com certeza aquilo que aconteceu quando não estávamos lá para ver, ouvir e vivenciar por nós mesmos. Precisamos confiar nas palavras dos outros. Os que estavam presentes nos tempos de antigamente contavam histórias para os filhos, para que os filhos soubessem, para que os filhos pudessem contar histórias para os filhos deles. E assim por diante. Mas agora chegamos ao problema de relatos conflitantes. Kojo Nyarko diz que, quando os guerreiros chegaram à sua aldeia, suas túnicas eram vermelhas, mas Kwame Adu diz que eram azuis. Então, em que história vamos acreditar?

Os alunos estavam em silêncio. Com os olhos fixos nele, esperando.

— Nós acreditamos na história de quem detém o poder. É ele que acaba escrevendo a história. Por isso, quando se estuda História, é preciso sempre fazer perguntas. Que história não está sendo contada? De quem é a voz que foi reprimida para que essa voz pudesse se fazer ouvir? Quando vocês tiverem descoberto essas respostas, precisarão encontrar aquela história também. A partir daí, começarão a formar um quadro mais nítido, apesar de ainda imperfeito.

A turma estava calada. Os passarinhos no peitoril da janela ainda estavam esperando pelo alimento, ainda choravam para a mãe voltar. Yaw deu aos meninos tempo para pensarem sobre o que ele tinha dito, para responderem de algum modo, mas, como ninguém se pronunciou, ele prosseguiu.

— Vamos abrir nossos livros na página...

Um dos alunos estava tossindo. Yaw olhou e viu que William tinha erguido a mão. Em silêncio, ele permitiu que o garoto falasse.

— Mas, sr. Agyekum, o senhor ainda não nos contou a história de como ficou com essa cicatriz.

Yaw pôde sentir que todos os alunos dirigiam o olhar para ele, mas manteve sua cabeça baixa. Resistiu ao impulso de levar a mão ao lado esquerdo da face, sentir o relevo da pele coriácea, com suas numerosas rugas e ondulações que, quando Yaw ainda era criança, faziam com que pensasse num mapa. Ele tinha querido que aquele mapa o levasse para longe de Edweso, e, sob certos aspectos, isso tinha acontecido. Sua aldeia mal conseguia olhar para ele e tinha recolhido dinheiro para mandá-lo para a escola, para ele poder estudar, mas também, desconfiava Yaw, para eles não precisarem ser lembrados da vergonha que lhes cabia. Em outros aspectos, o mapa da pele marcada de Yaw não o levara a parte alguma. Ele não tinha se casado. Não lideraria nada. Edweso tinha vindo junto com ele.

Yaw não tocou na cicatriz. Em vez disso, ele pôs o livro na mesa com cuidado e se certificou de dar um sorriso.

— Eu era só um bebê — disse ele. — Tudo o que sei foi o que ouvi dizer.

O que ele ouvira dizer: que a Mulher Maluca de Edweso, a caminhante, sua mãe, Akua, ateou fogo à cabana quando ele, ainda bebê, e as irmãs estavam dormindo. Que seu pai, Asamoah, o Aleijado, só conseguiu salvar uma criança, o filho. Que o Aleijado impediu que queimassem a Mulher Maluca. Que a Mulher Maluca e o Aleijado foram banidos para a periferia da cidade. Que a cidade coletou dinheiro para mandar o filho marcado para a escola quando ele era tão pequeno que ainda não tinha se esquecido do sabor do leite materno. Que o Aleijado morreu enquanto o filho marcado ainda estava na escola. Que a Mulher Maluca ainda vivia.

Yaw não voltara a Edweso desde o dia em que fora mandado para a escola. Por muitos anos, sua mãe enviou cartas, cada uma escrita com a letra da pessoa que ela tivesse conseguido convencer a escrever por ela naquele dia. As cartas imploravam a Yaw que fosse vê-la, mas ele nunca respondia, e assim, com o tempo, ela parou. Quando ainda estava na escola, Yaw passava as férias e folgas com a família de Edward em Oseim. Eles o acolheram como se ele fosse um parente, e Yaw os amava como se realmente pertencesse à família. Era um amor que não precisava de justificativas, incondicional, como o de um cachorro abandonado que acompanha um homem na volta do trabalho para casa todas as noites, feliz, simplesmente por ter permissão para andar junto. Foi em Oseim que Yaw conheceu a primeira garota por quem ele viria a se interessar. Na escola, seus preferidos eram os poetas românticos; e, em Oseim, ele passava noites copiando Wordsworth e Blake em folhas de árvores que ele espalhava em torno do local perto do rio onde ela ia buscar água.

Ele passou uma semana inteira fazendo isso, sabendo que as palavras de ingleses brancos não significariam nada para ela, que ela não conseguiria lê-las. Sabendo que ela precisaria procurá-lo para descobrir o que as folhas diziam. Ele pensava nisso todas as noites. A garota trazendo o maço de folhas para ele poder recitar "A Dream" ou "A Night Thought" para ela.

Em vez disso, ela recorreu a Edward. Foi Edward quem leu os versos para ela, e depois foi Edward quem lhe disse que as folhas eram obra de Yaw.

— Ele gosta de você, sabe? — disse Edward. — Pode ser que um dia ele peça para você se casar com ele.

Mas a garota fez que não, estalando a língua com repulsa.

— Se eu me casar com ele, meus filhos serão feios — declarou ela.

Naquela noite, deitado ao lado de Edward no seu quarto, Yaw escutou enquanto seu melhor amigo lhe contava que tinha explicado para a garota que não se podia herdar uma cicatriz.

Agora, chegando perto de completar cinquenta anos, Yaw já não sabia se acreditava que aquilo fosse verdade.

O semestre passou. Em junho, Kwame Nkrumah, um líder político de Nkroful, fundou o Partido da Convenção Popular, ao qual Edward se filiaria pouco depois. "A independência está chegando, meu irmão", gostava ele de dizer a Yaw nas noites em que Yaw ainda se juntava a ele e à mulher para jantar. Isso acontecia cada vez menos. A sra. Boahen estava esperando o quinto filho e a gravidez estava sendo difícil. Tão difícil que os Boahen pararam de receber convidados. No começo, apenas os outros professores e amigos que tinham feito na cidade, mas, depois, também Yaw percebeu que até mesmo ele já não tinha a mesma acolhida.

Foi assim que Yaw contratou uma criada. Ao que se lembrasse, ao longo de toda a sua vida, ele tinha resistido a ter outras pessoas em casa. Ele sabia preparar alguns pratos para si mesmo com bastante competência. Podia buscar sua própria água e lavar suas próprias roupas. Não mantinha a casa tão arrumada quanto tinha sido forçado a manter seu quarto na escola, mas nada disso o incomodava. Ele preferia a desarrumação e as refeições simples, se isso significasse que ele não precisaria ter outra pessoa dentro de casa, olhando para ele. "Isso é ridículo!", disse Edward. "Você é um professor. As pessoas olham para você o dia inteiro."

Mas, para Yaw, aquilo era diferente. Na sala de aula, ele não era ele mesmo. Era um artista, na tradição dos dançarinos de aldeia e dos contadores de histórias. Em casa, ele era quem realmente era. Tímido e solitário, zangado e constrangido. Ele não queria que ninguém o visse lá.

Edward verificou pessoalmente todas as candidatas e, no final, Yaw acabou ficando com Esther, uma ahanta dali mesmo de Takoradi.

Esther era uma moça sem graça. Talvez até mesmo feia. Seus olhos eram grandes demais para a cabeça, e a cabeça, grande demais para o corpo. No primeiro dia de trabalho, Yaw mostrou-lhe o quarto dela nos fundos da casa e lhe disse que ele passava a maior parte do tempo escrevendo. Pediu que ela não o perturbasse e voltou para se sentar à mesa de trabalho.

O livro estava se tornando ingovernável. Os líderes políticos do movimento pela independência da Costa do Ouro, os "Seis Grandes", tinham todos voltado de estudos nos Estados Unidos e na Inglaterra, e, até onde Yaw pudesse ver, eles eram todos como Edward, pacientes, mas vigorosos, confiantes em que a independência de fato aconteceria. Yaw vinha lendo cada vez mais sobre o movimento dos negros americanos pela liberdade e ficava fascinado com a cólera que inflamava cada frase dos livros deles. Era isso o que queria do seu próprio livro. Uma cólera acadêmica. Mas parecia que tudo o que ele conseguia produzir era um queixume enfadonho.

— C-com licença, senhor.

Yaw ergueu os olhos do livro. Esther estava parada diante dele com a vassoura comprida rústica que tinha insistido em trazer, muito embora Yaw lhe dissesse que sua casa dispunha de muitas vassouras.

— Você não precisa falar em inglês — disse Yaw.

— Sim, senhor, mas minha irmã disse que o senhor é professor e que eu preciso falar inglês.

Ela parecia apavorada, com os ombros curvados e as mãos segurando a vassoura com tanta força que deu para Yaw ver que a região em torno das articulações dos dedos começava a se esticar e a ficar vermelha. Ele desejou poder cobrir o rosto, deixar a jovem tranquila.

— Você entende twi? — disse Yaw em sua língua materna, e Esther fez que sim. — Então fale à vontade. Já ouvimos inglês o suficiente, de qualquer maneira.

Foi como se ele tivesse aberto uma comporta. O corpo da moça começou a adotar uma postura mais natural, e Yaw percebeu que não era sua cicatriz que a tinha deixado apavorada, mas, sim, o problema da língua, um sinal da instrução dela, da classe dela, em comparação com a dele. Seu pavor era de que, para o professor do livro dos brancos, ela precisasse falar a língua dos brancos. Agora, liberada do inglês, Esther deu o sorriso mais radiante que Yaw tinha visto havia séculos. Ele pôde ver o espaço grande, altivo, que parecia um portal entre seus dois incisivos, e se descobriu ensinando o olhar a entrar por aquela porta, como se pudesse enxergar tudo, passando pela garganta, pelas entranhas, o lar da própria alma de Esther.

— Senhor, terminei de limpar o quarto. O senhor tem muitos livros lá dentro. Sabia? O senhor lê todos aqueles livros? O senhor lê em inglês? Senhor, onde fica guardado o óleo de palma? Não achei na cozinha. É uma boa cozinha. O que o senhor vai querer jantar? Eu deveria fazer a feira? O que o senhor tá escrevendo?

Será que ela respirou? Se tinha respirado, Yaw não ouviu. Ele rearrumou as folhas do livro e o pôs de lado enquanto pensava no que dizer em seguida.

— Faça o que quiser para o jantar. Seja lá o que for.

Ela assentiu, aparentando não estar descontente com o fato de ele ter respondido apenas a uma das suas perguntas.

— Vou fazer sopa de pimenta com carne de cabrito — disse ela, com os olhos baixos movimentando-se para lá e para cá, como que procurando no chão algum pensamento que pudesse ter deixado cair ali. — Vou à feira hoje. — Ela olhou para ele. — O senhor gostaria de ir à feira comigo?

De repente, Yaw ficou zangado ou nervoso. Ele não sabia dizer exatamente se uma coisa ou outra e resolveu responder com raiva.

— Por que eu deveria ir à feira com você? Você não trabalha para mim? — gritou ele.

Ela fechou a boca, escondendo o portal de acesso à sua alma. Inclinou a cabeça para um lado e ficou olhando para ele, como se, só nesse momento, tivesse lhe ocorrido que ele tinha um rosto, que o rosto dele tinha uma cicatriz. Ela o examinou por mais um segundo e voltou a sorrir.

— Achei que o senhor talvez quisesse um descanso de tanto escrever. Minha irmã disse que os professores são muito sérios porque fazem todo o trabalho na mente, e por isso, às vezes, eles precisam ser lembrados de que devem usar o corpo. O senhor não estaria usando o corpo se andasse até à feira?

Agora era a vez de Yaw sorrir. Esther riu, com a boca muito aberta, e, de repente, Yaw sentiu o impulso estranho de enfiar a mão ali e puxar um pouco daquela alegria para si mesmo, para guardar sempre consigo.

Eles foram à feira. Mulheres gordas com bebês junto aos seios vendiam sopa, milho, inhames, carne. Homens e garotos jovens faziam escambo. Alguns vendiam comida, outros vendiam entalhes e tambores de madeira. Yaw parou diante da barraca de um menino que parecia ter seus treze anos que estava usando uma faca fina para entalhar símbolos num tambor. O pai do menino estava ali, ao seu lado, de guarda, cheio de cuidado. Yaw reconheceu o homem do Kundum do ano anterior. Ele era um dos melhores tocadores de tambor que Yaw já tinha visto e, enquanto o homem olhava fixamente para o filho, Yaw pôde ver que o pai queria que o filho fosse ainda melhor.

— O senhor gosta de tocar tambor? — perguntou Esther.

Yaw não tinha percebido que ela o estava observando. Era tão raro que ele precisasse se ocupar de outras pessoas. Afinal de contas, ele não estava com raiva. Só nervoso.

— Eu? Não, não. Nunca aprendi.

Ela assentiu. Vinha conduzindo o cabrito recém-comprado, amarrado a uma corda, e, às vezes, enquanto eles andavam, o animal se tornava teimoso, fincando os cascos no chão e dando cabeçadas no ar, com seus chifres refletindo a luz. Ela o puxava com vigor, e ele balia, talvez contra ela, se bem que talvez ele tivesse balido de qualquer jeito.

Yaw deu-se conta de que deveria dizer alguma coisa. Pigarreou e olhou para ela, mas as palavras não saíram. Ela sorriu para ele.

— Minha sopa de pimenta com carne de cabrito é muito boa — disse ela.

— É mesmo?

— É, tão boa que o senhor irá pensar que foi sua mãe que fez. Onde é que tá sua mãe? — perguntou ela, com aquele seu jeito esbaforido.

O cabrito ficou imóvel, aos berros. Esther deu mais uma volta com a corda no pulso e puxou. Ocorreu a Yaw que ele deveria se oferecer para levar o cabrito no lugar dela, mas ele não o fez.

— Minha mãe mora em Edweso. Não a vejo desde o dia em que fiz seis anos. — Ele se calou por um instante. — Foi ela quem fez isso comigo. — Ele apontou para a cicatriz e inclinou o corpo para Esther poder vê-la melhor.

Esther parou de andar, e Yaw parou também. Ela olhou para ele e, por um segundo, ele teve medo de que ela estendesse a mão para tentar tocar seu rosto, mas ela não o fez.

— O senhor tem muita raiva — disse ela, em vez disso.

— Tenho — disse ele. Era algo que raramente admitia para si mesmo, muito menos para qualquer outra pessoa. Quanto mais ele se olhava num espelho, quanto mais vivia sozinho, quanto mais tempo o país que ele amava permanecia sob o jugo colonial, mais raiva ele sentia. E o objeto nebuloso e misterioso dessa sua raiva era sua mãe, uma mulher de cujo rosto ele mal se lembrava, mas um rosto refletido na sua própria cicatriz.

— A raiva não combina com o senhor — disse Esther. Ela deu mais um bom puxão no cabrito, e Yaw escutou-o balir enquanto eles dois seguiam à sua frente.

Ele se apaixonou por ela. Cinco anos se passaram até ele perceber, embora talvez tivesse sabido naquele primeiro dia. Era verão e o nevoeiro insistente do calor se abatia sobre eles, tão permanente que parecia ser um zumbido grave, um calor que se podia ouvir. Yaw não precisava lecionar no trimestre do verão e dispunha de horas, dias inteiros, para se sentar, ler e escrever. Só que, do seu lugar à mesa de trabalho, ele preferia ver Esther fazendo a limpeza. Ele fingia se irritar quando ela desfiava sua lista interminável de perguntas, mas, desde aquele primeiro dia, sempre dava resposta a cada uma de todas elas. Quando não chovia, ele se sentava ao ar livre, à sombra de uma mangueira grande e frondosa, enquanto ela puxava água do poço. Ela carregava a água para a casa em dois baldes, e os músculos volumosos dos seus braços se flexionavam, e o suor lustroso aparecia neles. E quando passava por ele, ela sorria, com aquele espaço entre os dentes tão encantador que Yaw sentia vontade de chorar.

Tudo lhe dava vontade de chorar. Ele podia ver as diferenças entre eles como ravinas longas, intransponíveis. Ele era velho; ela, jovem. Ele era instruído; ela, não. Ele era marcado pela cicatriz; ela era perfeita. Cada diferença tornava a ravina cada vez mais larga. Não havia solução.

Por isso, ele não falava. Ao entardecer, ela lhe perguntava o que ele queria jantar, em que estava trabalhando, se ele tinha ouvido alguma notícia recente sobre o movimento pela independência, se ele ainda estava pensando em viajar para se instruir mais.

Ele dizia o que precisava ser dito, nada mais.

— Hoje o *banku* tá grudento demais — disse ela, enquanto eles comiam numa noite. No início, Esther tinha insistido em fazer as refeições em separado, alegando que não era correto que eles dois comessem juntos, o que era a pura verdade. Mas imaginá-la sozinha no quarto, sem nenhum lugar para todas aquelas perguntas, pareceu a Yaw a pior opção. Portanto, agora, nesta noite e em todas as outras, ela comia diante dele, do outro lado da pequena mesa de madeira.

— Está bom — disse ele. E sorriu. Bem que ele queria ser um homem bonito, com a pele lisa como cerâmica. Mas não era o tipo de homem que poderia conquistar uma mulher com sua simples presença. Ele precisava fazer alguma coisa.

— Não, já fiz outros muito melhores. Tudo bem. Não precisa comer se não gostar. Vou fazer outra coisa pro senhor. Gostaria de um pouco de sopa?

Ela estava começando a tirar o prato dele, mas ele o segurou sobre a mesa.

— Está bom — repetiu ele, com maior ênfase. Ele se perguntava o que deveria fazer para conquistá-la. Durante os últimos cinco anos, ela vinha fazendo com que ele se abrisse cada vez mais. Fazendo-lhe perguntas sobre seus estudos, sobre Edward, sobre o passado.

— Você gostaria de ir a Edweso comigo? — perguntou Yaw. — Visitar minha mãe? — Assim que disse isso, ele se arrependeu. Havia anos que Esther o vinha instigando a ir, mas ou ele desconversava ou não lhe dava atenção. Agora, o amor o deixara desesperado. Ele nem mesmo sabia se a Mulher Maluca de Edweso ainda estava viva.

Pareceu que Esther estava insegura.

— O senhor quer que eu vá?

— Caso eu precise de alguém para cozinhar para mim durante a viagem — respondeu ele, apressado, tentando despistar.

Ela refletiu por um instante e então concordou em silêncio. Pela primeira vez desde que ele a conhecera, ela não perguntou mais nada.

A distância entre Takoradi e Edweso era de 206 quilômetros. Yaw sabia porque podia sentir cada quilômetro como se fosse uma pedra parada na sua garganta. Duzentas e seis pedras acumuladas na sua boca, para que ele não pudesse falar. Mesmo quando Esther lhe fazia uma pergunta, como quanto tempo ainda ia demorar a viagem, como ele ia explicar a presença dela ao povo da cidadezinha, o que ele diria à mãe quando ela visse Esther, as pedras impediam a passagem das palavras. Com o tempo, também Esther ficou em silêncio.

Ele se lembrava tão pouco de Edweso que não poderia dizer se as coisas estavam mudadas. Quando chegaram, foram recebidos de imediato por um calor sufocante, com os raios do sol espalhados como um gato depois de um cochilo. Só havia algumas pessoas pela praça naquele dia, mas as que estavam lá olharam com espanto, sem constrangimento, perplexas com a visão do automóvel ou dos desconhecidos.

— Por que tão olhando? — sussurrou Esther, aflita. Estava preocupada consigo mesma, que as pessoas considerassem incorreto que eles dois estivessem viajando juntos, sem serem casados. Ela ainda não lhe tinha dito isso, mas ele podia perceber no jeito com que ela baixava os olhos e andava atrás dele.

Em pouco tempo, um menininho, de não mais que quatro anos, segurando a saia comprida da mãe, apontou para Yaw, com seu minúsculo dedo indicador.

— Olha, mamãe, a cara dele! A cara dele!

O pai do menino, que estava parado do outro lado dele, afastou a mão do filho.

— Pare com essa bobagem! — disse ele, mas, então, olhou com mais atenção pela linha que o dedo do filho tinha traçado.

Ele se aproximou de Yaw e Esther, onde eles estavam parados, indecisos, cada um segurando uma bolsa.

— Yaw? — ele perguntou.

Yaw largou a bolsa no chão e se aproximou do homem.

Yaw

— Sim — disse ele. — Acho que não me lembro de você. — Ele levantou a mão acima das sobrancelhas para proteger os olhos do sol, mas logo a estava estendendo para apertar a mão do homem.

— Eu me chamo Kofi Poku — disse o homem, retribuindo o cumprimento. — Eu tinha uns dez anos quando você foi embora. Essa é minha esposa, Gifty, e meu filho Henry.

Yaw apertou a mão de todos e se voltou para Esther.

— Essa é minha... Essa é Esther — disse ele. E também Esther apertou a mão de todos.

— Vocês devem estar aqui para ver a Mulher Maluca — disse Kofi Poku antes de se dar conta do lapso. Ele cobriu a boca. — Peço que me desculpe. Eu quis dizer Ma Akua.

Pelo jeito com que os olhos de Kofi Poku procuravam e com que sua fala se arrastava, Yaw pôde ver que Kofi Poku não tinha precisado chamar sua mãe pelo nome havia anos. Talvez nunca. Ao que Yaw soubesse, a Mulher Maluca de Edweso poderia ter conquistado esse título bem antes do seu nascimento.

— Por favor, não se preocupe — disse Yaw. — Estamos aqui para ver minha mãe, sim.

Bem nesse instante, a esposa de Kofi Poku aproximou-se dele para sussurrar alguma coisa no seu ouvido, e as sobrancelhas do homem se ergueram, com uma nova animação no rosto. Quando ele falou, foi como se a ideia tivesse sido dele o tempo todo.

— Você e sua esposa devem estar muito cansados da viagem. Minha esposa e eu gostaríamos que ficassem em nossa casa, por favor. Nós lhe oferecemos o jantar.

Yaw começou a fazer que não, mas Kofi Poku agitou a mão, como se estivesse tentando contrabalançar o movimento de Yaw com o seu próprio.

— Eu insisto. Além do mais, sua mãe segue uns horários estranhos. Não seria bom você ir lá hoje. Espere até o entardecer de amanhã. Vamos mandar alguém avisá-la da sua chegada.

Como eles poderiam recusar? Yaw e Esther tinham planejado ir direto à casa de Akua para ficar, mas, em vez disso, percorreram a pequena distância da praça da cidadezinha até a casa da família Poku. Quando chegaram lá, os outros filhos de Kofi Poku, três meninas e um menino, estavam começando o jantar. Uma das meninas, a mais alta e mais esbelta, estava sentada diante de um enorme pilão. O garoto segurava o socador, que tinha quase o dobro da sua altura. Ele o segurava bem no alto e o baixava com violência no exato instante em que a mão da garota terminava de virar o *fufu* no pilão, livrando-se do impacto por um triz.

— Olá, crianças — disse Kofi Poku, e todos os filhos pararam o que estavam fazendo e se levantaram, para poder cumprimentar os pais, mas, quando viram Yaw, baixaram a voz e arregalaram os olhos.

A que parecia ser a menina mais nova, com dois pompons de cabelo de cada lado da cabeça, deu um puxão na perna da calça do irmão.

— O filho da Mulher Maluca — sussurrou ela. Mas, mesmo assim, todos ouviram. E Yaw soube, agora com certeza, que sua história tinha se tornado uma lenda em sua terra natal.

Todos ficaram ali parados, embaraçados por um instante, e, então, Esther, com seus braços grandes e musculosos, pegou o socador das mãos do menino mais velho e atingiu depressa o *fufu* no pilão, antes que qualquer um deles tivesse tempo para pensar ou reagir. A bola de *fufu* ficou achatada, e o socador caiu com um baque na terra batida.

— Chega! — gritou Esther, quando todos se viraram para olhar com espanto para ela. — Será que esse homem não sofreu o suficiente pra voltar pra sua terra e encontrar esse tipo de coisa? — perguntou ela.

— Por favor, perdoe minha filha — disse a sra. Poku, usando a própria voz para falar, em vez de usar a voz do marido, pela primeira vez desde que eles tinham se encontrado. — É só que eles ouviram as histórias. Não vão repetir esse erro. — Ela se voltou, fixando o olhar em cada uma das cinco crianças, até mesmo na que mal tinha aprendido a andar, aos seus pés, e rapidamente, sem necessidade de maiores explicações, elas compreenderam.

Kofi Poku pigarreou e fez um gesto para eles dois o acompanharem até onde iriam se sentar.

— Obrigado — sussurrou Yaw enquanto o acompanhavam.

— Deixe que eles achem que eu sou a maluca — disse Esther, dando de ombros.

Eles se sentaram para a refeição. As crianças os serviam, assustadas, mas gentis. Kofi Poku e a mulher contaram o que eles poderiam esperar da mãe de Yaw.

— Ela mora só com uma criada, naquela casa que seu pai construiu para ela nos limites da cidade. Raramente sai, embora às vezes seja possível vê-la do lado de fora da casa, cuidando do jardim. Ela tem um lindo jardim. Minha mulher costuma ir lá admirar as flores.

— Ela fala quando a senhora a vê? — perguntou Yaw à sra. Poku.

A mulher fez que não.

— Não, mas sempre foi simpática comigo. Ela até me dá flores para eu trazer para casa. Eu as ponho no cabelo das meninas antes de irmos à igreja, e acho que isso lhes trará bons casamentos.

— Não se preocupe — disse Kofi Poku. — Tenho certeza de que ela o reconhecerá. O coração dela o reconhecerá. — Tanto sua mulher quanto Esther assentiram em silêncio, e Yaw desviou o olhar.

Estava escuro no pátio, mas o calor não tinha diminuído, só estava transformado, zumbindo com pernilongos e mosquitos.

Yaw e Esther terminaram de comer. Agradeceram. Foram levados ao quarto, onde Esther insistiu em dormir no chão, enquanto Yaw ficou com o colchão, um troço duro, resistente, que lutava contra as suas costas. E foi desse jeito que eles dormiram.

Passaram a manhã se preparando, perambulando por Edweso e comendo muitas vezes. Tinham sido avisados de que a mãe de Yaw raramente dormia e parecia preferir os fins de tarde às manhãs. Por isso, eles aguardaram o momento certo. Esther tinha saído de Takoradi apenas uma vez na vida, e Yaw adorou ver o assombro nos olhos dela à medida que absorviam a estranheza daquela cidade desconhecida.

Todos achavam que eles eram casados. Yaw não os corrigiu. E foi com prazer que viu que Esther também não os corrigia, embora Yaw se perguntasse se isso seria mais uma questão de gentileza dela do que de desejo. Ele estava com medo demais para perguntar.

Logo, o céu começou a escurecer e, a cada novo tom, Yaw sentia um aperto maior no estômago. Esther não parava de olhar para ele com cuidado, observando seu rosto, como se ali houvesse instruções sobre como ela mesma deveria se sentir.

— Não tenha medo — disse ela.

Desde que tinham se conhecido, cinco anos antes, Esther tinha sido quem o incentivava a voltar para casa. Ela dizia que era alguma coisa ligada ao perdão, mas Yaw não sabia ao certo se acreditava no perdão. Ele ouvia essa palavra com maior frequência nos poucos dias em que ia à igreja dos brancos, com Edward e a sra. Boahen e, às vezes, com Esther. E, por isso, a palavra tinha começado a lhe parecer uma ideia que os homens brancos tinham trazido consigo quando chegaram pela primeira vez à África. Um truque que seus cristãos tinham aprendido e do qual falavam com liberdade e eloquência para o povo da Costa do Ouro. Perdão, gritavam eles, enquanto cometiam iniquidades o tempo todo. Quando era mais jovem, Yaw se perguntava por que eles não pregavam que as pessoas deveriam evitar fazer o mal logo de uma vez. Mas, quanto mais amadurecia, mais ele entendia. O perdão era um ato realizado depois do fato, uma parte do futuro da má ação. E se você fizer com que as pessoas olhem para o futuro, talvez elas não vejam o que está sendo feito para prejudicá-las no presente.

Quando por fim anoiteceu, Kofi Poku levou Yaw e Esther à casa da mãe de Yaw, na periferia da cidade. Yaw a reconheceu de imediato pela vegetação exuberante no seu jardim. Cores que Yaw nunca tinha visto antes floriam a partir de longos caules verdes que farfalhavam com o vento ou com o movimento de pequenos animais ali por baixo.

— É aqui que vou deixá-los — disse Kofi Poku. Eles ainda nem tinham chegado à porta. Para qualquer outra família, naquela e em muitas outras cidadezinhas, teria sido considerado uma grosseria que um morador da cidade chegasse tão perto da casa de alguém e não cumprimentasse o dono da casa, mas Yaw pôde ver o constrangimento no rosto do homem. Ele o liberou com um aceno e agradeceu novamente enquanto Kofi ia se afastando.

A porta da casa estava aberta, mas, mesmo assim, Yaw bateu duas vezes, com Esther atrás dele.

— Ô de casa? — chamou uma voz confusa. Uma mulher que parecia mais velha que Yaw, carregando uma tigela de barro, surgiu na quina da casa. Quando viu Yaw e viu sua cicatriz, ela sufocou um grito e a tigela caiu ao chão, espatifando-se e espalhando cacos de cerâmica vermelha da porta até o jardim. Caquinhos de barro que eles nunca encontrariam, que seriam absorvidos pela terra da qual provinham.

A mulher começou a gritar:

— Graças a Deus por todas as suas bênçãos! Graças a Deus por ele estar vivo. Nosso Deus não dorme, não! — Ela dançava pela sala. — Minha velha, Deus trouxe seu filho de volta! Minha velha, Deus trouxe seu filho para a senhora não precisar ir para Asamando sem vê-lo. Minha velha, venha ver! — gritou ela.

Atrás dele, Yaw podia ouvir Esther batendo palmas, com seu próprio jeito discreto de louvar. Ele não se voltou, mas sabia que ela estava com um sorriso radiante, e esse pensamento animador lhe deu coragem para entrar um pouco mais na sala.

— Será que ela não me ouviu? — murmurou a mulher consigo mesma, dando uma guinada na direção do quarto.

Yaw continuou a avançar; de início, acompanhando a mulher, mas, depois, seguindo direto até chegar à sala de estar. Sua mãe estava sentada no canto.

— Quer dizer que você por fim voltou para casa? — disse ela, sorrindo.

Se ele já não soubesse que a mulher nessa casa era sua mãe, ele não a teria reconhecido ao vê-la. Yaw estava com 55 anos, o que significava que ela estaria com 76, mas parecia mais nova. Seus olhos tinham a expressão despreocupada dos jovens, e seu sorriso era generoso, porém sábio. Quando ela se levantou, suas costas eram retas, seus ossos, ainda não encurvados com o peso de cada ano. Quando veio andando na direção dele, seus membros eram ágeis, não rígidos, sem articulações emperradas. E quando tocou nele, quando segurou as mãos do filho nas dela, nas suas próprias mãos manchadas e cheias de cicatrizes, quando esfregou o dorso das mãos dele com seus polegares tortos, ele sentiu como as queimaduras dela eram muito, muito macias.

— O filho afinal voltou para casa. Os sonhos não deixam de se tornar realidade. Não deixam.

Ela continuou segurando suas mãos. No vão da entrada, a criada pigarreou. Yaw virou-se e viu que ela e Esther estavam paradas ali, sorrindo para eles.

— Minha velha, vamos fazer o jantar! — gritou a mulher. Yaw perguntou-se se a voz dela era sempre assim tão alta ou se o volume era por causa dele.

— Por favor, não queremos dar trabalho — implorou ele.

— O quê? O filho volta para casa depois de todos esses anos e a mãe não mata um cabrito? — Ela estalou a língua nos dentes ao sair pela porta.

— E você? — perguntou Yaw a Esther.

— Quem vai ferver o inhame enquanto a mulher mata o cabrito? — perguntou ela, com a voz travessa.

Yaw ficou olhando as duas se afastarem e, pela primeira vez, sentiu uma aflição. De repente, sentiu alguma coisa que não sentia havia muito, muito tempo.

— O que a senhora está fazendo? — gritou ele, pois sua mãe tinha levado a mão à cicatriz no rosto do filho, passando os dedos pela pele destruída que somente ele tinha tocado havia quase meio século.

Ela continuou, sem se deixar intimidar pela raiva na voz dele. Ela levou seus próprios dedos queimados da sobrancelha perdida para a face em relevo, até descer à cicatriz do queixo. Tocou todo o seu rosto, e foi só quando ela terminou que Yaw começou a chorar.

Ela o puxou para o chão consigo, levou a cabeça do filho até seu peito e começou a cantar baixinho.

— Meu filhinho! Meu filho! Meu filhinho! Meu filho!

Os dois ficaram assim por um bom tempo. Depois que Yaw tinha chorado mais lágrimas do que em toda a sua vida, depois que sua mãe tinha parado de gritar seu nome para o mundo, ele foi se soltando para poder olhar para ela.

— Me conta a história de como fiquei com essa cicatriz — disse ele. Ela deu um suspiro.

— Como vou poder lhe contar a história da sua cicatriz sem primeiro lhe contar a história dos meus sonhos? E como vou falar dos meus sonhos sem falar da minha família? Da nossa família?

Yaw esperou. Sua mãe levantou-se do chão e fez um gesto para ele também se levantar. Ela indicou uma cadeira num lado da sala e ocupou a cadeira do outro lado. Ela olhava para a parede atrás da cabeça dele.

— Antes de você nascer, comecei a ter pesadelos. Os sonhos começavam do mesmo jeito: uma mulher feita de fogo vinha me visitar. Nos braços, ela trazia duas crianças de fogo, mas então as crianças desapareciam e a mulher voltava sua raiva contra mim.

"Mesmo antes de os sonhos começarem, eu não estava bem. Minha mãe morreu pelas mãos do missionário da escola em Kumasi. Você sabia?"

Yaw fez que não. Nunca tinha ouvido isso e, mesmo que tivesse, ele teria sido pequeno demais para se lembrar agora.

— O missionário me criou. Meu único amigo era um feiticeiro. Sempre fui uma menina triste, porque eu não sabia que havia outra forma de ser. Quando me casei com seu pai, achei que poderia ser feliz, e quando tive suas irmãs...

A essa altura, sua voz ficou embargada, mas ela ergueu os ombros e recomeçou.

— Quando tive suas irmãs, achei que era feliz, mas aí vi um homem branco ser queimado na praça em Edweso e os sonhos começaram. Então a guerra teve início e os sonhos ficaram piores. Seu pai voltou da guerra sem uma perna e os sonhos ficaram piores. Eu tive você e a tristeza não parava. Tentei lutar contra o sono, mas sou humana, e o sono não é. A luta era desigual. Uma noite, durante o sono, ateei fogo à cabana. Dizem que seu pai só conseguiu salvar um, você. Mas essa não é a verdade inteira. Ele também me salvou dos moradores da cidade. Por muitos anos, desejei que ele não tivesse me salvado.

"Eles só me deixavam ver você para eu poder amamentá-lo. Depois, mandaram você embora e não me disseram para onde. Moro nesta casa com Kukua desde aquele dia."

Como se tivesse sido chamada, Kukua, a velha criada entrou, trazendo vinho. Serviu Yaw primeiro e depois a mãe, mas a mulher recusou. Kukua saiu tão silenciosa quanto tinha entrado.

Yaw bebeu o vinho como se fosse água. Quando pôs o copo vazio aos seus pés, ele voltou a atenção para a mãe. Ela respirou fundo e recomeçou.

— Os sonhos não pararam. Não depois do incêndio, nem mesmo até hoje. Comecei a conhecer melhor a mulher-fogo. Às vezes, como na noite do incêndio, ela me levava ao oceano em Cape Coast. Às vezes, me levava a uma plantação de cacau. Às vezes a Kumasi. Eu não sabia por quê. Eu queria respostas, por isso voltei à escola missionária para fazer perguntas sobre a família da minha mãe. O missionário me disse que tinha queimado todos os pertences da minha mãe, mas ele estava mentindo. Tinha guardado uma coisa só para si.

A mãe tirou do pescoço o colar de Effia e o mostrou para Yaw. Ele rebrilhava negro na sua mão. Yaw tocou a pedra, sentiu como era lisa.

— Levei o colar para o filho do feiticeiro para eu poder fazer oferendas aos nossos ancestrais, a fim de que eles pudessem parar de me castigar. Naquela época, Kukua devia estar com uns catorze anos. Quando estávamos cumprindo o ritual, o filho do feiticeiro parou. Ele largou o colar muito de repente e me perguntou se eu sabia que o mal fazia parte da nossa linhagem. Achei que ele estava falando de mim, das coisas que eu tinha feito, e fiz que sim. Mas então ele falou: "Essa coisa que você está carregando... ela não lhe pertence." Quando lhe contei meus sonhos, ele disse que a mulher-fogo era uma antepassada que tinha voltado para me visitar. Disse que

Yaw

a pedra negra tinha pertencido a ela e que era por isso que ficava quente na mão dele. Disse que, se eu prestasse atenção a ela, ela me contaria de onde eu vinha. Disse que eu deveria me alegrar por ser a escolhida.

Yaw voltou a ficar zangado. Por que ela deveria se alegrar por ser a escolhida, se agora era uma mulher destruída e ele, um homem destruído? Como ela poderia estar contente com essa vida?

Sua mãe deve ter pressentido sua raiva. Por velha que fosse, ela se aproximou dele e se ajoelhou à sua frente. Yaw soube que ela estava chorando, pela umidade que atingiu seus pés.

— Não consigo me perdoar pelo que fiz — disse ela, olhando para ele. — Não vou me perdoar. Mas, quando ouvi as histórias da mulher-fogo, comecei a ver que o feiticeiro estava certo. O mal está presente na nossa linhagem. Há pessoas que cometeram erros porque não conseguiam ver o que resultaria do erro. Elas não tinham essas mãos queimadas como aviso.

Ela estendeu as mãos para ele e Yaw as examinou com cuidado. Ele reconheceu a pele dela na sua própria pele.

— O que eu sei agora, meu filho, é que o mal gera o mal. Ele cresce. Ele se transforma, de modo que, às vezes, não consegue enxergar que o mal no mundo começou como o mal na nossa própria casa. Sinto muito por tê-lo feito sofrer. Sinto muito pelo modo com que seu sofrimento lança uma sombra sobre sua vida, sobre a mulher com quem você ainda vai se casar, sobre os filhos que você ainda terá.

Yaw olhou para ela, surpreso, mas ela apenas sorriu.

— Quando alguém age errado, seja você ou seja eu, seja sua mãe ou seu pai, seja o homem da Costa do Ouro, seja o homem branco, é como um pescador que lança a rede na água. Ele fica com um peixe ou dois, que é do que precisa para se alimentar, e joga os demais na água, acreditando que a vida deles voltará ao normal. Nenhum deles se esquece de que um dia foram cativos, mesmo que agora estejam livres. Ainda assim, Yaw, você precisa se permitir ser livre.

Yaw levantou a mãe do chão nos seus braços enquanto ela não parava de repetir:

— Seja livre, Yaw. Seja livre.

Ele a abraçava, surpreso ao ver como ela era leve.

Logo, Esther e Kukua entraram com panelas e mais panelas de comida. Elas serviram a Yaw e à mãe pela noite adentro. Eles comeram até o sol raiar.

Sonny

A PRISÃO DEU A Sonny tempo para ler. Ele usou as horas que se passaram antes que sua mãe pagasse a fiança para folhear *As almas da gente negra*. Ele já o tinha lido quatro vezes e ainda não tinha se cansado do livro. Para ele, o texto confirmava o propósito de ele estar ali, num banco de ferro, numa cela de ferro. Todas as vezes em que sentia que era em vão seu trabalho para a Associação Nacional para o Progresso das Pessoas de Cor, a NAACP, em inglês, ele folheava as páginas gastas daquele livro e sentia que sua determinação se fortalecia.

— Você não se cansa disso? — perguntou Willie, quando entrou furiosa pelas portas da delegacia. Estava segurando o casaco esfarrapado numa das mãos e uma vassoura na outra. Ela limpava casas na região do Upper East Side desde as lembranças mais remotas de Sonny e não confiava nas vassouras que os brancos tinham. Por isso, sempre levava sua própria vassoura para o trabalho, carregando-a de uma estação de metrô para outra, para a rua, para a casa. Quando ele era adolescente, aquela vassoura deixava Sonny para lá de envergonhado, vendo a mãe carregá-la para lá e para cá como uma cruz. Se ela a estivesse carregando nos dias em que o chamava pelo nome enquanto ele jogava com amigos na quadra de basquete, ele a negava como Pedro a Jesus.

"Carson!", ela gritaria. E enquanto respondia com seu silêncio, ele imaginava que tinha razão em não responder, pois fazia muito tempo que ele só era chamado de "Sonny". Ele a deixaria chamar "Carson" mais algumas vezes até finalmente responder: "Que foi?" Ele sabia que pagaria por isso quando chegasse em casa. Sabia que sua mãe iria pegar a Bíblia e começar a rezar, vociferando contra ele, mas ele agia assim, de qualquer maneira.

Sonny pegou *As almas da gente negra* enquanto o policial abria a porta. Ele cumprimentou em silêncio os outros homens que tinham sido presos durante a marcha e passou raspando pela mãe.

— Quantas vezes eles vão precisar te prender, hem? — perguntou Willie às suas costas, mas Sonny não parou de andar.

Não era como se ele não se tivesse feito a mesma pergunta centenas de vezes ou mais. Quantas vezes ele poderia se levantar do chão imundo de uma cela de cadeia? Quantas horas ele poderia passar marchando? Quantos ferimentos ele poderia aguentar da polícia? Quantas cartas ao prefeito, ao governador, ao presidente ele poderia enviar? Quantos dias a mais seriam necessários para que alguma coisa mudasse? E quando mudasse, haveria mudança? Os Estados Unidos seriam diferentes? Ou, na maior parte, tudo continuaria na mesma?

Para Sonny, o problema dos Estados Unidos não era a segregação, mas o fato de que, no fundo, era impossível segregar. Ao que se lembrasse, Sonny tinha passado a vida inteira tentando se manter longe dos brancos, mas, por maior que o país fosse, não havia para onde ir. Nem mesmo o Harlem, onde os brancos eram proprietários de praticamente tudo que se podia ver ou tocar. O que Sonny queria era a África. Marcus Garvey sabia das coisas. A Libéria e Serra Leoa, aquelas duas iniciativas, tinham sido positivas, pelo menos em tese. O problema era que, na prática, nem tudo funcionava do jeito que parecia funcionar na teoria. A prática da segregação ainda significava que Sonny precisava ver brancos sentados nos bancos da frente de todos os ônibus que pegava, que ele era chamado de "crioulo" por qualquer menino branco mal saído das fraldas. A prática da segregação significava que ele precisava sentir seu isolamento como desigualdade, e era *isso* que ele não conseguia tolerar.

— Carson, estou falando contigo! — gritou Willie. Sonny sabia que ele nunca seria crescido demais para levar um cascudo. Por isso, voltou-se para encarar a mãe.

— Que foi?

Ela lhe lançou um olhar implacável, e ele o devolveu direto. Durante os primeiros anos da sua vida, tinham sido só ele e Willie. Por mais que se esforçasse, Sonny nunca conseguiu invocar uma imagem do seu pai, e ele ainda não tinha perdoado isso à mãe.

— Você é um cabeça-dura — disse ela, se esforçando para passar por ele agora. — Precisa parar de passar tempo preso e começar a passar tempo com seus filhos. É isso o que precisa fazer.

A última parte ela resmungou de um jeito que Sonny mal pôde ouvir, mas ele teria sabido o que ela disse mesmo que ela não tivesse pronunciado as palavras. Sentia raiva dela porque ele não tinha um pai, e ela sentia raiva dele por ele ter se tornado tão ausente quanto o próprio pai.

Sonny estava na equipe de moradia da NAACP. Uma vez por semana, ele e os outros homens e mulheres da equipe percorriam todas as diferentes áreas do Harlem para perguntar às pessoas como estavam indo.

— Tem tanta barata e rato que a gente precisa guardar a escova de dente na geladeira — disse uma mãe.

Era a última sexta-feira do mês, e Sonny ainda estava cuidando da dor de cabeça da noite de quinta.

— Hã-hã — disse ele para a mulher, passando a mão pela testa, como se pudesse enxugar um pouco da dor que estava pulsando ali. Enquanto ela falava, Sonny fingia fazer anotações no seu bloco, mas era a mesma coisa que tinha ouvido na última casa, e na penúltima também. Na realidade, Sonny não poderia ter ido a um único apartamento em que não soubesse o que os moradores iam dizer. Ele e Willie e a irmã, Josephine, tinham morado em condições semelhantes e até muito piores.

Ele conseguia se lembrar nitidamente de uma vez em que o segundo marido da sua mãe, Eli, foi embora levando junto o aluguel do mês. Sonny carregava a bebê Josephine no colo enquanto eles iam de um prédio a outro, implorando abrigo a qualquer um que se dispusesse a escutar. Acabaram num apartamento com quarenta pessoas lá dentro, entre elas uma idosa doente que tinha perdido o controle do intestino. Todas as noites a velha ficava sentada num canto, tremendo, chorando e enchendo os sapatos com a própria merda. Depois, os ratos vinham comer.

Sonny

Uma vez, quando sua mãe estava desesperada, ela os tinha levado para ficarem num dos apartamentos de Manhattan que ela limpava enquanto a família estava de férias. O apartamento tinha seis quartos para apenas duas pessoas. Sonny não sabia o que fazer em todo aquele espaço. Ele passava o dia inteiro no menor quarto de todos, apavorado demais para tocar em qualquer coisa, sabendo que sua mãe precisaria limpar suas impressões digitais se ele por acaso as deixasse.

— O senhor tem como ajudar? — disse um menino.

Sonny largou o bloco e olhou para ele. Era pequeno, mas alguma coisa no seu olhar disse a Sonny que ele era mais velho do que parecia, talvez tivesse catorze ou quinze anos. O garoto aproximou-se da mulher e pôs a mão no seu ombro. Ele ficou olhando firmemente para Sonny mais um pouco, e Sonny teve tempo para examinar seus olhos. Eram os maiores olhos que Sonny tinha visto em homem ou mulher, com cílios como as pernas longas, sedutoras, de uma aranha apavorante.

— O senhor não tem, não é mesmo? — disse o garoto. Ele piscou duas vezes, depressa. E ao ver os cílios de perna de aranha se enredarem, Sonny de repente foi dominado pelo medo. — O senhor não tem como fazer nada, não é mesmo? — continuou o garoto.

Sonny não sabia como responder. Só sabia que precisava escapar dali.

A voz do garoto ecoou na cabeça de Sonny pelo resto daquela semana, daquele mês, daquele ano. Ele pediu para ser transferido da equipe de moradia para não voltar a ver o garoto.

"O senhor não tem como fazer nada, não é mesmo?"

Sonny foi detido em outra marcha. Depois em outra. E, depois, em outra. Após a terceira detenção, quando Sonny já estava algemado, um dos policiais lhe deu um soco na cara. Enquanto seu olho começava a se fechar, inchado, Sonny franziu os lábios como que para cuspir, mas o policial só olhou bem no seu olho não atingido, fez que não e avisou:

— Faça isso e você morre hoje mesmo.

Sua mãe viu o estado do rosto do filho e começou a chorar.

— Não saí do Alabama pra isso! — disse ela.

Sonny deveria ir à casa dela para o jantar de domingo, mas não foi. Também faltou ao trabalho naquela semana.

"O senhor não tem como fazer nada, não é mesmo?"

O reverendo George Lee, do Mississípi, foi morto a tiros enquanto lutava pelo direito de se registrar como eleitor.

Rosa Jordan foi morta a tiros enquanto viajava num ônibus recém-dessegregado em Montgomery, no Alabama. Ela estava grávida.

"O senhor não tem como fazer nada, não é mesmo?"

Sonny não parava de faltar ao trabalho. Ele preferia ficar sentado num banco ao lado do homem que varria as barbearias na Seventh. Sonny não sabia o nome do homem. Só gostava de se sentar ali e conversar com ele. Talvez fosse porque o homem segurava uma vassoura, como sua mãe. Ele conseguia falar com o homem de um jeito que nunca tinha conseguido com ela.

— O que você faz quando se sente impotente? — perguntou Sonny.

O homem tragou fundo no seu Newport.

— Isso ajuda — disse ele, balançando o cigarro no ar. Ele, então, tirou do bolso um saquinho de papel glassine e o pôs na mão de Sonny. — Quando não funciona, isso aqui ajuda — disse ele.

Sonny

Sonny manuseou a droga um pouco. Não falou, e logo o varredor de barbearias pegou a vassoura e foi embora. Sonny ficou sentado naquele banco por quase uma hora, só passando o saquinho de um dedo para outro, pensando. Pensou nele enquanto caminhava os dez quarteirões até sua casa. Pensou nele enquanto fritava um ovo para jantar. Se nada que ele fizesse conseguia causar alguma mudança, então talvez fosse ele quem deveria promover uma mudança. No meio da tarde do dia seguinte, Sonny tinha parado de pensar no assunto.

Ele ligou para a NAACP e largou o emprego, antes de jogar o saquinho no vaso sanitário e acionar a descarga.

— O que você vai fazer pra ganhar dinheiro? — perguntou Josephine a Sonny. Agora que não tinha um salário, ele não podia manter seu apartamento. Por isso, estava morando na casa da mãe até conseguir encontrar uma solução.

Willie estava de pé, diante da pia, lavando louça e cantarolando suas canções gospel. Ela cantarolava mais alto quando queria dar a impressão de que não estava prestando atenção.

— Vou dar um jeito. Eu sempre dou um jeito, não dou? — Havia desafio na sua voz, e Josephine não o aceitou, recostando-se na cadeira e, de repente, se calando. A mãe começou a cantarolar um pouco mais alto e a secar a louça.

— Deixa que eu ajudo, mamãe — disse Sonny, pondo-se em pé de um salto.

De imediato, ela investiu contra ele, de tal modo que ele soube que ela estava escutando.

— Lucille passou aqui ontem, perguntando por você — disse Willie. Sonny deu um resmungo. — Parece que você devia entrar em contato com ela.

— Ela sabe me encontrar quando quer.
— E Angela ou Rhonda? Elas também sabem onde te encontrar? Parece que elas só sabem vir à minha casa nos dias em que você *não* tá aqui.

Sonny resmungou de novo.

— Você não precisa dar nada pra elas, mãe.

A mãe bufou. Ela parou de cantarolar e começou a cantar de verdade. Sonny soube que precisava sair do apartamento, e depressa. Se suas mulheres estavam atrás dele e sua mãe estava cantando gospel, era melhor ele encontrar um lugar para ficar.

Ele foi procurar seu amigo Mohammed para saber de um serviço.

— Cara, tu devia entrar pro Nação do Islã — disse Mohammed. — Esquece a NAACP. Eles não tão fazendo nada.

Sonny aceitou um copo de água da filha mais velha de Mohammed e deu de ombros para o amigo. Eles já tinham tido essa conversa. Sonny não podia se juntar ao Nação do Islã enquanto sua mãe fosse uma cristã devota. Ela não ia parar de buzinar nos seus ouvidos. Além do mais, os dias que tinha passado sentado lá atrás na igreja da mãe não o tinham deixado imune a ideias sobre a cólera divina. Não era o tipo de coisa que ele queria atrair.

— O Islã também não tá fazendo nada — disse ele.

Seu amigo Mohammed antes se chamava Johnny. Eles tinham se conhecido treinando lançamentos nas quadras de basquete por todo o Harlem, quando eram meninos, e tinham mantido a amizade, mesmo quando terminaram os tempos de basquete e as cinturas aumentaram.

Quando se conheceram, Sonny ainda era chamado de "Carson", mas, na quadra, ele gostava da velocidade, da facilidade de "Sonny", e por isso adotou o apelido como seu próprio nome. Sua mãe detestava. Ele sabia que era porque seu pai costumava chamá-lo assim, mas Sonny não sabia de nada acerca do pai, e o nome não tinha nenhum valor sentimental para ele a não ser o do som dos outros garotos dizendo: "É isso aí, Sonny!"

— Tudo está difícil, Sonny — disse Mohammed.

— A gente tem de saber de alguma coisa. Qualquer coisa, cara.

— Quantos anos você estudou? — perguntou Mohammed.

— Uns dois — disse Sonny. Na verdade, ele não se lembrava de terminar um ano que fosse em qualquer escola, de tanto que faltava às aulas, mudava de casa, era expulso. Um ano, em total desespero, sua mãe tinha tentado fazê-lo estudar numa escola elegante de brancos em Manhattan. Ela entrara na secretaria, usando óculos e levando sua melhor caneta. Enquanto Sonny examinava o prédio intacto, limpo e reluzente, com crianças brancas bem-vestidas, entrando e saindo na maior tranquilidade, ele pensou nas suas próprias escolas, aquelas do Harlem com o teto desmoronando e um fedor inominável; era uma surpresa para ele que as duas instituições pudessem ser chamadas de "escolas". Sonny podia se lembrar de como os funcionários da escola de brancos tinham perguntado à sua mãe se ela aceitava tomar café. Eles lhe disseram que simplesmente não era possível ele frequentar aquela escola. Simplesmente não era possível. Sonny se lembrava de como Willie apertava sua mão na dele enquanto eles voltavam a pé para o Harlem, enxugando as lágrimas com a outra. Para reconfortá-la, Sonny disse que não se importava com escolas, porque ele nunca ia mesmo. E Willie disse que o fato de ele nunca ir era o que havia de errado nelas.

— Isso não basta pro único emprego de que ouvi falar — disse Mohammed.

— Eu preciso trabalhar, Mohammed. Preciso.

Mohammed assentiu, devagar, e, na semana seguinte, ele deu a Sonny o telefone de um homem que tinha abandonado o Nação e agora era dono de um bar. Duas semanas depois, Sonny estava anotando pedidos de bebidas no Jazzmine, o novo clube de jazz no East Harlem.

Sonny tirou seus pertences da casa da mãe na noite em que descobriu que tinha conseguido o emprego. Não lhe contou onde estava trabalhando, porque já sabia que ela não aprovava o jazz, nem qualquer tipo de música profana. Ela cantava para a igreja, usava sua voz para Cristo, e ponto final. Uma vez, Sonny lhe perguntou se algum dia ela quis ser famosa como Billie Holiday, cantando tão bem que até os brancos tinham de prestar atenção, mas sua mãe só desviou o olhar e lhe disse para ter cuidado com "aquele tipo de vida".

O Jazzmine era um clube de jazz novo demais para atrair os grandes clientes e artistas. Na maioria dos dias, o lugar ficava meio vazio, e os funcionários, muitos dos quais eram músicos também, na esperança de ser vistos pelo tipo de gente que poderia promover suas carreiras, foram embora antes que o clube completasse seis meses de inaugurado. Não demorou muito para Sonny se tornar o barman-chefe.

— Me vê um uísque — disse uma voz abafada a Sonny uma noite. Ele podia dizer que era a voz de uma mulher, mas não conseguia ver seu rosto. Ela estava sentada lá na ponta do bar, com as mãos na cabeça.

Sonny

— Não posso te servir se não consigo te ver — disse ele, e ela aos poucos levantou a cabeça. — Por que não vem até aqui e pega sua bebida?

Ele nunca tinha visto uma mulher se movimentar tão devagar. Era como se ela tivesse de avançar em meio a águas profundas e sujas para chegar até ele. Ela não podia ter mais de dezenove anos, mas se mexia como uma velha, cansada da vida, como se movimentos bruscos fossem quebrar seus ossos. E quando ela se empoleirou no banco diante dele, ainda parecia estar sem nenhuma pressa.

— Dia cansativo? — perguntou Sonny.

— E todos os dias não são cansativos? — ela respondeu, com um sorriso.

Sonny serviu a bebida, e ela a bebericou com a mesma lentidão com que tinha feito tudo o mais.

— Eu me chamo Sonny — disse ele.

Ela lhe deu mais um sorriso, e seus olhos pareceram se divertir.

— Amani Zulema.

Sonny reprimiu um risinho.

— Que tipo de nome é esse? — ele perguntou.

— É o meu. — Ela se levantou e, com o mesmo passo vagaroso, atravessou o bar, levando a bebida até o pequeno palco.

O conjunto que tinha estado tocando pareceu fazer uma reverência para ela. Sem que Amani precisasse dizer nada, o pianista se levantou para lhe dar o banco e os outros deixaram o palco vazio.

Ela pôs o copo em cima do piano e começou a passar as mãos pelas teclas. Ali, no piano, havia a mesma falta de pressa que Sonny tinha notado antes, apenas dedos passeando preguiçosos.

Foi quando ela começou a cantar que o salão ficou em silêncio total. Era uma mulher pequena, mas sua voz era tão grave que fazia com que parecesse muito maior. O som tinha também uma aspereza, como se ela tivesse gargarejado com seixos para se preparar. Ela oscilava enquanto cantava. Primeiro para um lado, e então, uma empinada da cabeça antes de passar para o outro. Quando ela começou a fazer uma improvisação vocal, o pequeno público gemeu e até gritou "Amém!" uma vez ou duas. Algumas pessoas entraram ali, vindo da rua, e ficaram paradas na porta, só tentando dar uma espiada.

Ela terminou cantarolando, um som que parecia vir do fundo de suas entranhas, onde há quem diga que a alma vive. Aquilo fez Sonny se lembrar da sua infância, do primeiro dia em que sua mãe cantou com vontade na igreja. Ele era pequeno, e Josephine era só um bebê, balançando no colo de Eli. Sua mãe tinha deixado cair no chão o hinário, e a congregação inteira tinha se assustado com o barulho, olhando diretamente para ela. Sonny sentiu o coração quase saindo pela boca. Ele se lembrou de ter ficado envergonhado por ela. Naquela época, ele estava sempre com raiva ou com vergonha dela. Mas aí ela começou a cantar. *I shall wear a crown*, ela cantou. Eu usarei uma coroa.

Foi a coisa mais bonita que Sonny tinha ouvido na vida, e ele amou a mãe naquele momento como nunca a tinha amado antes. A congregação dizia "Canta, Willie", "Amém" e "Deus seja louvado"; e, naquela hora, parecia a Sonny que sua mãe não precisava esperar pelo Paraíso para receber sua recompensa. Ele podia ver: ela já estava usando sua coroa.

Amani terminou de cantarolar e sorriu para o público que começava a aplaudir e aclamar ruidosamente. Ela pegou a be-

Sonny

bida de cima do piano e a bebeu de uma vez só. Voltou na direção de Sonny e pôs o copo vazio diante dele. Não disse mais nada enquanto saía dali.

Sonny estava ficando num conjunto habitacional no East Side, com um pessoal que ele conhecia mais ou menos. A contragosto, ele dera o endereço à mãe e soube que ela o passara a Lucille quando Lucille apareceu por lá trazendo sua filha.

— Sonny! — ela gritou. Estava em pé na calçada diante do prédio de apartamentos. Poderia haver mais de cem Sonnys no Harlem. Ele não queria admitir que esse era ele.

— Carson Clifton, eu sei que você tá aí.

O prédio não tinha porta dos fundos, e seria só uma questão de tempo até Lucille descobrir um jeito de subir.

Sonny debruçou a parte superior do corpo para o lado de fora da sua janela no terceiro andar.

— Tá querendo o quê, Luce? — perguntou ele. Não via a filha havia quase um ano. A menina tinha crescido, estava grande demais para ficar escanchada no quadril minúsculo da mãe, mas Lucille sempre teve força de sobra.

— Vem deixar a gente subir! — gritou ela, em resposta. E antes de descer para buscá-las, ele deu um dos seus "suspiros de velhota", como Josephine os chamava.

Lucille não tinha passado dez segundos ali, e Sonny já se arrependia de tê-la deixado entrar.

— A gente precisa de dinheiro, Sonny.

— Sei que minha mãe anda te dando alguma coisa.

— Com que vou alimentar essa criança? Com ar? Uma criança não cresce com ar.

— Não tenho nenhum pra te dar, Lucille.
— Você conseguiu esse apartamento. Angela me disse que você deu algum pra ela no mês passado.

Sonny fez que não. As mentiras que essas mulheres contavam umas às outras e a si mesmas.

— Eu não vejo Angela há mais tempo do que você.

Lucille bufou.

— Que belo pai que você é!

Agora Sonny ficou com raiva. Ele não queria filho nenhum, mas, de algum modo, tinha acabado tendo três. O primeiro foi a menina de Angela; o segundo, de Rhonda; e o terceiro, a menina de Lucille, que tinha se revelado um pouco lenta. Sua mãe dava a todas elas algum dinheiro todo mês, apesar de ele lhe ter dito para parar e de ter dito a cada uma das mulheres que parassem de pedir. Elas não lhe davam atenção.

Quando Angela deu à luz sua filha, Etta, Sonny só tinha quinze anos. Angela só tinha catorze. Eles diziam que iam se casar e fazer as coisas direito, mas, quando os pais de Angela descobriram que ela estava grávida e que o bebê era de Sonny, eles a mandaram para o sul, para o Alabama, onde ela ficou com a família por lá até o bebê nascer. Depois, quando Angela voltou do sul, eles não permitiram que ele visse nenhuma das duas.

Sonny realmente tinha querido agir certo com Angela, com a filha, mas ele era muito jovem e estava desempregado. E imaginou que os pais de Angela talvez estivessem com razão quando diziam que ele no fundo era um inútil. Ele ficou desolado no dia em que Angela se casou com um jovem pastor itinerante que se dedicava ao avivamento da fé lá no sul. O pastor costumava deixar Angela no Harlem meses a fio, e Sonny pensava que, se tivesse condições de tê-la, nunca a deixaria.

Mas aí acontecia de ele se olhar no espelho e ver feições que não reconhecia do rosto da mãe. Seu nariz não era o dela. Nem suas orelhas. Quando era criança, ele fazia perguntas à mãe sobre essas feições. Perguntava-lhe de onde vinham seu nariz, suas orelhas, sua pele mais clara. Ele lhe perguntava pelo pai. E tudo o que ela dizia era que ele não tinha pai. Ele não tinha pai, mas tinha saído perfeito. "Perfeito?", ele costumava provocar o cara no espelho. "Perfeito?"

— Ela nem é mais um bebê, Lucille. Olha só pra ela.

A menina andava meio cambaleando pelo apartamento, procurando se equilibrar nas perninhas. Lucille lançou para Sonny um olhar fulminante, agarrou a criança no colo e foi embora.

— E trata de não ligar pra minha mãe pra pedir dinheiro! — gritou ele, às suas costas. Ele pôde ouvir seus passos pesados descendo a escada até sair para a rua.

Dois dias depois, Sonny estava de volta à Jazzmine. Ele tinha perguntado aos outros caras que trabalhavam lá quando Amani voltaria, mas nenhum deles sabia.

— Ela vai aonde o vento leva — disse o cego Louis, enxugando o bar. Sonny deve ter dado um pequeno suspiro, porque logo Louis comentou: — Conheço esse som.

— Que som?

— Você não vai querer entrar nessa, Sonny.

— Por que não? — perguntou Sonny. O que um velho cego poderia saber sobre desejar uma mulher só por tê-la visto?

— Não é só pela aparência da mulher. Você precisa pensar no que ela tem por dentro, também — respondeu Louis, lendo seu pensamento. — Aquela ali não tem nada que valha a pena querer.

Sonny não lhe deu ouvidos. Ele levou mais três meses para conseguir ver Amani outra vez. Àquela altura, já tinha saído procurando por ela, passando num clube atrás do outro, esperando ver alguém subir no palco com aquele jeito lento de caminhar.

Quando a encontrou, ela estava sentada a uma mesa no fundo de um clube, dormindo. Ele precisou chegar perto para saber isso, tão perto que podia ouvir sua respiração entrando e saindo enquanto ela roncava. Ele olhou em volta, mas Amani estava num canto escuro do bar, e ninguém parecia estar procurando por ela. Ele empurrou seu braço. Nada. Empurrou o braço outra vez, com mais força. Ainda nada. No terceiro empurrão, ela rolou a cabeça para um lado, tão devagar, que parecia uma grande pedra redonda se movendo. Piscou umas duas vezes, num movimento lento e deliberado que uniu suas pálpebras pesadas e seus cílios espessos.

Quando, por fim, ela olhou para ele, Sonny pôde ver por que ela precisava piscar. Seus olhos estavam injetados, as pupilas, dilatadas. Ela piscou mais duas vezes dessa vez, rapidamente. E ao observá-la, Sonny de repente percebeu que não tinha pensado no que faria quando a encontrasse.

— Vai cantar hoje? — perguntou ele, mansamente.

— Tá parecendo que eu vou cantar?

Sonny não respondeu. Amani começou a alongar o pescoço e os ombros. Sacudiu o corpo inteiro.

— Cara, o que você quer, hem? — perguntou ela, vendo-o de novo. — Tá querendo o quê?

— Eu quero você — confessou Sonny. Ele a queria desde o dia em que a viu cantar. Não era seu jeito lento de andar, nem o fato de sua voz ter feito com que ele se lembrasse da sua recordação preferida da mãe. Era que ele tinha sentido alguma coisa dentro dele se abrir quando ela começou a cantar naquela noite, e ele queria capturar só um pouquinho mais daquela sensação, guardá-la para si.

Ela fez que não para ele e deu um sorrisinho.

— Bem, vem comigo então.

Eles saíram para a rua. O padrasto de Sonny, Eli, gostava de andar. Quando estava por lá, ele levava Sonny, Willie e Josephine por toda a cidade. Vai ver que foi assim que sua mãe tinha aprendido a gostar de andar também, Sonny pensou. Ele ainda se lembrava do dia em que ela saíra andando com ele na direção do centro, da parte branca da cidade. Ele achou que os dois iam continuar andando para sempre, mas ela parou de repente e Sonny se descobriu decepcionado, apesar de não conseguir entender por quê.

Com Amani, Sonny passou por lugares que conhecia do tempo em que trabalhava na equipe de moradia: espeluncas de jazz para os fracassados, barracas de comida barata, barbearias, todos esses lugares com drogados na rua passando o chapéu para pedir dinheiro.

— Você ainda não me falou do seu nome — disse Sonny, enquanto eles passavam por cima de um homem deitado no meio da rua.

— O que você quer saber?

— Você é muçulmana?

Amani riu dele um pouco.

— Não, não sou muçulmana.

Sonny esperou que ela falasse. Ele já tinha dito o suficiente. Não queria continuar a pressioná-la, expondo seu desejo, suas fraquezas. Esperou que ela falasse.

— *Amani* significa "harmonia" em suaíli. Quando comecei a cantar, achei que precisava de um nome novo. Minha mãe me deu o nome de Mary, e ninguém vai fazer nenhum sucesso com um nome como Mary. Eu não estou nessa de Nação do Islã e de Back to Africa, mas vi Amani e tive a sensação de que era meu. Por isso o adotei.

— Você não está nessa de Back to Africa, mas usa um nome africano? — Sonny tinha deixado a política para trás, mas podia sentir que ela voltava a se aproximar. Amani tinha quase a metade da idade dele. Os Estados Unidos onde ela nasceu eram diferentes do país em que ele tinha nascido. Ele resistiu ao impulso de repreendê-la.

— Nós não podemos retornar para a África, podemos? — Ela parou de andar e tocou no braço dele. Parecia mais séria do que tinha parecido a noite inteira, como se só agora estivesse considerando que ele era uma pessoa de verdade, não alguém que ela tinha criado em sonhos quando ele a encontrou dormindo. — Não temos como voltar a um lugar onde nunca estivemos, pra começo de conversa. Aquilo lá já não é nosso. Isso aqui é. — Ela fez um gesto largo à sua frente, como se estivesse tentando incluir nele o Harlem inteiro, Nova York inteira, o país inteiro.

Chegaram por fim a um conjunto habitacional muito distante no West Harlem. O prédio não estava trancado. Quando entraram no corredor, a primeira coisa que Sonny percebeu foi a fileira de viciados ao longo das paredes. Eles pareciam bonecos, ou lhe lembravam o cadáver que Sonny tinha visto quando entrou numa funerária e encontrou o agente funerário arrumando um corpo, dobrando o cotovelo, virando o rosto para a esquerda, ajeitando as costas no caixão.

Ninguém estava arrumando aqueles corpos no corredor — ninguém que Sonny pudesse ver —, mas ele soube de imediato que aquele era um lugar onde drogados se abrigavam. E, de repente, o que ele não tinha querido saber sobre os movimentos vagarosos e sonolentos de Amani, suas pupilas dilatadas, tornou-se infelizmente muito óbvio. Ele ficou nervoso, mas engoliu em seco, porque era importante para ele que Amani não visse que, quanto mais tempo ele estava com ela, mais ele começava a sentir que não tinha nenhum controle sobre si mesmo.

Eles entraram num quarto. Um homem aconchegando seu próprio corpo estava enrolado contra a parede num colchão sujo. Duas mulheres estavam batendo nos braços, preparando-se para a agulha que um segundo homem segurava. Eles nem levantaram os olhos quando Sonny e Amani entraram.

Para onde quer que olhasse, Sonny via instrumentos de jazz. Dois trompetes, um baixo, um sax. Amani pôs suas coisas no chão e se sentou ao lado de uma das mulheres, que finalmente olhou para eles e lhes deu um cumprimento de cabeça. Amani voltou-se para Sonny, que ainda estava meio para trás, com a mão ainda roçando na maçaneta da porta.

Ela não disse nada. O homem passou a seringa para a primeira garota. Essa passou a seringa para a segunda. A segunda a passou para Amani, que ainda estava olhando para Sonny. Ela ainda estava calada.

Sonny assistiu enquanto ela furava o braço com a agulha, ficou olhando enquanto ela revirava os olhos. Quando olhou para ele de novo, ela não precisou falar para que ele a ouvisse dizer: "Essa sou eu. Ainda tá querendo?"

* * *

— Carson! Carson, sei que você tá aí dentro!
Ele estava ouvindo a voz, mas, ao mesmo tempo, não a estava ouvindo. Estava vivendo dentro da própria cabeça e não sabia dizer onde ela terminava e onde o mundo começava. E não queria responder à voz enquanto não tivesse certeza de que sabia de que lado das coisas ela estava vindo.

— Carson!

Ele permaneceu sentado em silêncio, ou, pelo menos, achou que estivesse em silêncio. Estava suando, com o peito arquejando, subindo e descendo. Logo ia precisar conseguir mais droga para não morrer.

Quando a voz do outro lado da porta começou a rezar, Sonny soube que era sua mãe. Ela já tinha feito isso algumas vezes, quando ele ainda passava uma boa parte do tempo sóbrio, quando a droga ainda era principalmente uma diversão e ele achava que exercia algum controle sobre ela.

— Senhor, livra meu filho desse tormento. Deus Pai, eu sei que ele desceu lá no Inferno para dar uma olhada, mas por favor manda ele de volta.

Sonny poderia ter considerado essas palavras tranquilizadoras se não estivesse passando tão mal. Sentiu uma náusea; a princípio, quase nada, mas logo estava vomitando no canto do quarto.

A voz da mãe aumentou o volume.

— Senhor, sei que pode libertá-lo do que o aflige. Abençoa e protege o meu filho.

Libertação era exatamente o que Sonny queria. Era um viciado de 45 anos de idade, estava cansado, mas também estava mal. E o mal-estar de tentar largar a droga superava sua exaustão, fazendo com que continuasse com ela todas as vezes.

Sonny

Sua mãe agora estava murmurando, ou talvez os ouvidos de Sonny já não estivessem funcionando. Logo, ele não conseguia ouvir nada. Não demoraria para alguém voltar para casa. Um dos outros drogados com quem ele morava chegaria, e podia ser que tivesse comprado alguma coisa, mas era provável que não, e Sonny teria de começar o ritual de tentar ele mesmo comprar. Em vez de esperar, ele começou de uma vez.

Forçou-se a se levantar do chão e grudou a orelha na porta para se certificar de que a mãe tinha ido embora. Quando teve certeza, saiu para cumprimentar o Harlem.

O Harlem e a heroína. A heroína e o Harlem. Sonny já não conseguia pensar num sem pensar no outro. Eles eram parecidos. Os dois iam matá-lo. Os drogados e o jazz tinham andado juntos, alimentando-se mutuamente. E agora, cada vez que ouvia um trompete, Sonny queria uma dose.

Sonny seguiu pela 116. A 116 era uma rua em que ele quase sempre conseguia comprar, e já tinha se treinado para detectar drogados e traficantes com a maior rapidez possível, deixando que seus olhos passeassem pelos transeuntes até pousar naqueles que tinham o que ele precisava. Era uma consequência de viver dentro da própria cabeça. Isso o levava a perceber outros que estavam fazendo a mesma coisa.

Quando Sonny passou pela primeira drogada, ele perguntou se ela estava com algum, e a mulher fez que não. Quando topou com o segundo, perguntou se ele o deixaria levar algum, e o homem também fez que não, mas apontou mais adiante para um cara que estava vendendo.

A mãe de Sonny já não lhe dava dinheiro. Angela às vezes dava, se seu marido armado com a Bíblia faturasse algum dinheiro a mais no circuito de avivamentos. Sonny entregava ao traficante até o último dólar que tinha e conseguia comprar tão pouco. Comprava quase nada.

Ele queria um pico antes de voltar para casa, só para o caso de Amani estar lá. Ela transaria com ele por aquele quase nada que ele tinha. Sonny entrou no banheiro de uma lanchonete e se picou. No mesmo instante, sentiu que o mal-estar se afastava. Quando chegou em casa, estava se sentindo quase bem. Quase, o que queria dizer que ele logo teria de conseguir mais para chegar um pouco mais perto, e, de novo, para chegar um pouco mais perto, e de novo, e de novo.

Amani estava sentada diante de um espelho, trançando o cabelo.

— Onde você tava? — ela perguntou.

Sonny não respondeu. Ele limpou o nariz com o dorso da mão e começou a remexer na geladeira em busca de comida. Eles moravam no conjunto Johnson Houses, na esquina da 112 com a Lexington, e sua porta nunca ficava trancada. Drogados iam e vinham, de um apartamento para outro. Alguém estava desmaiado no chão diante da mesa.

— Tua mãe esteve aqui — disse Amani.

Sonny encontrou um pedaço de pão e comeu em volta do mofo. Ficou olhando para Amani enquanto ela terminava o cabelo e se levantava para se olhar no espelho. Sua cintura estava começando a engrossar.

— Ela disse que é pra você ir jantar lá no domingo.

— Aonde você vai? — perguntou ele a Amani. Ele não gostava quando ela se arrumava. Muito tempo atrás, ela lhe prometera que nunca entregaria o corpo pela droga, e, no início, Sonny não tinha acreditado que ela fosse capaz de cumprir a promessa. A palavra de um drogado não vale muita coisa. Às vezes, por garantia, ele a seguia, enquanto ela perambulava pelo Harlem naquelas noites em que prendia o cabelo e passava maquiagem no rosto. Todas as vezes que a seguiu, a noite acabava com o mesmo resultado entristecedor: Amani implorando ao dono de um clube de jazz que a deixasse cantar de novo, só mais uma vez. Eles quase nunca deixavam. Uma vez, a pior espelunca do Harlem inteiro tinha permitido, e Sonny ficou em pé lá atrás enquanto Amani subia ao palco, recebida por olhares vazios e silêncio. Ninguém se lembrava do que ela um dia tinha sido. Tudo o que podiam ver era o que ela era agora.

— Você devia ir ver a tua mãe, Sonny. A gente bem que precisa de algum.

— Ora, Amani, qual é? Você sabe que ela não vai me dar nada.

— Mas podia dar. Se você se arrumasse um pouco. Tomar banho e fazer a barba iam ajudar. Ela até que podia te dar alguma coisa.

Sonny se aproximou de Amani. Ficou em pé por trás dela e passou os braços em torno da sua barriga, sentindo a firmeza do seu peso.

— Por que *você* não me dá alguma coisa, benzinho? — sussurrou ele junto do seu ouvido.

Ela começou a tentar se desvencilhar, mas ele a abraçava com firmeza e ela cedeu, encostando-se nele. Sonny nunca a amara, não de verdade. Mas sempre a tinha desejado. Ele levou um tempo para descobrir a diferença entre essas duas coisas.

— Acabei de arrumar meu cabelo, Sonny — disse ela, mas já estava lhe oferecendo o pescoço, inclinando-o para a esquerda para ele poder passar a língua pelo lado direito.

— Canta alguma coisa pra mim, Amani — disse ele, tentando alcançar seu seio. Ela cantarolou com esse toque, mas não cantou.

Sonny deixou a mão ir descendo do seio até encontrar os tufos de pelos que o aguardavam. Ela, então, começou:

— *I loves you, Porgy. Don't let him take me. Don't let him handle me and drive me mad.*

Ela cantou tão baixinho que era quase um sussurro. Quase. Quando os dedos dele a encontraram molhada, ela já estava de novo no refrão. Quando saísse naquela noite para percorrer os clubes de jazz, eles não a deixariam cantar, mas Sonny sempre deixava.

— Vou visitar minha mãe — prometeu ele, quando ela saiu pela porta balançando os quadris.

Sonny estava com um saquinho de papel glassine no sapato. Era tranquilizador. Ele caminhou os muitos quarteirões entre sua casa e a casa da mãe com o dedão fechado em torno do saquinho como se fosse um pequeno punho. Ele o apertava e o soltava. Apertava e soltava.

Enquanto passava pelos edifícios que preenchiam a distância entre seu apartamento e o de Willie, Sonny tentava se lembrar da última vez em que realmente tinha falado com a mãe. Foi em 1964, durante os tumultos, e ela pedira que ele fosse se encontrar com ela na frente da igreja para ela poder lhe emprestar algum dinheiro. "Não quero te ver morto ou coisa pior", ela lhe dissera, passando para Sonny as moedas que não tinham ido parar na salva de ofertório. Enquanto pegava o dinheiro, Sonny tinha se perguntado o que poderia ser pior do que estar morto. Mas, em toda a sua volta, as provas eram cabais. Apenas semanas antes, o departamento de polícia de Nova York tinha matado a tiros um garoto negro de quinze anos, um estudante, por praticamente nada. Essa morte tinha dado início aos tumultos, lançando rapazes negros e algumas mulheres negras contra a força policial. O noticiário dava a entender que os culpados eram os negros do Harlem. Aqueles negros violentos, monstruosos, insanos, que tinham o desplante de querer que seus filhos não fossem mortos a tiros nas ruas. Sonny segurava firme o dinheiro da mãe enquanto voltava para casa naquele dia, torcendo para não topar com brancos decididos a provar que tinham razão, porque, mesmo que as ideias ainda não estivessem bem organizadas na sua cabeça, no seu corpo ele sabia que nos Estados Unidos ser um homem negro era a pior coisa que você poderia ser. Pior do que morto, você era um morto que andava.

Josephine atendeu a porta. Ela carregava a bebê aninhada num braço e seu filho segurava sua outra mão.

— O que aconteceu? Se perdeu? — perguntou ela, lançando um olhar fulminante para ele.

— Comporte-se — disse a mãe, entre os dentes, atrás dela, mas Sonny gostou de ver a irmã tratá-lo como sempre tinha tratado.

— Tá com fome? — Willie perguntou. Ela pegou o bebê do colo de Josephine e foi andando para a cozinha.

— Vou ao banheiro antes — disse Sonny, já se encaminhando para lá. Ele fechou a porta e se sentou no vaso sanitário, tirando o saquinho do sapato. Não fazia um minuto que estava ali, mas já estava nervoso. Precisava de alguma coisa que o ajudasse a encarar a situação.

Quando saiu do banheiro, sua mãe já tinha servido seu prato. A mãe e a irmã ficaram olhando enquanto ele comia.

— Por que vocês não estão comendo? — ele perguntou.

— Porque você chegou atrasado, mais ou menos uma hora e meia! — respondeu Josephine, entre os dentes.

Willie pôs um braço no ombro de Josephine e tirou um pouco de dinheiro de dentro do sutiã.

— Josey, por que não vai comprar alguma coisa gostosa pras crianças?

O olhar que Josephine lançou para Willie feriu Sonny mais do que qualquer coisa que ela já tivesse dito. Era um olhar que perguntava se Willie estaria em segurança se ficasse sozinha com ele, e o gesto inseguro de si, que Willie fez em resposta, praticamente deixou Sonny arrasado.

Josephine apanhou as crianças e saiu. Sonny nunca tinha visto o bebê, apesar de sua mãe ter lhe falado do nascimento. O menino que estava aprendendo a andar, Sonny tinha visto uma vez, quando passou por Josephine numa rua tranquila. Ele tinha se mantido de cabeça baixa, fingindo que não os via.

— Obrigado pela comida, mãe — disse Sonny. Ele estava quase terminando o prato e começava a se sentir um pouco enjoado por ter comido tão depressa. Ela assentiu e lhe serviu mais uma porção.

— Há quanto tempo não faz uma refeição decente? — perguntou ela.

Sonny deu de ombros e sua mãe continuou a olhar para ele. De novo, ele se sentiu constrangido. O efeito da pequena dose que tinha usado estava passando, e ele teve vontade de pedir licença para ir de novo ao banheiro, mas um excesso de idas só ia deixar a mãe com suspeitas.

— Teu pai era um homem branco — disse Willie, calmamente. Sonny quase engasgou com o osso de frango que estava tentando roer. — Antigamente, você costumava me perguntar por ele, e eu nunca te disse nada. Por isso, tô contando agora.

Ela se levantou para servir um copo da jarra de chá que mantinha junto da pia. Bebeu o copo de chá inteiro enquanto Sonny olhava para as costas dela. Quando terminou aquele copo, ela se serviu de mais um e o levou para a mesa.

— É que ele não começou sendo branco — disse ela. — Ele era negro, quando eu o conheci, mais pardo do que negro, realmente. Mas, mesmo assim, era de cor.

Sonny tossiu. Começou a passar o dedo no osso de frango.

— Por que não me contou isso antes? — perguntou. Ele podia sentir que estava ficando com raiva, mas tratou de se conter. Tinha vindo ali pelo dinheiro e não podia brigar com ela agora. Agora, não.

— Pensei em te contar. Pensei, sim. Você viu ele uma vez. No dia em que andamos até a 109 Oeste, te lembra? Teu pai tava parado do outro lado da rua com a mulher branca e o bebê branco, e eu pensei que talvez devesse dizer a Carson quem é aquele homem, mas aí achei que era melhor só deixar pra lá. Por isso, eu deixei pra lá, e nós voltamos pro Harlem.

Sonny partiu o osso de frango ao meio.

— Mãe, você devia ter parado ele. Devia ter me contado e devia ter feito ele parar. Não sei por que sempre deixa as pessoas fazerem gato e sapato de você. Meu pai, Eli, a droga da igreja. Você nunca lutou por nada. Por nada. Nem um dia na tua vida.

A mãe estendeu o braço por cima da mesa, pôs a mão no ombro dele e apertou com força até ele ter de encarar seus olhos.

— Isso não é verdade, Carson. Eu lutei por você.

Ele voltou os olhos para os dois pedaços de osso de frango no prato. Sentiu com o dedo do pé o saquinho no sapato.

— Você acha que fez alguma coisa porque costumava ir nessas marchas de protesto? Eu marchei. Com teu pai e com meu bebezinho, eu andei toda a distância do Alabama até aqui. Toda a distância até o Harlem. Meu filho ia ver um mundo melhor do que o mundo que eu vi, do que o que meus pais viram. Eu ia ser uma cantora famosa. Robert não ia precisar trabalhar numa mina para algum homem branco. Aquela marcha foi um protesto também, Carson.

Sonny começou a olhar na direção do banheiro. Queria pedir licença e terminar o saquinho no sapato. Sabia que era provável que aquele seria o último que ele poderia ter por um bom tempo.

Willie tirou o prato e voltou a encher o copo de chá. Ele podia vê-la em pé diante da pia, respirando fundo, com o peito e as costas subindo e descendo, enquanto ela tentava se recompor. Ela voltou e se sentou bem de frente para ele, com os olhos fixos nele o tempo todo.

— Você sempre teve raiva. Mesmo quando criança, tinha raiva. Eu costumava te ver olhando pra mim como se tivesse vontade de me matar, e eu não sabia por quê. Levei muito tempo pra descobrir que você nasceu de um homem que pôde escolher que vida levar, mas você nunca seria capaz de escolher a tua. E parecia que nasceu sabendo disso.

Ela tomou um gole do chá e ficou com o olhar perdido.

— Os brancos têm escolhas. Eles podem escolher o emprego, escolher a casa. Eles podem fazer filhos negros e depois desaparecer como se nunca tivessem estado por ali, pra começo de conversa. Como se essas negras com quem eles tinham ido pra cama ou que tinham estuprado tivessem dormido consigo mesmas e ficado grávidas. Os brancos também escolhem pelos negros. Antes, eles os vendiam. Agora, simplesmente mandam pra cadeia, como fizeram com meu pai, pros negros não poderem estar com os filhos. Pra mim, é de partir o coração te ver, meu filho, neto do meu pai, aqui com esses bebês andando pra lá e pra cá no Harlem que mal sabem teu nome, muito menos conhecem teu rosto. Só consigo pensar que não é assim que devia ser. Tem coisas que você não aprendeu comigo, coisas que são do teu pai, mesmo que não o conheça, coisas que ele aprendeu com os brancos. Fico triste de ver meu filho, drogado, depois de todo o meu esforço, mas fico ainda mais triste de te ver achar que pode ir embora, como teu pai foi. É só você não parar de fazer o que faz, e o branco não precisa fazer mais nada. Ele não precisa te vender, nem te pôr numa mina de carvão para ser teu dono. Ele é teu dono desse jeito mesmo, e ele vai dizer que você é o responsável. Vai dizer que a culpa é tua.

Josephine voltou com as crianças. Elas estavam com a roupa lambuzada de sorvete e sorrisinhos satisfeitos no rosto. Josephine não esperou para ouvir mais. Ela simplesmente levou as crianças diretamente para o quarto para elas dormirem.

Willie pegou um maço de dinheiro que estava escondido entre seus seios e bateu com ele na mesa diante do filho.

— Foi pra isso que você veio? — ela perguntou.

Sonny pôde ver lágrimas se formando nos olhos da mãe. Ele não parava de mexer com o dedão no saquinho de papel glassine, os dedos da mão loucos para segurar o dinheiro.

— Pode pegar e ir embora se quiser — disse Willie. — Pode ir se quiser.

O que Sonny queria era gritar, pegar o dinheiro, usar o que restava no saquinho do seu sapato e procurar algum lugar onde pudesse se picar até não conseguir se lembrar das coisas que sua mãe lhe dissera. Era isso o que ele queria fazer. Mas não foi o que fez. Preferiu ficar.

Marjorie

— Com licença, irmã. Eu te levo pra ver castelo. Castelo de Cape Coast. Cinco cedis. Você americana? Eu levo você navio de escravo. Só cinco cedis.

Era provável que o garoto só tivesse uns dez anos, só alguns anos mais novo do que a própria Marjorie. Ele a vinha seguindo desde que ela e a governanta da avó tinham saltado do *tro-tro*. Os moradores do lugar faziam isso, esperavam que os turistas desembarcassem para poder aplicar seu pequeno golpe, fazendo com que pagassem por coisas que os ganenses sabiam ser de graça. Marjorie tentou não lhe dar atenção, mas estava cansada e com calor, ainda sentindo o suor das outras pessoas que estavam grudadas nas suas costas, na sua frente e nos lados durante as oito horas da viagem de *tro-tro*, desde Acra.

— Eu te levo pra ver Castelo de Cape Coast, irmã. Só cinco cedis — repetiu ele. Ele não usava camisa, e ela podia sentir o calor se irradiando da sua pele, vindo na direção dela. Depois de toda aquela viagem, ela não conseguia suportar mais um corpo desconhecido tão perto do dela, e logo se descobriu gritando em twi.

— Eu sou de Gana, pateta. Não dá pra ver?

O menino não parou com o inglês.

— Mas você veio dos Estados Unidos!

Irritada, ela continuou andando. As alças da mochila estavam pesadas nos seus ombros e ela sabia que deixariam marcas.

Marjorie estava em Gana visitando a avó, como fazia todos os verões. Algum tempo atrás, a avó tinha se mudado para Cape Coast para estar perto da água. Em Edweso, onde tinha morado antes, todos a chamavam de Mulher Maluca, mas, em Cape Coast, eles a conheciam apenas como a Velha. Tão velha, diziam, que conseguia recitar toda a história de Gana de memória.

— É minha criança que veio me ver? — perguntou a avó. Estava inclinada numa bengala feita de madeira encurvada, e suas costas imitavam aquela curva, arredondando-se para baixo de tal modo que a mulher dava a impressão de estar em súplica constante. — *Akwaaba. Akwaaba. Akwaaba* — disse ela.

— Minha velha, senti saudade de você — disse Marjorie, abraçando a avó com tanta força que a mulher deu um gritinho.

— Ei, você veio querendo me quebrar?

— Desculpa, desculpa.

A Velha chamou seu criado para pegar a bolsa de Marjorie. E Marjorie, devagar, com o máximo cuidado, tirou as alças dos ombros doloridos.

A avó viu que ela se encolhia e perguntou se tinha se machucado.

— Não foi nada.

A resposta foi um reflexo. Sempre que seu pai ou sua avó lhe faziam alguma pergunta sobre a dor, Marjorie dizia que

Marjorie

nunca tinha sabido o que era isso. Quando era bem pequena, alguém lhe dissera que as cicatrizes que seu pai tinha no rosto e sua avó, nas mãos e nos pés, eram frutos de uma enorme dor. E como Marjorie não tinha nenhuma cicatriz que se assemelhasse àquelas, ela nunca conseguia chegar a se queixar de dor. Uma vez, quando era pequena, ela viu uma micose espalhar-se pelo seu joelho. Escondeu aquilo dos pais por quase duas semanas, até a micose cobrir a curva onde a coxa encontrava a perna, tornando difícil para ela se abaixar. Quando, por fim, mostrou aos pais, sua mãe vomitou, e seu pai a agarrou nos braços e a levou depressa à emergência de um hospital. A auxiliar de enfermagem que veio atendê-los ficou assustada, não com a micose, mas com a cicatriz do pai de Marjorie. Ela perguntou se era ele que precisava ser atendido.

Agora que ela olhava para as mãos da avó, era quase impossível distinguir a pele cicatrizada da pele enrugada. Toda a paisagem do corpo daquela mulher transformara-se numa ruína. A mulher jovem tinha desmoronado, deixando isso.

Elas pegaram um táxi para ir à casa da Velha. A avó de Marjorie morava num bangalô espaçoso e arejado na praia, o tipo de casa que os poucos brancos que moravam na cidade tinham. Quando Marjorie estava na terceira série, seus pais deixaram o Alabama e voltaram para Gana para ajudar a Velha a construí-lo. Passaram muitos meses por lá, deixando Marjorie aos cuidados de uma amiga deles. Quando chegou o verão, e Marjorie finalmente pôde ir visitá-los, ela se apaixonou pela linda casa sem portas. Ela era cinco vezes maior que o minúsculo apartamento da sua família em Huntsville, e o pátio da frente era a praia, não uma tristonha placa de grama ressecada, como o pátio que ela sempre tinha conhecido. Ela passou aquele verão inteiro se perguntando como seus pais podiam deixar um lugar como aquele.

— Você tem se comportado, minha filha? — a Velha perguntou, passando a Marjorie um pedaço do chocolate que guardava na cozinha. Marjorie tinha uma queda por chocolate. Sua mãe costumava brincar, dizendo que Marjorie devia ter nascido de uma semente de cacau partida ao meio e aberta.

Marjorie fez que sim, aceitando a guloseima.

— Nós vamos entrar na água hoje? — perguntou ela, com a boca cheia, o chocolate se derretendo.

— Fale em twi — respondeu a avó, em tom áspero, dando um cascudo na parte de trás da cabeça de Marjorie.

— Desculpa — murmurou Marjorie. Em casa, em Huntsville, seus pais falavam com ela em twi, e ela respondia em inglês. Isso eles faziam desde o dia em que Marjorie trouxe para casa um bilhete da sua professora do jardim de infância. O bilhete dizia o seguinte:

> *Marjorie não se apresenta para responder a perguntas. Raramente fala. Ela sabe inglês? Se não sabe, vocês deveriam levar em consideração a possibilidade de aulas de inglês como segunda língua. Ou quem sabe Marjorie não se beneficiaria de uma educação especial? Temos ótimas turmas para alunos especiais aqui.*

Os pais dela ficaram furiosos. O pai leu o bilhete em voz alta quatro vezes, gritando "O que essa idiota acha que sabe?" depois de cada repetição, mas, a partir daquela data, eles passaram a testar seu inglês todas as noites. Quando ela tentava responder às suas perguntas em twi, eles diziam "Fale inglês", até que, agora, essa era a primeira língua que lhe ocorria usar. Ela precisava se lembrar de que a avó exigia o contrário.

— Sim, vamos para a água agora. Guarde suas coisas.

Ir à praia com a Velha era uma das coisas que Marjorie mais apreciava neste mundo. Sua avó não era como outras avós. De noite, a Velha falava enquanto dormia. Às vezes, ela lutava; às vezes, andava de um lado para outro. Marjorie tinha ouvido as histórias sobre as queimaduras nas mãos e nos pés da avó, sobre a queimadura no rosto do pai. Ela sabia por que o povo de Edweso a chamava de Mulher Maluca, mas, para ela, sua avó nunca foi maluca. A Velha sonhava e tinha visões.

Elas foram andando até a praia. A Velha se movimentava tão devagar que parecia que ela, no fundo, não estava se movimentando. Nenhuma das duas estava de sapato, e, quando chegaram à beira do mar, esperaram que a água viesse lamber os espaços entre seus dedos dos pés, limpar a areia que estava escondida ali. Marjorie ficou olhando enquanto a avó fechava os olhos e esperou, paciente, que a velha falasse. Era para isso que elas tinham ido ali, era para isso que elas sempre iam.

— Você está usando a pedra? — perguntou a avó.

Instintivamente, Marjorie ergueu a mão até o colar que seu pai lhe dera só um ano antes, dizendo que finalmente ela estava com idade suficiente para cuidar dele. Ele tinha pertencido à Velha e a Abena antes dela, a James, a Quey e a Effia, a Bela, anteriormente. Tudo tinha começado com Maame, a mulher que ateou um enorme incêndio. Seu pai dissera que o colar fazia parte da história da sua família e que ela nunca deveria tirá-lo, nem dá-lo para outros. Agora, ele refletia a água do mar à sua frente, ondas de ouro tremeluzindo na pedra negra.

— Estou, minha velha.

A avó pegou sua mão e mais uma vez elas ficaram em silêncio.

— Você está nesta água — disse ela, por fim.

Marjorie assentiu, séria. No dia do seu nascimento, há treze anos, lá do outro lado do Atlântico, seus pais tinham enviado pelo correio, para a Velha, seu cordão umbilical, para que ela pudesse jogá-lo ao mar. Esse tinha sido o único pedido da Velha: se seu filho e nora, os dois já velhos quando decidiram se casar e se mudar para os Estados Unidos, algum dia tivessem um filho, que mandassem alguma coisa dessa criança de volta para Gana.

— Nossa família começou aqui, em Cape Coast — disse a Velha. Ela apontou para o Castelo de Cape Coast. — Nos meus sonhos, eu não parava de ver esse castelo, mas não sabia por quê. Um dia, vim a essas águas e pude sentir os espíritos dos nossos ancestrais me chamando. Alguns estavam livres e suas vozes falavam comigo saindo da areia, mas outros estavam presos bem fundo nas águas; então, precisei entrar pelo mar para ouvir suas vozes. Andei tanto que a água quase me carregou ao encontro desses espíritos que estavam presos tão fundo no mar que nunca se libertariam. Quando estavam vivos, eles não sabiam de onde tinham vindo, e assim, mortos, não sabiam como chegar à terra firme. Eu pus você dentro da água para que, se um dia seu espírito se perdesse, você ainda soubesse onde era seu chão.

Marjorie assentiu enquanto a avó pegava sua mão e ia andando cada vez mais longe para dentro da água. Esse era seu ritual de verão, sua avó fazendo com que se lembrasse de como encontrar o caminho de casa.

* * *

Marjorie

Marjorie voltou para o Alabama bem mais escura e com quase três quilos a mais. Sua menarca tinha ocorrido quando ela estava com a avó, e a velha tinha batido palmas e cantado músicas para festejar a transformação de Marjorie de menina em mulher. Marjorie não queria deixar Cape Coast, mas as aulas iam começar e seus pais não permitiram que ela ficasse mais ali.

Ela estava começando o ensino médio, e, embora sempre tivesse detestado o Alabama, a escola mais nova e maior de imediato fez com que ela se lembrasse dos motivos. Sua família morava na zona sudeste de Huntsville. Eles eram a única família negra do quarteirão, os únicos negros num raio de muitos quilômetros. Na escola nova, havia mais alunos negros do que Marjorie estava acostumada a ver no Alabama, mas bastaram algumas conversas com eles para Marjorie perceber que eles não eram do mesmo tipo de negro que ela era. Que, na realidade, ela era do tipo errado.

— Por que você fala desse jeito? — Tisha, a líder do bando, tinha lhe perguntado no primeiro dia de aula do ensino médio, quando ela se juntou às outras garotas para almoçar.

— De que jeito? — perguntou Marjorie.

— *De que jeito?* — Tisha repetiu, fingindo um sotaque quase britânico para registrar sua impressão de Marjorie.

No dia seguinte, Marjorie se sentou sozinha, lendo *Senhor das moscas* para a aula de inglês. Ela segurava o livro com uma das mãos e o garfo com a outra. Estava tão absorta no livro que só se deu conta de que o frango que tinha cravado com o garfo não tinha conseguido chegar à sua boca, quando sentiu o gosto de nada. Acabou levantando os olhos para ver Tisha e as outras garotas negras olhando fixamente para ela.

— Por que tá lendo esse livro? — perguntou Tisha.

— Eu... eu preciso ler para a aula — respondeu Marjorie, gaguejando.

— *Eu preciso ler para a aula* — repetiu Tisha, imitando-a. — Tu fala como uma garota branca. Branca. Branca. Branca. Elas não paravam de repetir em coro, e Marjorie teve de fazer o maior esforço para não chorar. Em Gana, quando aparecia uma pessoa branca, sempre havia uma criança por perto para apontar para ela. Um grupinho de crianças, escuras e reluzentes ao sol equatorial, estendia os dedinhos na direção daquela pessoa cuja pele era diferente da delas e gritava: "*Obroni! Obroni!*" Elas davam risinhos, encantadas com a diferença. Quando Marjorie viu pela primeira vez crianças fazendo isso, ela também viu que o homem branco, que tinha sido chamado pela cor da sua própria pele, ficou chocado, ofendido. "Por que eles não param de dizer isso?", ele tinha perguntado ao amigo que o estava acompanhando.

Naquela noite, o pai de Marjorie a tinha chamado e perguntado se ela sabia a resposta para a pergunta do homem branco. E Marjorie tinha dado de ombros. Seu pai disse-lhe, então, que a palavra adquirira um significado totalmente diferente do significado que costumava ter. Que os jovens de Gana, ele próprio um país recém-criado, tinham nascido num lugar esvaziado dos seus colonizadores. Uma vez que os jovens não viam homens brancos todos os dias, como as pessoas da geração da mãe dele e pessoas ainda mais velhas tinham visto, a palavra pôde ganhar um novo sentido para eles. Eles moravam numa Gana em que eles eram a maioria, em que a cor da pele deles era a única num raio de quilômetros. Para eles, chamar alguém de "*obroni*" era um ato inocente, uma interpretação da raça como cor da pele.

Agora, mantendo a cabeça baixa e lutando para conter as lágrimas, enquanto Tisha e as amigas a chamavam de "branca", Marjorie percebia, ainda mais uma vez, que ali "branco" podia ser o jeito de uma pessoa falar; "negra" podia ser a música que uma pessoa escutava. Em Gana, você só podia ser o que era, o que sua pele anunciava para o mundo.

— Não ligue pra elas — disse Esther, a mãe de Marjorie, naquela noite enquanto fazia cafuné nela. — Não ligue pra elas, minha menina sabida. Minha menina linda.

No dia seguinte, Marjorie almoçou na sala dos professores de inglês. Sua professora, a sra. Pinkston, era uma mulher gorducha, com a pele da cor das nozes, e tinha uma risada que parecia o barulho do trem se aproximando. Ela usava uma bolsa grande, cor-de-rosa, da qual tirava uma quantidade interminável de livros, como uma cartola de mágico. Em pensamento, Marjorie chamava os livros de coelhos.

— O que elas sabem? — disse a sra. Pinkston, passando um biscoitinho para Marjorie. — Elas não sabem de nada.

A sra. Pinkston era a professora preferida de Marjorie, uma de dois professores negros numa escola que atendia a quase dois mil alunos. Ela era a única pessoa que Marjorie conhecia que tinha um exemplar do livro do seu pai, *A ruína de uma nação começa nas casas de seu povo*. O livro era a obra da vida inteira do seu pai. Ele estava com 63 anos quando o concluiu e beirando os 70 quando ele e a mãe dela por fim a tiveram. O título, ele extraíra de um antigo provérbio axânti e o usava para debater sobre a escravidão e o colonialismo. Marjorie, que tinha lido todos os livros nas estantes da família, passou uma vez uma tarde inteira tentando ler o livro do pai. Só conseguira ler até a página dois. Quando contou isso ao pai, ele disse que aquilo era algo que ela só iria entender quando fosse bem mais velha. Disse que as pessoas precisam de tempo para conseguir enxergar as coisas com clareza.

— O que está achando do livro? — disse a sra. Pinkston, apontando para o exemplar de *Senhor das moscas*, suspenso nas mãos de Marjorie.

— Estou gostando.

— Mas está adorando? Você o sente dentro de você?

Marjorie fez que não. Ela não sabia o que queria dizer sentir um livro dentro dela, mas não quis dizer isso à professora de inglês para não a decepcionar.

A sra. Pinkston deu sua risada de trem em movimento e deixou Marjorie com sua leitura.

E, assim, Marjorie passou três anos desse jeito, procurando por livros que adorasse, que pudesse sentir dentro dela. No seu último ano, ela já tinha lido quase tudo da parede sul da biblioteca da escola, no mínimo mil livros, e estava avançando pela parede norte.

— Esse aí é bom.

Ela acabara de tirar *Middlemarch* da estante e estava absorvendo o cheiro do livro quando o garoto falou com ela.

— Você gosta de George Eliot? — perguntou Marjorie. Ela o tinha visto recentemente, mas não se lembrava ao certo de onde. De cabelo louro e olhos azuis, ele era parecido com um menininho que ela vira uma vez numa propaganda de Cheerios, agora mais crescido.

Ele levou o indicador aos lábios.

— Não conta pra ninguém — disse ele, e ela sorriu sem querer.

— Eu me chamo Marjorie.

— Graham.

Eles se deram um aperto de mão e Graham lhe falou de *Pigeon Feathers*, o livro que estava lendo. Ele contou que sua família tinha acabado de se mudar para ali, vinda da Alemanha, que seu pai era militar, que sua mãe tinha morrido muito tempo atrás. Marjorie devia ter falado também, mas não conseguia se lembrar do que teria dito, só que tinha sorrido tanto que suas bochechas doíam. No que pareceu um piscar de olhos, a campainha soou, a hora do almoço terminou e eles foram cada um para sua aula seguinte.

Dali em diante, eles se viam todos os dias. Liam juntos na biblioteca enquanto todos os outros alunos almoçavam. Eles se sentavam a centímetros um do outro, a uma mesa grande e comprida com lugar para trinta leitores ou mais, com os muitos lugares vazios não servindo como pretexto para explicar sua proximidade. Eles pararam de falar tanto quanto tinham falado naquele primeiro dia. Ler juntos já bastava. Às vezes, Graham deixava um bilhete manuscrito para Marjorie encontrar. Em sua maioria, eram pequenos poemas ou fragmentos de contos. Marjorie era tímida demais para mostrar o que ela mesma tinha escrito. À noite, quando estava em casa, ela esperava que os pais fossem dormir para então acender seu abajur e ler os bilhetes de Graham à luz suave.

— Papai, quando foi que você soube que gostava da mamãe? — ela perguntou durante o café da manhã, no dia seguinte. O pai tinha tido um infarto dois anos antes, e agora comia uma tigela de mingau de aveia todos os dias. Ele era tão velho que os professores de Marjorie sempre supunham que fosse seu avô.

Ele limpou a boca com o guardanapo e pigarreou.

— Quem disse que eu gosto da sua mãe? — perguntou ele. Marjorie revirou os olhos enquanto o pai começava a rir.

— Foi sua mãe que disse isso? Ei, Abronoma, você é muito criança para gostar de alguém. Concentre-se nos estudos.

Ele já estava saindo pela porta, indo dar seu curso de história na faculdade comunitária, antes que Marjorie pudesse protestar. Ela sempre detestava quando seu pai a chamava de Pequena Pomba. Este era seu nome especial, o apelido que nasceu com ela por causa do seu nome axânti, mas ele sempre fazia com que ela se sentisse pequena, como se fosse criança e frágil. Ela não era pequena. Também não era criança. Já tinha idade, tanta idade que seus seios já estavam do mesmo tamanho dos seios da sua mãe, tão grandes que ela às vezes precisava segurar seu peso nas mãos quando andava nua dentro do quarto para impedir que eles ficassem batendo no corpo.

— De quem você gosta? — a mãe de Marjorie perguntou, entrando na sala com roupa recém-lavada nas mãos. Apesar de seus pais estarem morando na América há quase quinze anos, Esther ainda se recusava a usar uma máquina de lavar. Ela lavava toda a roupa íntima da família à mão na pia da cozinha.

— Ninguém — disse Marjorie.

— Alguém te convidou para o baile de formatura? — perguntou Esther, abrindo um largo sorriso. Marjorie deu um suspiro. Cinco anos antes, ela e a mãe tinham assistido a um especial do programa 20/20 sobre bailes de formatura, de

Marjorie

um lado a outro dos Estados Unidos, e sua mãe tinha ficado encantada. Ela disse que nunca tinha visto nada parecido com as garotas em seus vestidos de gala e os rapazes de terno. Imaginar que sua filha pudesse ser uma daquelas garotas escolhidas era uma esperança que cintilava nos olhos de Esther, da mesma forma que ardia como cisco nos de Marjorie. Marjorie era uma de trinta alunas negras na escola. Nenhuma delas tinha sido convidada para o baile de formatura no ano anterior.

— Não, mamãe, meu Deus!

— Eu não sou Deus, nem nunca fui — disse a mãe, tirando um sutiã de renda preta das profundezas da água da pia. — Se um garoto gostar de você, você precisa fazer com que ele saiba que você gosta dele também. Se não fizer isso, ele nunca vai dar o primeiro passo. Eu morei na casa do seu pai por muitos, muitos anos, antes de ele me pedir pra casar com ele. Eu era uma boba, com esperança de que ele veria que eu queria o mesmo que ele, sem que eu deixasse isso claro. Se não fosse a intervenção da Velha, quem sabe se um dia ele teria feito alguma coisa. Aquela mulher tem fortes poderes.

Naquela noite, Marjorie enfiou o poema de Graham debaixo do travesseiro, torcendo para ter herdado o poder da avó, para que as palavras que ele tinha escrito entrassem flutuando pelo seu ouvido enquanto ela dormia, que florescessem num sonho.

A sra. Pinkston estava organizando um evento de cultura negra para a escola e perguntou a Marjorie se ela leria um poema. O evento, chamado As Águas que Atravessamos, era diferente de qualquer coisa que a escola já tivesse feito e estava marcado para o início de maio, bem depois da comemoração do Black History Month.

— Basta você contar sua história — disse a sra. Pinkston.

— Fale sobre o que ser afro-americana significa para você.

— Mas eu não sou afro-americana — disse Marjorie.

Embora não conseguisse interpretar com clareza a expressão no rosto da sra. Pinkston, Marjorie soube de imediato que tinha dito algo de errado. Teve vontade de explicar para a sra. Pinkston, mas não sabia como. Queria dizer a ela que, na sua terra natal, eles tinham uma palavra diferente para os afro-americanos. *Akata*. Que as pessoas *akata* eram diferentes dos ganenses, afastadas por muito tempo do continente-mãe para continuar a chamá-lo de continente-mãe. Ela queria dizer à sra. Pinkston que ela mesma podia se sentir sendo puxada para longe, quase *akata*, afastada demais de Gana para ser ganense. Mas o ar no rosto da sra. Pinkston a impediu de tentar qualquer explicação.

— Escute, Marjorie, vou lhe dizer uma coisa que pode ser que ninguém tenha lhe dito. Aqui, neste país, para os brancos que mandam nas coisas, não importa de onde você tenha vindo originalmente. Você está aqui agora, e aqui negro é negro e ponto final.

Ela se levantou e serviu uma xícara de café para cada uma. Marjorie, na verdade, nem mesmo gostava de café. Era amargo demais. O gosto ficava grudado no fundo da garganta, como se não conseguisse decidir se queria entrar no corpo ou se saía de volta com o ar pela boca. A sra. Pinkston bebeu o café, mas Marjorie só ficou olhando para o dela. Num lampejo, por menos de um segundo, ela achou que via seu rosto refletido nele.

Marjorie

Naquela noite, Marjorie foi ao cinema com Graham. Quando ele veio apanhá-la, ela pediu que ele estacionasse o carro a uma rua dali. Ainda não estava preparada para contar aos pais.

— Boa ideia — disse Graham, e Marjorie se perguntou se o pai dele sabia onde ele estava.

Quando o filme terminou, Graham levou o carro até uma clareira no bosque. Era um daqueles lugares ao qual outros adolescentes iam, supostamente para uns amassos, mas Marjorie já tinha passado por ali umas duas vezes, e o lugar estava sempre vazio.

Estava vazio naquela noite. Graham estava com uma garrafa de uísque no banco de trás. E apesar de detestar o gosto de álcool, Marjorie bebericou devagar. Enquanto ela bebia, Graham pegou um cigarro. Depois de acendê-lo, ele começou a brincar com o isqueiro, fazendo o fogo aparecer e depois desaparecer.

— Quer parar com isso, por favor? — pediu Marjorie, quando ele começou a balançar o isqueiro para lá e para cá.

— Isso o quê? — perguntou Graham.

— O isqueiro. Dá pra você guardar ele, por favor?

Graham lhe lançou um olhar estranho, mas não disse nada. E, assim, ela não precisou se explicar. Desde que tinha ouvido a história de como seu pai e sua avó tinham ficado com aquelas cicatrizes, ela sentia pavor do fogo. Quando ela era só uma menininha, a mulher-fogo dos sonhos da avó assombrava as horas em que a própria Marjorie estava acordada. Ela só tinha ouvido falar da mulher nas histórias da sua avó, naqueles dias em que andavam até a água para a avó poder lhe contar o que sabia dos seus ancestrais. E, mesmo assim, Marjorie achava que via a mulher-fogo no clarão azul e laranja do fogão, em carvões incandescentes, em isqueiros. Ela receava que os pesadelos também se abatessem sobre ela, que ela também fosse escolhida pelos ancestrais para ouvir as histórias da família, mas os pesadelos nunca ocorreram e, com o tempo, seu medo do fogo tinha se abrandado. Mas, de vez em quando, ela ainda podia sentir um aperto no coração quando via fogo, como se a sombra da mulher-fogo ainda a assediasse.

— O que você achou do filme? — perguntou Graham, guardando o isqueiro.

Marjorie deu de ombros. Foi a única resposta que conseguiu dar, porque ela não tinha prestado atenção nenhuma no filme. Em vez disso, tinha pensado na posição das mãos de Graham em relação à pipoca ou ao braço da poltrona que os dois compartilhavam. Tinha pensado no riso dele quando achava alguma coisa engraçada, na possibilidade de que a inclinação da cabeça dele para a esquerda, para o lado dela, não seria um convite para ela inclinar a própria cabeça para o lado dele ou para encostá-la nos seus ombros. Nas semanas que tinham passado começando a se conhecer, Marjorie tinha se apaixonado cada vez mais pelo azul dos olhos dele. Ela escrevia poemas sobre eles. O azul como as águas do mar, como o céu límpido, como uma safira — ela não conseguia captar direito. No cinema, tinha lhe ocorrido que os únicos amigos de verdade que tinha eram personagens de romances, nem um pouco reais. E, então, Graham tinha surgido e engolido um pouco da solidão de Marjorie, com aqueles seus olhos de baleia-azul. No dia seguinte, nem se esforçando ao máximo ela conseguiria se lembrar do título do filme.

— É, também foi essa minha impressão — disse Graham. Ele tomou um bom gole da garrafa de uísque.

Marjorie

Marjorie se perguntava se estava apaixonada. Como poderia saber? Como uma pessoa sabia? Da quinta série à oitava, ela gostava de literatura vitoriana, todo aquele romantismo. Cada personagem naqueles livros estava irremediavelmente apaixonado. Todos os homens cortejavam, todas as mulheres eram cortejadas. Era mais fácil ver como o amor era naquela época: a emoção despudorada, embaraçosamente majestosa. O amor agora era se sentar num Camry e ficar bebendo uísque?

— Você ainda não leu pra mim nada do que escreveu — disse Graham. Ele reprimiu um arroto, passando a garrafa para Marjorie.

— Tenho de escrever um poema pra reunião da sra. Pinkston no mês que vem. Pode ser que você leia esse poema.

— Isso vai ser algumas semanas depois do baile de formatura, não é?

Ela ficou com a boca seca diante da menção ao baile. Esperou que ele dissesse mais alguma coisa, mas ele não disse, e ela simplesmente assentiu.

— Eu ia adorar ler o poema. Quer dizer, se você quiser que eu leia. — A garrafa estava de novo nas mãos dele e, apesar do escuro, Marjorie conseguia discernir as rugas fundas das juntas dos dedos, vermelhas com a força com que ele segurava a garrafa.

Naquela semana, as pereiras de Bradford começaram a florir. Na escola, todos diziam que seu cheiro era parecido com o de esperma, de sexo, da vagina de uma mulher. Marjorie odiava aquele cheiro, uma indicação da sua virgindade, da sua incapacidade de comparar o cheiro a qualquer coisa que não fosse peixe em decomposição. Todos os anos, quando chegava o verão, ela já estava acostumada ao cheiro e, quando as flores caíssem, o cheiro não seria mais do que uma lembrança distante. Mas aí chegava a primavera e o cheiro ressurgia, anunciando-se com veemência.

Marjorie estava trabalhando no seu poema para o evento As Águas que Atravessamos, quando seu pai recebeu um telefonema de Gana. A Velha estava mal. A cuidadora não sabia dizer se os sonhos eram os mesmos ou diferentes. A Velha não saía da cama com a frequência habitual — logo ela, a mulher que um dia tivera medo do sono.

Marjorie queria que a família viajasse para Gana de imediato. Ela parou de escrever o poema, arrancou o fone das mãos do pai, que estava confuso — um gesto que, em qualquer outro dia, teria lhe valido um cascudo —, e exigiu que a cuidadora passasse o telefone para a Velha, mesmo que fosse preciso acordá-la.

— Você está mal? — ela perguntou à avó.

— Mal? Logo vou dançar com você à beira-mar no verão. Como eu poderia estar mal?

— Você não vai morrer?

— O que eu te disse sobre a morte? — disse a Velha, num tom áspero, ao telefone, com a voz parecendo mais forte do que no início da conversa. Marjorie dava puxões no fio. A Velha disse que só os corpos morriam. Os espíritos perambulavam. Eles encontravam Asamando, ou não encontravam. Eles permaneciam com seus descendentes para poder guiá-los pela vida afora, para confortá-los, às vezes para assustá-los, fazendo com que despertassem do nevoeiro do desamor, da negação da vida.

Marjorie

Marjorie tocou com a mão a pedra que trazia ao pescoço. O presente da antepassada.

— Promete que não vai embora enquanto eu não chegar aí pra te ver — disse Marjorie. Atrás dela, Yaw pôs a mão no seu ombro.

— Prometo que nunca vou te deixar — respondeu a Velha.

Marjorie devolveu o telefone para o pai, que lhe lançou um olhar estranho. Ela voltou para seu quarto. Na escrivaninha, a folha de papel que supostamente continha um poema dizia apenas: "Água. Água. Água. Água."

Marjorie e Graham tiveram mais um encontro, dessa vez uma visita ao U.S. Space & Rocket Center. Graham nunca tinha estado lá, mas Marjorie e seus pais iam uma vez por ano. Sua mãe gostava de contemplar todas as fotos de astronautas expostas nas paredes dos salões, e seu pai gostava de percorrer o museu inteiro, examinando cada foguete como se estivesse, ele próprio, tentando aprender a construir um. Para Marjorie, em certos aspectos, seus pais já tinham viajado pelo espaço, tendo ido pousar num país tão estranho a eles quanto a lua.

Graham não respeitava os avisos de *Favor Não Tocar*. Ele deixou suas impressões digitais fantasmagóricas em vitrines de fibra de vidro, impressões que desapareciam quase na mesma hora em que ele as deixava.

— Os Estados Unidos não teriam um programa espacial se não fossem os alemães — disse Graham.

— Você sente saudade da Alemanha? — perguntou Marjorie. Graham quase nunca falava do lugar onde tinha passado a maior parte da infância. Ele não demonstrava seu amor pelo país do mesmo jeito que Marjorie demonstrava por Gana.

— Às vezes, mas os filhos de militares se acostumam a mudanças constantes. — Ele deu de ombros e encostou os dedos numa vitrine que continha um traje espacial. Marjorie imaginou a mão dele atravessando o vidro, impulsionando o corpo dele para o interior da vitrine, vestindo o traje nele e depois perdendo a gravidade até o corpo dele começar a subir, flutuando no ar.

— Marjorie?

— Que foi?

— Eu perguntei se você um dia voltaria a morar em Gana.

Ela pensou um instante, na avó e no mar, no Castelo. Pensou na comoção frenética de automóveis e corpos humanos nas ruas de Cape Coast, das mulheres de quadris largos, vendendo peixe em grandes tigelas prateadas, e das meninas cujos seios ainda não tinham surgido, andando pelo canteiro central da rua, grudando o rosto nas janelas dos táxis, dizendo "Água gelada" e "Uma esmola, por favor".

— Acho que não.

Graham assentiu e começou a avançar na direção da vitrine seguinte. No momento em que ele erguia a mão para tocar no vidro, Marjorie a segurou e fez com que parasse.

— Minha sensação geral é de que simplesmente lá já não é meu lugar. Assim que eu desembarco do avião, as pessoas sabem que eu sou como elas, mas também sou diferente. Elas sentem o cheiro em mim.

— Cheiro de quê?

Marjorie olhou para o alto, tentando encontrar a palavra certa.

— Da solidão, talvez. Ou do isolamento. Esse meu jeito de não me encaixar aqui nem lá. Minha avó é a única pessoa que realmente me vê.

Marjorie

Ela baixou os olhos. Sua mão estava tremendo, e ela soltou a mão de Graham, mas ele a pegou de volta. E quando ela olhou novamente para cima, ele estava se inclinando, pressionando os lábios nos dela.

Durante semanas, Marjorie esperou por notícias da avó. Seus pais tinham contratado uma nova cuidadora para vigiá-la todos os dias, o que só pareceu deixá-la furiosa. Ela estava piorando. Marjorie não sabia dizer como sabia, mas sabia.

Na escola, Marjorie estava calada. Não levantava a mão em nenhuma das aulas, e dois professores seus a pararam para perguntar se tudo estava bem com ela. Ela desconversou. Em vez de almoçar na sala dos professores de inglês ou de passar o tempo lendo na biblioteca, ela se sentava no refeitório, no canto de uma longa mesa retangular, desafiando quem passasse por ali a enfrentá-la. Em vez disso, Graham se aproximou e sentou diante dela.

— Tudo bem? — perguntou ele. — Eu não a vejo desde...

A voz dele foi sumindo, mas Marjorie queria que ele dissesse. Desde que nos beijamos. Desde que nos beijamos. Naquele dia, Graham estava usando as cores da escola — um laranja irritante, amenizado, só ligeiramente, por um cinza tranquilizador.

— Estou bem — disse ela.

— Preocupada com o poema? — perguntou ele.

O poema era uma coleção de fontes numa folha de papel, uma experiência em letras de forma, cursivas, todas maiúsculas.

— Não, não estou preocupada com isso.

Graham assentiu e a encarou nos olhos. Ela viera ao refeitório porque queria estar sozinha e, ao mesmo tempo, cercada de gente. Era uma sensação que, às vezes, apreciava, como descer do avião em Acra e ser recebida por um mar de rostos que eram parecidos com o dela. Durante aqueles poucos minutos iniciais, ela capturava esse anonimato, mas, então, o momento passava. Alguém a abordava, perguntava se podia carregar sua mala, se podia levá-la de carro a algum lugar, se ela daria comida para seu filhinho.

Enquanto ela também fixava os olhos nos de Graham, uma garota de cabelos castanhos, que Marjorie reconheceu dos corredores, se aproximou deles.

— Graham? — disse ela. — Normalmente eu não te vejo aqui na hora do almoço. Eu me lembraria se te visse.

Graham assentiu, mas não disse nada. A garota ainda não tinha se dado conta da presença de Marjorie, mas, como Graham não respondia, o olhar dela foi na direção da pessoa que tinha conquistado a atenção dele.

Ela olhou para Marjorie só por um segundo, mas foi o suficiente para Marjorie perceber a expressão de repulsa que tinha começado a se formar no seu rosto.

— Graham — sussurrou ela, como se abaixar a voz fosse impedir Marjorie de ouvir. — Você não deve se sentar aqui.

— Como assim?

— Você não deve se sentar aqui. As pessoas vão começar a pensar... — Mais um olhar de relance. — Bem, você sabe.

— Não, eu não sei.

— Vem se sentar com a gente — disse ela. A essa altura, ela estava esquadrinhando o salão, com sua linguagem corporal demonstrando ansiedade.

— Eu estou bem onde estou.

— Pode ir — disse Marjorie, e Graham se voltou para ela. Era como se ele tivesse se esquecido do motivo pelo qual estava discutindo. Como se estivesse apenas brigando pelo lugar para se sentar, não pela garota que estava diante dele. — Pode ir. Tudo bem.

E assim que disse isso, ela prendeu a respiração. Queria que ele dissesse não, que lutasse com mais empenho, por mais tempo, que segurasse sua mão por cima da mesa e passasse seus polegares avermelhados entre os dedos dela.

Não foi o que ele fez. Ele se levantou, parecendo estar quase aliviado. Quando Marjorie percebeu que a garota de cabelos castanhos tinha segurado a mão dele para puxá-lo, eles já tinham atravessado metade do salão. Ela achava que Graham era parecido com ela, um leitor, uma pessoa solitária, mas, ao vê-lo se afastar com a garota, ela soube que ele era diferente. Viu como foi fácil para ele se enturmar sem alarde, como se aquele sempre tivesse sido seu chão.

O tema do baile de formatura foi *O grande Gatsby*. Nos dias de decoração que antecederam à festa, o piso da escola ficou coalhado de purpurina e glitter. Na noite do baile, Marjorie estava espremida entre os pais no sofá, assistindo a um filme na TV. Quando se levantou para fazer pipoca, ela pôde ouvir os pais cochichando a seu respeito.

— Tem alguma coisa errada — disse Yaw. Ele nunca tinha sido muito bom em cochichos. No volume normal, sua voz retumbava, grave e forte, a partir do ventre.

— Ela é só uma adolescente. Os adolescentes são assim — disse Esther. Marjorie tinha ouvido as outras técnicas de enfermagem do lar de idosos onde Esther trabalhava falando desse jeito, como se adolescentes fossem animais selvagens numa floresta perigosa. Melhor deixá-los em paz.

Quando voltou, Marjorie tentou parecer mais animada, mas não sabia dizer se estava tendo sucesso.

O telefone tocou e ela se apressou a atender. Tinha pedido à avó que ligasse para ela uma vez por mês, como uma promessa, mesmo sabendo que era um esforço para a velha fazer isso. Quando pegou o telefone, porém, a voz que ouviu foi a de Graham.

— Marjorie? — disse ele. Ela estava só respirando no fone, mas ainda não tinha falado. O que havia para dizer? — Bem que eu queria te levar. É só que...

A voz dele foi sumindo, mas não importava. Ela já tinha ouvido a história antes. Ele ia ao baile com a garota de cabelo castanho. Queria levar Marjorie, mas o pai dele achou que não seria correto. A escola achou que não seria apropriado. Como última defesa, Marjorie o tinha ouvido dizer ao diretor que ela "não era como as outras garotas negras". E, de algum modo, isso tinha sido pior. Ela já tinha desistido dele.

— Ainda posso ouvir seu poema? — ele perguntou.

— Vou lê-lo na semana que vem. Todo mundo vai ouvir.

— Você sabe o que eu quis dizer.

Na sala de estar, o pai de Marjorie tinha começado a roncar. Era assim que ele sempre assistia a filmes. Ela o imaginou encostando-se nos ombros da mãe, com os braços da mulher o enlaçando. Talvez a mãe também estivesse dormindo, com a própria cabeça inclinada para a de Yaw, com as longas tranças sintéticas formando uma cortina, escondendo o rosto dos dois. Aquele era um amor tranquilo. Um amor que não exigia luta nem disfarce. Quando Marjorie perguntara de novo ao pai em que momento ele soube que gostava de Esther, ele disse que sempre soube. Disse que tinha nascido com ele, que tinha respirado esse amor com a primeira brisa de Edweso, que esse amor soprava dentro dele como o harmatã. No Alabama, para Marjorie, não havia nada semelhante a um amor assim.

— Preciso ir — disse ela a Graham ao telefone. — Meus pais estão me chamando. — Ela pôs o fone no gancho com um estalido e voltou para a sala de estar. A mãe estava acordada, olhando fixamente para a televisão, apesar de não estar assistindo.

— Quem era, minha querida? — ela perguntou.

— Ninguém — Marjorie respondeu.

O auditório acomodava duas mil pessoas. Dos bastidores, Marjorie ouvia os outros alunos entrando no auditório em fila, o vozerio insistente do seu tédio. Ela andava para lá e para cá, apavorada demais para olhar para o outro lado da cortina. Atrás dela, Tisha e as amigas estavam ensaiando uma coreografia ao som de uma música que tocava baixinho num rádio Boombox.

— Pronta? — perguntou a sra. Pinkston, assustando Marjorie.

Suas mãos já estavam tremendo, e ela ficou surpresa por não deixar cair o poema que estava segurando.

— Não — Marjorie respondeu.

— Está pronta, sim — disse a sra. Pinkston. — Não se preocupe. Vai dar tudo certo. — Ela seguiu adiante, para ver como estavam todos os outros que iam se apresentar.

Quando o evento teve início, Marjorie começou a sentir uma dor no estômago. Nunca tinha falado para tanta gente e, na hora, atribuiu a dor a esse fato, mas depois percebeu que a dor tinha raízes mais fundas. Uma onda de náusea a acompanhou, mas logo tanto a dor como a náusea passaram.

Essa sensação lhe ocorria de vez em quando. Sua avó a chamava de premonição, o corpo expressando alguma coisa que o mundo ainda estava por constatar. Às vezes, Marjorie tinha essa sensação antes de receber uma nota baixa numa prova. Uma vez, ela a teve antes de um acidente de carro. Outra vez, momentos antes de se dar conta de ter perdido um anel que seu pai lhe dera. Ele alegava que essas coisas teriam acontecido, quer ela tivesse tido a sensação, quer não, e talvez fosse verdade. Tudo o que Marjorie sabia era que a sensação lhe dizia para ficar preparada.

E assim, preparada para o que pudesse acontecer, ela subiu ao palco quando a sra. Pinkston anunciou seu nome. Ela sabia que as luzes seriam fortes, mas não tinha calculado o calor, como se um milhão de sóis brilhantes a atingissem. Ela começou a transpirar e passou a palma da mão pela testa.

Ajeitou a folha de papel no atril. Tinha ensaiado um milhão de vezes, baixinho durante as aulas, diante do espelho no banheiro, no carro enquanto seu pai ou sua mãe dirigia.

O som do silêncio, interrompido por uma tosse eventual ou por um arrastar de pés, desafiava Marjorie. Ela se inclinou para o microfone. Pigarreou e então leu:

"Aberto o Castelo ao meio,
encontram a mim, encontram você.
Nós, duas, sentimos a areia,

o vento, o ar.
Uma sentiu o açoite. Açoitada,
e embarcada.

Nós, duas, negras.
Eu, você.
Uma brotou do
solo do cacau, nascida da semente,
pele intacta, ainda sangrando.
Nós, duas, atravessamos o mar.
As águas parecem diferentes,
mas são iguais.
Nossas iguais. Pele irmã.
Quem sabia? Eu não. Nem você."

Ela ergueu os olhos. Uma porta tinha se aberto com um rangido, deixando entrar mais luz. A claridade foi suficiente para ela ver seu pai parado lá, mas não o bastante para ela ver as lágrimas que escorriam pelo seu rosto.

A única promessa que a Velha, Akua, a Mulher Maluca de Edweso, não cumpriu foi a última que tinha feito. Ela morreu durante o sono, do qual, no passado, sentia medo. Sua vontade era ser enterrada numa montanha com vista para o mar. Marjorie tirou o resto do ano letivo de folga, com as notas tão boas que não fazia muita diferença.

Ela foi andando com a mãe atrás dos homens encarregados de levar o corpo da avó montanha acima. O pai insistira em carregar também, mas estava tão velho que sua presença foi mais estorvo que ajuda. Quando chegaram ao local escolhido, todos começaram a chorar. Vinham chorando dias a fio, mas Marjorie ainda não.

Os homens começaram a cavar o barro vermelho. Dois montes se formaram de cada lado do grande buraco retangular, que se aprofundava cada vez mais. Um marceneiro tinha construído o caixão da Velha de uma madeira da mesma cor do solo. E quando o caixão foi baixado, ninguém saberia dizer onde ele terminava e a terra começava. Eles passaram a devolver o barro para o buraco. Quando acabaram, compactaram bem a terra, batendo nela com as costas da pá. O som ecoou pela montanha, descendo para o vale.

Quando puseram uma placa no túmulo, Marjorie percebeu que se esquecera de deixar sobre o caixão o seu poema, composto com as histórias dos sonhos que a Velha contava quando levava Marjorie andando até a água. Ela sabia que a avó teria adorado ouvi-lo. Tirou o poema do bolso e suas mãos trêmulas fizeram as palavras dançarem apesar de quase não estar ventando.

Marjorie se atirou sobre a terra da sepultura, chorando enfim.

— *Me Mam-yee, me Maame. Me Mam-yee, me Maame.*

Sua mãe aproximou-se para levantá-la do chão. Mais tarde, Esther contou a Marjorie que parecia que ela ia saltar do penhasco e mergulhar no mar.

Marcus

MARCUS NÃO GOSTAVA DE água. A primeira vez que viu o mar de perto, ele estava na faculdade e aquela imensidão de água fez virar o seu estômago, todo aquele espaço, aquele azul interminável, que se estendia muito além de onde o olhar conseguia alcançar. Ele ficou apavorado. Marcus não tinha contado aos amigos que não sabia nadar, e seu colega de quarto, um ruivo do Maine, já estava mais de dois metros abaixo da superfície do Atlântico antes que Marcus sequer tivesse molhado os dedos dos pés.

Havia alguma coisa no cheiro do mar que lhe dava náuseas. Aquele cheiro de sal e umidade ficava grudado no seu nariz e lhe causava a sensação de que ele já estava se afogando. Ele o sentia espesso na garganta, feito salmoura, agarrado na goela de um jeito que o impedia de respirar direito.

Quando ele era pequeno, seu pai lhe dizia que os negros não gostavam da água porque tinham sido trazidos em navios negreiros. Para que um negro ia querer nadar? O fundo do oceano já estava abarrotado com corpos de negros.

Marcus sempre assentia, com paciência, quando seu pai dizia coisas desse tipo. Sonny nunca parava de falar sobre a escravidão, sobre o complexo prisional de trabalhos forçados, sobre o Sistema, a segregação, o Homem. Seu pai tinha um ódio arraigado pelos brancos. Um ódio como um saco cheio de pedras, uma pedra para cada ano em que a injustiça social continuava a ser a norma nos Estados Unidos. Ele ainda carregava aquele saco.

Marcus nunca se esqueceria dos primeiros ensinamentos do pai, das aulas de história alternativa que fizeram Marcus se interessar mais de perto pelo estudo dos Estados Unidos. Os dois dividiam um colchão no apartamento apertado de Ma Willie. De noite, quando estavam deitados no colchão com molas afiadas feito facas, Sonny contava a Marcus como os Estados Unidos costumavam recolher negros das calçadas e trancafiá-los para trabalhos forçados; ou falava da prática discriminatória que fazia com que os bancos não investissem em bairros negros, impedindo o acesso a hipotecas ou empréstimos comerciais. E, então, era de surpreender que os presídios ainda estivessem cheios de negros? Era de surpreender que um gueto fosse um gueto? Havia coisas sobre as quais Sonny falava que Marcus nunca viu nos livros de história, mas que, mais tarde, quando entrou para a faculdade, descobriu que eram verdadeiras. Ele descobriu que a mente do pai era uma mente brilhante, mas estava sufocada por baixo de alguma coisa.

Todas as manhãs, Marcus via quando Sonny se levantava, fazia a barba e saía para ir à clínica de metadona no East Harlem. Era mais fácil acompanhar os movimentos do pai do que olhar para um relógio. Às 6:30, ele se levantava e tomava um copo de suco de laranja. Às 6:45, estava fazendo a barba e, antes das sete, estava saindo pela porta. Ele iria receber sua dose de metadona e depois seguiria para o trabalho como zelador do hospital. Era o homem mais inteligente que Marcus conhecia, mas nunca pôde se livrar completamente da droga que tinha usado no passado.

Quando estava com sete anos, Marcus um dia perguntou a Ma Willie o que aconteceria se ocorresse alguma mudança na programação de Sonny. O que aconteceria se ele não conseguisse a metadona. A avó simplesmente deu de ombros. Foi só quando Marcus estava muito mais crescido que ele começou a entender a exata importância da rotina do pai. A vida inteira dele dependia daquele equilíbrio.

Agora, Marcus estava de novo perto da água. Um novo colega da universidade o tinha convidado para uma festa à beira de uma piscina para festejar o novo milênio, e Marcus tinha aceitado o convite depois de hesitar um pouco. Uma piscina na Califórnia era, sem dúvida, mais segura que o Atlântico. Ele poderia relaxar numa espreguiçadeira e fingir que estava ali só pelo sol. Poderia fazer piadas sobre como estava precisando se bronzear.

— Pow! — gritou alguém de dentro da piscina ao jogar água fria nas pernas de Marcus. Ele se enxugou, com uma careta, depois que Diante lhe entregou uma toalha.

— Mas que merda, Marcus, quanto tempo a gente vai ficar aqui fora, cara? Tá um calor dos infernos. Tá fazendo um calor da África.

Diante estava sempre se queixando. Ele era um artista plástico que Marcus tinha conhecido numa festa em East Palo Alto. E apesar de Diante ter sido criado em Atlanta, alguma coisa nele fazia Marcus se lembrar de casa. Desde então, eles passaram a ser como irmãos.

— Só faz dez minutos que a gente tá aqui, D. Fica frio — disse Marcus, mas ele também estava começando a se sentir inquieto.

— Aí, negão, não tô a fim de ficar assando nesse calorão. A gente se vê depois. — Ele se levantou e deu um pequeno aceno para as pessoas na piscina.

Diante estava sempre pedindo para ir a eventos da universidade com Marcus e, depois, indo embora quase na mesma hora em que tinham chegado. Ele estava procurando uma garota que havia conhecido num museu de arte. Ele não conseguia se lembrar do nome dela, mas disse a Marcus que dava para ver que ela era universitária, só pelo seu jeito de falar. Marcus achou desnecessário relembrar o amigo de que havia cerca de um milhão de universidades na região. Quem poderia garantir que a garota acabaria aparecendo numa das suas festas?

Marcus estava fazendo um doutorado em sociologia em Stanford. Era algo que ele nunca teria conseguido imaginar que iria fazer, naquela época em que dividia um colchão com o pai. No entanto, ali estava ele. Quando Marcus lhe disse que tinha sido aceito em Stanford, Sonny sentiu tanto orgulho que chegou a chorar. Foi a única vez que Marcus o viu chorar.

Marcus saiu da festa pouco depois de Diante, inventando alguma desculpa sobre o trabalho. Ele andou os quase dez quilômetros de volta para casa e, quando chegou, estava com a camisa molhada de suor. Entrou no boxe azulejado de azul e deixou a água cair forte na cabeça, sem nunca levantar o rosto para ela, ainda com medo de se afogar.

Marcus

* * *

— Sua mãe manda um abraço — disse Sonny.
Esse era seu telefonema semanal. Marcus ligava todos os domingos de tarde, quando sabia que a tia Josephine e todos os primos estariam na casa de Ma Willie, cozinhando e comendo depois da igreja. Ele ligava porque sentia saudade do Harlem, dos almoços de domingo. Sentia saudade de Ma Willie cantando gospel a plenos pulmões, como se Jesus fosse aparecer ali em dez minutos, se ela simplesmente o chamasse para vir fazer o prato.
— Não minta — disse Marcus. A última vez que tinha visto Amani foi na formatura do ensino médio. Sua mãe estava usando algum traje que Ma Willie lhe dera, sem dúvida. Era um vestido de mangas compridas, mas, quando ela levantou o braço para acenar para ele, enquanto ele atravessava o palco para pegar o diploma, Marcus quase teve certeza de ter visto as marcas das picadas.
— Hum — foi a resposta desdenhosa de Sonny.
— Tudo bem com vocês todos por aí? — perguntou Marcus. — As crianças e tudo o mais?
— Tá tudo bem. Tudo bem.
Eles ficaram só um pouco em silêncio. Nenhum dos dois querendo falar, mas nenhum dos dois querendo desligar também.
— Você continua limpo? — perguntou Marcus. Ele não costumava perguntar, mas perguntou.
— Continuo. Eu estou bem. Não se preocupe comigo. Trata de enfiar a cara nos livros. Não fica pensando em mim.
Marcus fez que sim. Levou algum tempo para perceber que o pai não ia poder ouvir o gesto.

— Ok — disse ele, então. E os dois finalmente encerraram o telefonema.

Depois, Diante passou por ali para apanhá-lo. Ele estava arrastando Marcus a um museu em San Francisco, o mesmo onde Diante tinha conhecido a garota.

— Não sei por que você está tão fissurado nessa garota, D. — disse Marcus. Ele realmente não gostava de museus de arte. Nunca sabia como interpretar as obras que via. Ele ouvia Diante falar sobre linhas, cores e tons. Assentia, mas, no fundo, aquilo não tinha nenhum significado para ele.

— Se você a visse, ia entender — disse Diante. Os dois estavam passeando pelo museu, e, na realidade, nenhum deles estava prestando atenção à arte.

— Já entendi que ela deve ser bonita.

— É, ela é bonita, mas não é nem por isso, cara.

Marcus já tinha ouvido a história. Diante tinha conhecido a mulher na exposição de Kara Walker. Os dois tinham andado para lá e para cá quatro vezes pelas silhuetas recortadas em papel preto, que iam do piso ao teto, até seus ombros se roçarem na quinta vez. Eles ficaram falando sobre uma peça específica por quase uma hora, sem nunca se lembrarem de pegar o nome um do outro.

— Ouça bem, Marcus. Logo, logo, vai ter um casamento. É só eu encontrar a garota.

Marcus bufou. Quantas vezes Diante tinha apontado para "a mulher da sua vida" numa festa só para sair com ela por não mais que uma semana.

Ele deixou Diante e foi perambular sozinho pelo museu. Mais do que a arte exposta, ele gostava mesmo era da arquitetura do museu. As escadarias trabalhadas e as paredes brancas

Marcus

que continham obras de cores vibrantes. Gostava de andar e do pensamento que aquela atmosfera lhe permitia.

Uma vez, ele tinha ido a um museu num passeio com a turma da escola de ensino fundamental. Eles tinham ido de ônibus, para então andar os quarteirões que faltavam para chegar ao museu, recorrendo ao sistema de cada criança segurar a mão do coleguinha mais próximo. Marcus podia se lembrar da sensação de pasmo diante do resto de Manhattan, aquela parte que não era a dele, os ternos formais e os cabelos em cortes de camadas. No museu, a bilheteira tinha sorrido para eles de lá do alto da cabine envidraçada. Marcus estava com o pescoço esticado para poder vê-la, e ela recompensou seu esforço com um pequeno aceno.

Depois que entraram, sua professora, a sra. MacDonald, os tinha conduzido por salas e mais salas, mostras e mais mostras. Marcus era o último da fila, e LaTavia, a menina cuja mão ele estava segurando, soltou a mão dele para poder espirrar e Marcus aproveitou a oportunidade para amarrar o cadarço do sapato. Quando levantou de novo a cabeça, sua turma tinha seguido adiante. Pensando bem, ele deveria ter conseguido encontrar os colegas rapidamente, uma fila de patinhos pretos no grande museu branco, mas havia tanta gente e todos eram tão altos que ele não conseguia ver como passar por eles. Bem depressa, ele ficou apavorado demais para conseguir avançar.

Ele estava ali em pé, paralisado e chorando em silêncio, quando um casal de idosos brancos o encontrou.

— Olha, Howard — disse a mulher. Marcus ainda se lembrava da cor do vestido dela, um vermelho forte como sangue, que só serviu para assustá-lo ainda mais. — O pobrezinho deve estar perdido. — Ela o examinou detidamente. — Ele até que é bonitinho, não é?

O homem, Howard, estava segurando uma bengala fina e bateu com ela no pé de Marcus.

— Tá perdido, garoto? — Marcus não respondeu. — Eu perguntei, tá perdido?

A bengala não parava de bater no seu pé e, por um segundo, Marcus teve a impressão de que a qualquer instante o homem ia levantar a bengala até o teto e baixá-la com toda a força na sua cabeça. Ele não conseguia imaginar por que motivo tinha tido essa sensação, mas seu pavor foi tamanho que ele começou a sentir alguma coisa molhada escorrendo pelas pernas da calça. Deu um grito e saiu correndo de uma sala de paredes brancas para outra e mais outra, até um guarda de segurança conseguir apanhá-lo, chamar a professora pelo sistema de alto-falantes e mandar a turma inteira de volta para a rua, de volta para o ônibus, de volta para casa no Harlem.

Diante o encontrou depois de algum tempo.

— Ela não está aqui — disse ele.

Marcus revirou os olhos. O que o amigo esperava? Os dois saíram do museu.

Passou-se um mês, e já estava na hora de Marcus voltar para sua pesquisa. Ele a vinha evitando porque ela não estava evoluindo muito bem.

A intenção original era concentrar o seu trabalho no sistema de locação de mão de obra prisional que havia roubado anos da vida do seu bisavô H, mas, quanto mais ele se aprofundava na pesquisa, maior o projeto se tornava. Como ele poderia falar sobre a história do bisavô H sem também falar sobre sua avó Willie e os milhões de outros negros que tinham migrado para o norte, fugindo da discriminação no sul? E se mencionasse a Grande Migração, ele precisaria falar das cidades que receberam aquela multidão. Teria de falar do Harlem. E como poderia falar do Harlem sem mencionar a dependência que seu pai tinha da heroína — suas passagens pela prisão, sua ficha criminal? E se fosse falar da heroína no Harlem nos anos 1960, ele também não teria de falar do crack por toda parte nos anos 1980? E se escrevesse sobre o crack, seria inevitável que tivesse de escrever sobre a "guerra contra as drogas". E se começasse a falar sobre a guerra contra as drogas, acabaria falando sobre como quase metade dos negros com quem ele cresceu estava entrando ou saindo do que tinha se tornado o sistema prisional mais rigoroso do mundo. E se falasse sobre o motivo pelo qual amigos do seu bairro estavam cumprindo penas de cinco anos por posse de maconha, quando quase todos os brancos que estudaram com ele na universidade fumavam a droga abertamente todos os dias, ele ficaria com tanta raiva que fecharia com violência o livro da pesquisa na mesa da bela mas mortalmente silenciosa Sala de Leitura Lane da Biblioteca Green, na Universidade de Stanford. E se ele batesse o livro com violência, todos no salão olhariam espantados e tudo o que veriam seria sua pele e sua raiva, e achariam que sabiam alguma coisa a seu respeito. E essa seria a mesma coisa que tinha justificado pôr na cadeia seu bisavô H, só que seria também diferente, menos óbvia do que tinha sido um dia.

Quando Marcus começava a pensar desse jeito, ele não conseguia se forçar a abrir um livro que fosse.

Ele não se lembrava exatamente de quando lhe ocorrera a necessidade de estudar e conhecer sua família mais a fundo. Talvez tivesse sido durante aqueles jantares de domingo na casa de Ma Willie, quando sua avó pedia que todos se dessem as mãos e orassem. Ele ficava espremido entre dois dos seus primos ou entre seu pai e sua tia Josephine, e Ma Willie começava uma das orações cantando.

A voz da sua avó era uma das maravilhas do mundo. Ela era suficiente para despertar nele toda a esperança, todo o amor e toda a fé que ele chegaria a possuir um dia, todos se unindo para fazer bater seu coração e suar as palmas das mãos. Ele precisava soltar a mão de alguém para secar as suas mãos, suas lágrimas.

Naquela sala, com sua família, de vez em quando, ele imaginava uma sala diferente, uma família mais completa. Imaginava com tanto empenho que às vezes achava que podia vê-los. Num momento, uma cabana na África, um patriarca segurando um machete; em outro, lá fora num palmeiral, um monte de gente assistindo a uma jovem carregar um balde na cabeça. Outras vezes, num apartamento apertado com crianças demais, ou uma fazendola fracassada, em torno de uma árvore em chamas ou numa sala de aula. Ele via essas coisas enquanto sua avó orava e cantava, orava e cantava, e sentia uma vontade louca de que todas as pessoas que ele criava na cabeça estivessem ali, naquela sala, com ele.

Ele contou isso à avó depois de um desses jantares de domingo, e ela lhe dissera que talvez ele tivesse o dom das visões. Mas Marcus nunca pôde se forçar a acreditar no deus de Ma Willie e, por isso, continuou a procurar pela família e a buscar por respostas de um modo mais concreto, através do que pesquisava e do que escrevia.

Marcus

Agora Marcus fez algumas anotações e saiu para ir se encontrar com Diante. A missão do amigo de encontrar a misteriosa mulher do museu tinha terminado, mas não seu gosto por festas e saídas.

Naquela noite, eles foram parar em San Francisco. Um casal lésbico que Diante conhecia tinha aberto as portas de casa para uma festa com dança afro-caribenha como parte de um evento conjunto de galerias de arte. Quando eles entraram, foram recebidos pelo som metálico de grandes tambores de aço. Homens com panos *kente* de cores vibrantes enrolados na cintura brandiam baquetas com a ponta redonda cor-de-rosa. Uma mulher estava em pé ao final dessa fileira de homens, cantando com a voz lamentosa.

Marcus foi abrindo caminho para entrar. A arte exposta nas paredes o assustava um pouco, embora ele nunca fosse admitir isso para Diante se, ou mais provavelmente quando, seu amigo pedisse sua opinião. A peça com que Diante tinha contribuído mostrava uma mulher com chifres, enrolada num baobá. Marcus não entendia nada do quadro, mas ficou ali parado um tempinho, com a cabeça inclinada para a esquerda, fazendo um leve gesto de aprovação quando alguém aparecia ao seu lado.

Logo, a pessoa ao seu lado era Diante. O amigo o cutucou no ombro repetidamente, numa rápida sucessão de golpes que terminaram antes que Marcus pudesse lhe dizer para parar.

— Que foi, cara? — disse Marcus, voltando o olhar para o amigo.

Era como se Diante nem mesmo se desse conta de que havia mais alguém ali. Seu corpo estava inclinado num ângulo, e ele, de repente, se voltou para Marcus.

— Ela está aqui.
— Ela quem?
— Que porra é essa de ela quem? A garota, cara. Ela está aqui.

Marcus dirigiu o olhar para onde Diante estava apontando. Eram duas mulheres em pé, uma ao lado da outra. A primeira era alta e magricela, de pele clara como a do próprio Marcus, mas com o cabelo rastafári, que descia além do seu traseiro. Ela estava mexendo nos cachos, girando-os nos dedos ou pegando todos eles e os empilhando no alto da cabeça.

A mulher ao lado foi a que atraiu o olhar de Marcus. Ela era escura — uma negra azul, como a teriam chamado nos playgrounds do Harlem — e era sólida, com seios grandes rijos e um cabelo afro tão rebelde que dava a impressão de que, em algum momento muito recente, ela fora beijada por um raio.

— Vamos, cara — disse Diante, já indo na direção das mulheres. Marcus seguiu um pouco atrás. Dava para ele ver que Diante estava tentando parecer tranquilão. O calculado andar desleixado, a meticulosa inclinação do corpo. Quando chegaram perto das duas, Marcus esperou para ver qual delas era *a* garota.

— Você! — disse a mulher de rastafári, dando um tapinha no ombro de Diante.

— Achei que estava te reconhecendo, mas não consegui me lembrar de onde — disse Diante. Marcus revirou os olhos.

— Nós nos conhecemos no museu há uns dois meses — disse a mulher, sorrindo.

— Ah, é. É isso mesmo — disse Diante, agora com sua melhor atitude, o corpo aprumado, sorridente. — Eu sou o Diante, e esse é meu amigo Marcus.

A mulher alisou a saia e pegou mais um cacho de cabelo, começando a torcê-lo no dedo. Parecia estar se arrumando. A outra, ao seu lado, ainda não tinha dito uma palavra, e seus olhos estavam voltados para o chão na maior parte do tempo, como se ela pudesse fingir que eles não estavam ali se não olhasse para eles.

— Eu sou Ki — disse a mulher de rastafári. — E essa é minha amiga, Marjorie.

Ao ouvir seu nome, Marjorie levantou a cabeça, com a cortina do cabelão se abrindo para revelar um rosto lindo e um belo colar.

— Prazer em conhecê-la, Marjorie — disse Marcus, estendendo a mão.

Quando Marcus era bem pequeno, sua mãe, Amani, o tinha levado para passar o dia com ela. Na realidade, ela o tinha roubado, porque Ma Willie, Sonny e o resto da família não faziam ideia de que Amani, que só tinha pedido para dar um oi ao menino, fosse tirá-lo do apartamento, seduzindo-o com a promessa de um sorvete.

Sua mãe não tinha condições para lhe comprar o sorvete. Marcus podia se lembrar de que ela andou com ele de uma sorveteria a outra, e a ainda mais outra, na esperança de que os preços melhorassem numa loja só um pouco mais adiante. Quando chegaram à antiga vizinhança de Sonny, Marcus teve certeza de duas coisas: a primeira, de que ele estava num lugar onde não deveria estar; a segunda, de que não haveria sorvete algum.

Sua mãe o arrastava para cima e para baixo pela rua 116, exibindo-o para seus amigos drogados, a turma fracassada do jazz.

— É o seu filhinho? — disse uma gorda desdentada, se agachando, e Marcus pôde ver o fundo do barril daquela boca vazia.

— É, esse é o Marcus.

A mulher tocou nele e seguiu adiante, bamboleando. Amani continuou a conduzi-lo por uma parte do Harlem que ele conhecia só por histórias, pelas preces de salvação que os fiéis na igreja faziam a cada domingo. O sol foi ficando cada vez mais baixo no céu. Amani começou a chorar e a gritar com ele, mandando que andasse mais depressa, mas ele já estava à velocidade máxima que suas perninhas conseguiam levá-lo. Já estava quase anoitecendo, quando Ma Willie e Sonny o encontraram. Seu pai agarrou sua mão e o puxou com tanta força que Marcus achou que seu braço fosse se separar do corpo. E ele viu quando sua avó deu uma forte bofetada no rosto de Amani, falando alto para todos ouvirem: "Ponha um dedo nessa criança de novo pra ver o que vai te acontecer."

Marcus pensava naquele dia com frequência. Ainda se surpreendia com ele. Não com o medo que tinha sentido o dia inteiro, quando a mulher que não era mais do que uma estranha para ele o arrastara cada vez mais para longe de casa, mas pela imensidão de amor e proteção que tinha sentido mais tarde, quando sua família o encontrou. Não o estar perdido, mas o ter sido encontrado. Era a mesma sensação que tinha sempre que via Marjorie. Como se ela, de algum modo, o tivesse encontrado.

Meses se passaram e o relacionamento de Diante e Ki esfriou, deixando apenas a amizade entre Marcus e Marjorie como prova de um dia ter existido. Diante zombava de Marcus o tempo todo, perguntando-lhe quando ele ia contar à garota que estava a fim dela. Mas Marcus não conseguia explicar para Diante que não se tratava disso, porque, no fundo, ele mesmo não entendia *do que* se tratava.

— Então, essa aqui é a região dos axântis — disse Marjorie, apontando para um mapa de Gana na parede de casa. — Oficialmente, é de lá que veio minha família, mas minha avó tinha se mudado da Região Central, bem aqui, para ficar mais perto da praia.

— Odeio praia — disse Marcus.

A princípio, Marjorie sorriu para ele, como se fosse começar a rir, mas aí ela parou e seus olhos ficaram sérios.

— Você tem medo do mar? — perguntou ela, deixando o dedo escorregar lentamente da beira do mapa para a parede. Pousou então a mão no colar de pedra negra que usava todos os dias.

— É, acho que sim — disse Marcus. Nunca tinha contado isso a ninguém.

— Minha avó dizia que podia ouvir as pessoas que estavam presas no fundo do mar falando com ela. Nossos ancestrais. Ela era meio maluca.

— Pra mim, ela não parece maluca. Droga, todo mundo na igreja da minha avó já recebeu um espírito a certa altura. Só porque alguém vê, escuta ou sente alguma coisa que os outros não conseguem ver, escutar ou sentir, isso não significa que essa pessoa seja maluca. Minha avó costumava dizer: "Um cego não chama de maluco quem enxerga."

Agora, Marjorie lhe deu um sorriso de verdade.

— Quer saber do que eu tenho medo? — ela perguntou, e ele fez que sim. Marcus tinha aprendido a não se surpreender com a franqueza de Marjorie. De como ela nunca ficava de papo furado, ela simplesmente mergulhava fundo. — Do fogo — disse ela.

Ele tinha ouvido a história da cicatriz do pai dela na primeira semana depois que se conheceram. A resposta não o surpreendeu.

— Minha avó costumava dizer que nós nascemos de um enorme incêndio. Bem que eu queria saber o que ela queria dizer com isso.

— E você voltou a Gana?

— Ah, ando ocupada com a universidade, dando aulas e tudo o mais. — Ela parou e olhou para o alto, contando: — Na verdade, não volto lá desde que minha avó morreu — disse, baixinho. — Foi ela quem me deu isso aqui. Herança de família, acho. — Marjorie apontou para o colar.

Marcus assentiu. Então era por isso que Marjorie nunca o tirava.

Estava ficando tarde e Marcus tinha trabalho pela frente, mas não conseguia se afastar daquele local específico na sala de estar de Marjorie. Ali havia uma grande janela de sacada que deixava entrar tanta luz que ele sentia o ombro ser tocado pelo calor. Queria ficar ali o maior tempo possível.

— Ela teria detestado saber que levei tanto tempo longe. Quase catorze anos. Quando meus pais estavam vivos, eles tentavam me fazer ir, mas era grande demais a dor de perder minha avó. E, então, perdi meus pais e acho que simplesmente já não via sentido em ir. De qualquer forma, meu twi está tão enferrujado que nem sei se eu conseguiria viajar por lá.

Ela forçou um riso, mas desviou o olhar assim que ele escapou da sua boca. Ela escondeu o rosto pelo que pareceu muito tempo. O sol por fim chegou a um ponto em que sua luz já não atingia a janela. Marcus pôde sentir o calor decolando do seu ombro e teve vontade de que ele voltasse.

Marcus passou o resto do ano letivo evitando sua pesquisa. Já não via sentido nela. Obteve uma bolsa que o levaria a Birmingham para ele poder ver o que restava de Pratt City. Ele foi com Marjorie, e tudo o que conseguiram encontrar foi um velho cego, e provavelmente biruta, que alegava ter, ainda pequeno, conhecido H, o bisavô de Marcus.

— Você podia fazer sua pesquisa sobre Pratt City — Marjorie tinha sugerido, quando eles saíram da casa do homem.

— Parece um lugar interessante.

Quando o velho ouviu a voz de Marjorie, ele disse que queria tocar nela com as mãos. Era assim que ele conseguia conhecer uma pessoa. Marcus tinha ficado olhando, surpreso e um pouco embaraçado, enquanto ela deixava o homem passar as mãos ao longo dos seus braços e, finalmente, por todo o rosto, como se a estivesse lendo. Foi a paciência dela que o surpreendeu. No pouco tempo em que se conheciam, ele já podia dizer que Marjorie tinha paciência suficiente para superar praticamente qualquer tempestade da vida. Às vezes, Marcus estudava com ela na biblioteca e ficava espiando com o canto dos olhos enquanto ela devorava um livro atrás do outro. Seu trabalho era com literatura africana e afro-americana. E quando Marcus lhe perguntou por que tinha escolhido esses assuntos, ela disse que esses eram os livros que ela podia sentir dentro de si. Quando o velho tocava nela, ela olhava para ele com tanta paciência como se, enquanto ele lia sua pele, ela também o estivesse lendo.

— Não é essa a questão — disse ele.
— Então qual é, Marcus?

Ela parou de andar. Pelo que sabiam, estavam parados em cima do que antigamente era uma mina de carvão, uma sepultura para todos os prisioneiros negros que tinham sido recrutados para trabalhar ali. Uma coisa era pesquisar um assunto. Outra totalmente diferente era ter vivido aquela situação. Ter sentido como era. Como explicar a Marjorie que o que ele queria capturar com seu projeto era o sentimento do tempo, de ter sido parte de alguma coisa em um passado tão remoto, tão impossivelmente grande, que era fácil esquecer que ela, ele e todos os demais existiam ali — não separados, mas ali dentro.

Como poderia explicar a Marjorie que ele não deveria estar ali? Vivo. Livre. Que o fato de ele ter nascido, de não estar em alguma cela de cadeia em algum lugar, não decorria de um enorme esforço próprio, não de trabalho árduo nem da crença no sonho americano, mas do mero acaso. Ele só tinha ouvido falar do seu bisavô H através de Ma Willie, mas aquelas histórias bastavam para fazê-lo chorar e para enchê-lo de orgulho. H Duas-Pás era como o chamavam. Mas como eram chamados seu pai ou o pai do seu pai? E as mães? Eles tinham sido produtos do seu tempo. E agora, andando por Birmingham, Marcus era um acúmulo do tempo de todos eles. Essa era a questão.

Em vez de dizer isso a ela, ele fez uma pergunta.
— Sabe por que tenho medo do mar?

Marjorie fez que não.

— Não é só porque tenho medo de me afogar. Embora eu ache que tenho mesmo. É por causa de todo aquele espaço. É porque, para onde quer que eu olhe, vejo o azul, e não faço a menor ideia de onde ele começa. Quando estou perto do mar, fico o mais próximo possível da areia, porque ali, pelo menos, sei onde ela termina.

Ela passou um tempo calada. Só continuou a andar um pouco à frente dele. Talvez estivesse pensando no fogo, o que ela mais temia, como tinha contado a ele. Marcus nunca tinha visto nem mesmo um retrato do pai dela, mas imaginava que ele tivesse sido um homem assustador, com uma cicatriz que cobria um lado inteiro do rosto. Ele imaginava que Marjorie temia o fogo pelos mesmos motivos que o faziam temer a água.

Ela parou embaixo de um poste de iluminação com defeito, que não parava de piscar com uma luz lúgubre.

— Aposto que você ia gostar da praia em Cape Coast — disse ela. — Lá é lindo. Não é parecido com nada que você veria aqui nos Estados Unidos.

Marcus deu uma risada.

— Acho que ninguém na minha família jamais saiu do país. Eu nem saberia o que fazer numa viagem tão comprida de avião.

— Na maior parte do tempo, a gente simplesmente dorme — disse ela.

Ele mal podia esperar para sair de Birmingham. Pratt City tinha acabado havia muito tempo, e ele não ia encontrar o que estava procurando nas ruínas daquele lugar. Não sabia se um dia encontraria.

— Está bem — disse ele. — Vamos.

— C-com licença, senhor! Quer ver castelo dos escravos? Eu te levo pra ver Castelo de Cape Coast. Dez cedis, senhor. Só dez cedis. Eu te levo pra ver castelo bonito.

Marjorie estava o apressando para passar pelo ponto dos *tro-tros*, correndo para pegar um táxi que os levasse ao hotel à beira-mar. Dias antes, tinham ido a Edweso, prestar homenagem ao local de nascimento do pai dela. Apenas horas antes, tinham estado em Takoradi, fazendo o mesmo pelo local de nascimento da mãe.

Tudo ali brilhava, até mesmo o chão. Por onde quer que fossem, Marcus percebia a poeira vermelha cintilante. Havia uma camada dela no seu corpo ao fim de cada noite. Agora haveria também areia junto.

— Não dê atenção — disse Marjorie, fazendo Marcus passar pelo grupo de meninos e meninas que estavam tentando atraí-lo para comprar isso ou aquilo, para levá-lo a um lugar ou outro.

Ele fez Marjorie parar.

— Você algum dia visitou o Castelo?

Eles estavam no meio de uma rua movimentada, e os carros buzinavam alto, embora pudesse ter sido para qualquer um — as muitas meninas magras com balde na cabeça, os meninos vendendo jornais, o país inteiro de gente com pele como a dele, se acotovelando, tornando quase impossível dirigir. Mesmo assim, eles encontraram um jeito de passar.

Marjorie agarrou as alças da mochila, puxando-as para longe do corpo.

— Não, na verdade, nunca visitei. Isso é o que os turistas negros fazem quando vêm aqui. — Ele ergueu uma sobrancelha para ela. — Você sabe o que estou querendo dizer — disse ela.

— Bem, eu sou negro. E sou turista.

Marjorie suspirou e olhou para o relógio de pulso, apesar de eles não terem nenhum lugar aonde precisassem ir. Tinham vindo em busca da praia e tinham a semana inteira para vê-la.

— Ok, tudo bem. Eu te levo.

Pegaram um táxi até o hotel, para deixar lá a bagagem. Da sacada, Marcus avistou pela primeira vez a praia. Ela parecia se estender por quilômetros sem fim. O sol refletia na areia, fazendo com que ela tremeluzisse. Areia como diamantes na antiga Costa do Ouro.

Naquele dia, não havia quase ninguém circulando em torno do Castelo, a não ser algumas mulheres reunidas em volta de uma árvore velhíssima, comendo nozes e trançando o cabelo umas das outras. Elas olharam para Marcus e Marjorie enquanto os dois se aproximavam, mas não se mexeram. Marcus começou a se perguntar se realmente as estava vendo em carne e osso. Se chegou a existir um lugar que se possa acreditar que é assombrado, era aquele ali. Do lado de fora, o Castelo era de um branco luminoso. Branco como cal, como se a estrutura inteira tivesse sido esfregada até brilhar, limpa de todas as manchas. Marcus se perguntou quem fazia o castelo brilhar daquele jeito e por quê. Quando eles entraram, as coisas começaram a parecer um pouco mais encardidas. O segredo sujo de uma vergonha antiga que preservava o local começou a transparecer no concreto escurecido, nas portas com dobradiças enferrujadas. Logo, um homem tão alto e magro, que dava a impressão de ser feito de elásticos esticados, deu as boas-vindas a eles e aos outros quatro que tinham se inscrito para a visita.

Ele disse alguma coisa para Marjorie em fanti, e ela respondeu no seu twi hesitante, em tom de desculpa, que ela vinha falando a semana inteira.

Enquanto se encaminhavam para a longa fileira de canhões voltados para o mar, Marcus a interrompeu.

— O que ele disse? — sussurrou ele.

— Ele conheceu minha avó. E me deu *akwaaba*.

Era uma das poucas palavras que Marcus tinha aprendido no tempo passado ali. "Bem-vindo." A família de Marjorie, desconhecidos na rua, até mesmo o homem que verificou os passaportes no aeroporto, vinham dizendo isso para ela, ao longo de toda a sua estada. Tinham dito isso para ele também.

— É aqui onde ficava a igreja — disse o homem de elástico, apontando. — Logo acima dos calabouços. Era possível andar por esse nível superior, entrar na igreja e nunca ficar sabendo do que acontecia lá embaixo. Na realidade, muitos soldados britânicos se casaram com mulheres locais, e seus filhos, junto com outras crianças daqui, frequentavam a escola bem neste lugar no nível superior. Outras crianças eram mandadas para a Inglaterra para estudar e voltavam para formar uma espécie de classe de elite.

Ao seu lado, Marjorie se mexeu sem sair do lugar, e Marcus tentou não olhar para ela. Era como a maioria das pessoas levava a vida, nos andares superiores, sem parar para espiar lá embaixo.

E, logo, eles estavam seguindo para baixo. Descendo para as entranhas daquele enorme animal encalhado na praia. Ali, havia sujeira que não tinha como ser lavada. Verde e cinza e preto e marrom e escuro, tão escuro. Não havia janelas. Não havia ar.

— Este é um dos calabouços das mulheres — disse o guia, por fim, conduzindo-os para um aposento que ainda tinha um leve mau cheiro. — Eles mantinham até 250 mulheres

Marcus

aqui por cerca de três meses seguidos. Daqui, eles as levavam a sair por esta porta. — Ele avançou mais um pouco.

O grupo saiu do calabouço e seguiu na direção da porta. Era uma porta de madeira, pintada de preto. Acima dela, havia uma placa que dizia *Porta Sem Volta*.

— Esta porta dá para a praia, onde navios esperavam para levá-las embora.

Elas. Elas. Sempre elas. Ninguém as chamava pelo nome. Ninguém no grupo falou. Todos ficaram ali, imóveis, esperando. Pelo quê, Marcus não sabia. De repente, ele sentiu seu estômago se revoltar. Queria estar em algum outro lugar, qualquer outro lugar.

Não pensou. Simplesmente começou a empurrar a porta. Podia ouvir o guia pedindo que parasse, gritando com Marjorie em fanti. Podia ouvir Marjorie também. Podia sentir a mão dela no seu braço. Então, sentiu que sua mão conseguia passar e, finalmente, havia luz.

Marcus começou a correr pela praia. Lá fora, centenas de pescadores estavam cuidando das suas redes de um turquesa vibrante. Havia longos barcos a remo feitos à mão até onde os olhos podiam alcançar. Cada barco tinha uma bandeira de nenhuma nacionalidade, de todas as nacionalidades. Havia uma roxa, de bolinhas, ao lado de uma bandeira britânica; uma de um laranja sanguíneo ao lado de uma francesa; uma ganense ao lado de uma americana.

Marcus correu até encontrar dois homens com a pele escura, reluzente como graxa de sapato, que estavam montando uma fogueira deslumbrante, com chamas que se lançavam para os lados e para o alto, rastejando na direção da água. Estavam preparando peixe no fogo e, quando o viram, pararam e ficaram olhando.

Antes de vê-la, ele ouviu os passos dela atrás dele. O som de pés pisando na areia, um som leve, abafado. Ela parou muitos passos atrás dele, e quando falou, sua voz era algo distante, carregado pelo vento salgado do mar.

— O que houve? — gritou Marjorie. E ele só ficou ali com o olhar fixo na água. Ela se estendia em todas as direções que ele podia ver. Ela vinha batendo até perto dos seus pés, ameaçando apagar o fogo.

— Vem cá — disse ele, voltando-se por fim para olhar para ela. Marjorie olhou de relance para o fogo, e foi só nesse instante que ele se lembrou do medo dela. — Vem — disse ele mais uma vez. — Vem ver. — Ela se aproximou um pouquinho, mas parou de novo quando o fogo rugiu para o céu.

— Está tudo bem — ele disse, acreditando no que dizia. Ele estendeu a mão. — Está tudo bem.

Ela andou até onde ele estava parado, onde o fogo encontrava a água. Ele pegou a mão dela, e os dois ficaram contemplando a imensidão do oceano. O medo que Marcus tinha sentido dentro do Castelo ainda estava ali, mas ele sabia que era como o fogo, uma coisa impetuosa que ainda assim podia ser controlada, contida.

Então, Marjorie soltou a mão dele. Marcus ficou olhando enquanto ela corria e entrava de cabeça nas ondas da arrebentação, ficou olhando enquanto ela mergulhava até ele a perder de vista e não poder fazer nada a não ser esperar que ela voltasse à tona. Quando voltou, ela olhou para ele, com os braços girando ao redor. E embora ela não falasse, ele sabia o que ela estava dizendo. Tinha chegado a vez dele de ir até onde ela estava.

Ele fechou os olhos e entrou andando até a água chegar às suas panturrilhas. Prendeu então a respiração e começou a correr. Correr debaixo d'água. Logo, ondas rebentavam por cima da sua cabeça e em toda a sua volta. A água entrou no seu nariz e fez arder seus olhos. Quando ele finalmente levantou a cabeça do mar para tossir e depois respirar, olhou para toda aquela água à sua frente, para toda aquela enorme vastidão de tempo e espaço. Ele podia ouvir Marjorie rindo, e logo ele também ria. Quando, por fim, chegou perto dela, ela estava se movimentando só o suficiente para manter a cabeça fora da água. O colar de pedra negra estava pousado logo abaixo da base do seu pescoço, e Marcus viu que a pedra emitia chispas de ouro, brilhando ao sol.

— Pronto — disse Marjorie. — Fica com ele. — Ela o tirou do pescoço e o pendurou no de Marcus. — Bem-vindo ao lar.

Ele sentiu a pedra bater no peito, dura e quente, antes que ela encontrasse seu caminho de volta à superfície. Ele a tocou, surpreso com o peso.

De repente, Marjorie fez espirrar água em cima dele, rindo alto, antes de se afastar, nadando rumo à praia.

Agradecimentos

Sou imensamente grata à Chappell-Lougee Fellowship da Universidade de Stanford, à Merage Foundation for the American Dream Fellowship, à Dean's Graduate Research Fellowship da Universidade de Iowa, e à Whited Fellowship pelo apoio a este livro durante os sete últimos anos.

Meus agradecimentos a meu agente, Eric Simonoff, por ser tão seguro e tão sábio, um feroz defensor deste romance. Sou grata também aos demais integrantes da equipe da WME, em especial a Raffaella De Angelis, Annemarie Blumenhagen e Cathryn Summerhayes, por me representarem com tanto brilho no mundo inteiro.

Meu enorme agradecimento à minha editora, Jordan Pavlin, por seu incentivo e revisão sagaz, por sua crença inabalável neste romance e por ser tão cuidadosa. Agradeço também a todos da Knopf, por seu entusiasmo sem limites. Mais agradecimentos a Mary Mount e a todos da Viking UK.

Pelo chão firme da amizade: Tina Kim, Allison Dill, Raina Sun, Becca Richardson, Bethany Woolman, Tabatha Robinson e Faradia Pierre.

Meu muito obrigada a Christina Ho, primeira leitora e amiga querida, por ver este romance em cada versão desorganizada e por me assegurar, a cada vez, que valia a pena prosseguir. Foi um enorme privilégio passar dois anos na Iowa Writers' Workshop. Obrigada, Deb West, Jan Zenisek e Connie Brothers. Agradeço também a meus colegas de turma de lá, em especial aos que ofereceram conselhos, estímulo e uma refeição feita em casa; às vezes, todos na mesma noite: Nana Nkweti, Clare Jones, Alexia Arthurs, Jorge Guerra, Naomi Jackson, Stephen Narain, Carmen Machado, Olivia Dunn, Liz Weiss e Aamina Ahmad.

Tive a sorte extraordinária de ter professores que me fizeram sentir, mesmo quando eu ainda era criança, que meu sonho de me tornar escritora não era apenas possível, mas previsível. Não vou conseguir agradecer o suficiente por esse apoio inicial, mas vou continuar a tentar. No Alabama: Amy Langford e Janice Vaughn. Em Stanford: Josh Tyree, Molly Antopol, Donna Hunter, Elizabeth Tallent e Peggy Phelan. No Iowa: Julie Orringer, Ayana Mathis, Wells Tower, Marilynne Robinson, Daniel Orozco e Sam Chang. Devo mais um agradecimento a Sam Chang, por acreditar neste livro desde a primeira palavra, por garantir que eu tivesse tudo que fosse necessário para trabalhar e por aquele telefonema em 2012.

Obrigada a Hannah Nelson-Teutsch, Jon Amar, Patrice Nelson e ao sempre querido, nunca esquecido, Clifford Teutsch, por seu apoio e acolhida carinhosa.

Devo tanto a meus pais, Kwaku e Sophia Gyasi, que, como tantos imigrantes, são a própria definição do trabalho árduo e do sacrifício. Obrigada por abrirem uma trilha para tornar

Agradecimentos

mais fácil nossa caminhada. Obrigada a meus irmãos, Kofi e Kwabena, por caminharem comigo.

Mais um agradecimento especial a meu pai e a Kofi, por descobrirem respostas a inúmeras perguntas de pesquisa. Além de suas respostas e sugestões úteis, seguem-se alguns dos livros e artigos que consultei: *The Door of No Return*, de William St. Clair; *Mission from Cape Coast Castle to Ashantee*, de Thomas Edward Bowdich; *The Fante and the Transatlantic Slave Trade*, de Rebecca Shumway; *The Human Tradition in the Black Atlantic, 1500-2000*, organizado por Beatriz G. Mamigonian e Karen Racine; *A Handbook on Asante Culture*, de Osei Kwadwo; *Spirituality, Gender, and Power in Asante History*, de Emmanuel Akyeampong e Pashington Obeng; *Black Prisoners and Their World, Alabama 1865-1900*, de Mary Ellen Curtin; "From Alabama's Past, Capitalism Teamed with Racism to Create Cruel Partnership", de Douglas A. Blackmon; *Twice the Work of Free Labor: The Political Economy of Convict Labor in the New South*, de Alex Lichtenstein; "Two Industrial Towns: Pratt City and Thomas", da Birmingham Historical Society; *Yaa Asantewaa and the Asante-British War of 1900-1*, de A. Adu Boahen; e *Smack: Heroin and the American City*, de Eric C. Schneider.

Por fim, com a máxima importância, agradeço a Matthew Nelson-Teutsch, melhor leitor e meu querido, que trouxe a cada leitura deste livro toda a generosidade, inteligência, bondade e todo o amor que traz aos meus dias. Nós, este livro e eu, nos beneficiamos com isso.

Impressão e Acabamento:
EDITORA JPA LTDA.